Alfred Weidenmann • Gepäckschein 666



OMNIBUS

**DER AUTOR** Alfred Weidenmann wurde 1918 in Stuttgart geboren und arbeitete hauptsächlich als Filmregisseur. Er inszenierte mehr als 25 Filme und Fernsehserien, darunter auch Krimiserien. Dreimal wurde er mit dem »Bundesfilmpreis für die beste Regie« ausgezeichnet. »Gepäckschein 666« hat mehr als eine halbe Million Leser gefunden und wurde in viele Sprachen übersetzt.

Alfred Weidenmann

# Gepäckschein 666

OMNIBUS

OMNIBUS

Band 20530

Der OMNIBUS
Taschenbuchverlag
gehört zu den Kinder- &
Jugendbuch-Verlagen
in der Verlagsgruppe
Random House
München Berlin
Frankfurt Wien Zürich

*Umwelthinweis:*
*Dieses Buch wurde auf chlorfrei gebleichtem Papier gedruckt.*

Erstmals als OMNIBUS-Taschenbuch Juni 1999
Gesetzt nach den Regeln der Rechtschreibreform

Umschlagbild: Anke Siebert
Umschlagkonzeption: Klaus Renner
NB · Herstellung: Stefan Hansen
Satz: Uhl + Massopust Aalen
Druck: Clausen & Bosse, Leck
ISBN 3-570-20530-4 · Printed in Germany

www.omnibus-verlag.de

10 9 8 7 6 5 4

# Inhalt


Einem Bankdirektor vergeht das Lachen ............ 7
Das kann nicht wahr sein! ......................... 25
Vater Winkelmann verteilt Schweinskoteletts und meint, am Sonntag gehe es um die Wurst ...... 29
Jungen mit Umgangsformen gesucht! ............... 35
Die Polizei muss ziemlich dicke Pillen schlucken ..... 43
Der »Regenschirm« entpuppt sich als Hoteldirektor ............................ 45
Ein gewisser Herr Hesselbein wartet mit einer Überraschung auf ................... 61
Wenn Mutter Pfannroth ans Telefon gerufen wird, glaubt sie immer gleich, der Bahnhof sei explodiert ....... 65
Sheriff hält eine geheime Versammlung ab ........... 71
Tausend Schuhe für Peter Pfannroth ................ 75
Alle brüllen: »Hepp! Hepp! Hepp!« ................ 82
»Achtung! Achtung! Sieger nach Punkten –« ......... 93
Von einer Kegelbahn, einem Parlament und Eisbeinen ............................ 104
Ein ziemlich wichtiger Tag ........................ 110
Peter erfährt, dass abstehende Ohren auch ihr Gutes haben ......................... 117
Die »Schwarze Rose« und weiße Nelken ............. 125
Mister Overseas kreuzt auf ........................ 130
Der Page Pfannroth spielt Kindermädchen ........... 141

Eine interessante Unterhaltung hinter zwei Zeitungen . . . . . . . . . . . . . . . . . . . . . . . . . . . . . 156
Mister Overseas bekommt ein Telegramm . . . . . . . . . . . 158
Peter wird seiner Uniform zuliebe vernünftig . . . . . . . . 165
Gepäckschein 666 . . . . . . . . . . . . . . . . . . . . . . . . . . . . 168
Zwei Detektive »kombinieren« . . . . . . . . . . . . . . . . . . 175
Die Gepäckaufbewahrung wird beschattet . . . . . . . . . . 183
Das Leben fliegt einem richtig weg – stellt Francis fest . . . . . . . . . . . . . . . . . . . . . . . . . . . . . 188
Die Verfolgung geht los . . . . . . . . . . . . . . . . . . . . . . . 193
Von einer Taxe, die davonfährt . . . . . . . . . . . . . . . . . . 199
Vorübergehend spielt ein Telefon die Hauptrolle . . . . . . 205
Ein älterer Herr mit weißem Spitzbart . . . . . . . . . . . . . 214
Herr Meyer von 477 . . . . . . . . . . . . . . . . . . . . . . . . . . 223
Mutter Pfannroth stammelt: »Du kriegst die Motten!« . . . . . . . . . . . . . . . . . . . . . . . . . . . . . 227
Francis überlegt – und sieht plötzlich auf seine Armbanduhr . . . . . . . . . . . . . . . . . . . . . . . . . . . 239
Herr Theobald und die »Schwarze Rose« . . . . . . . . . . . 246
Kriminalkommissar Lukkas sagt: »Alle Achtung!« . . . . 256
Mister Overseas fällt vom Himmel – und zwar mitten in die Meisterschaft . . . . . . . . . . . . . . . . . . . 265
Eine Pressekonferenz im »Roten Salon« . . . . . . . . . . . . 272
»Darf ich die jungen Herren bitten!« . . . . . . . . . . . . . . 283

# Einem Bankdirektor vergeht das Lachen

»Schuhe putzen gefällig?«, fragte Peter Pfannroth höflich, als ein ziemlich dicker Mann in einem Regenmantel auf ihn zukam.

»Was denn sonst? Wenn ich Hustensaft will, geh ich in die Apotheke«, brummte der Dicke und setzte sich in einen der beiden Drehstühle, der noch frei war.

»Dass du mir mit deiner vedammten Wichse nicht auf meine Socken kommst!« Der Dicke stellte jetzt seine Füße wie zwei Handkoffer vor sich auf den Schemel und zündete sich eine Zigarre an.

»Gestatten Sie, dass ich Ihre Hosenbeine hochkremple?«

Der Dicke gab keinen Ton von sich. Er hüllte sich in dichte Rauchwolken und sah zu dem freien Platz hinüber, der vor dem Bahnhof lag.

»Danke schön«, sagte Peter trotzdem und schlug die Hosenenden nach oben. Dabei sah er neben sich zu einem zweiten Jungen. Dieser zweite Junge hatte strohblonde Locken, war dünn wie ein Brett und hieß Emil Schlotterbeck.

»Natürlich wieder eine Baustelle! Als ob wir nicht schon genug davon hätten! In dieser Stadt fällt man ohnehin nur noch von einem Loch ins andere. Lauter Baustellen!« Der Dicke kaute grimmig an seiner Zigarre, paffte den Rauch aus wie eine Lokomotive, die überheizt ist, und sah immer noch zum Bahnhofsplatz hinüber.

Tatsächlich waren dort zwei große Lastwagen angefahren, direkt vor dem Eingang der U-Bahn und gegenüber dem neuen Gebäude der »Internationalen Handels- und Creditbank«. Vorerst wurden allerdings nur eine Menge Bretter und Holzplatten abgeladen.

»Jetzt dauert's nicht mehr lange und sie reißen die Pflastersteine raus, als ob's Unkraut wäre«, brummte der Dicke.

»Vielleicht ist's aber auch nur Brennholz für die ›Handels- und Creditbank‹«, wagte Emil einzuwerfen.

»Von wegen Brennholz. Mach doch die Augen auf!« Der Dicke zeigte mit seiner Zigarre zu den beiden Lastwagen hinüber.

Und dort wuchsen jetzt wirklich schon regelrechte Gerüste in die Luft. Gerüste wie kleine Türme.

»Sie haben Recht«, gab Emil zu. »Es handelt sich wohl doch um eine Baustelle.«

»Ich hab so ziemlich immer Recht«, sagte der kleine Dicke kurz und zog an seiner Zigarre. Dabei sah er jetzt auf seine Schuhe und sein Gesicht wurde immer freundlicher dabei.

»Nicht schlecht«, lobte er, »die glänzen wie neu.«

»Dabei kriegen sie erst noch den letzten Pfiff!«, stellte Emil fest. Er hatte sich gemütlich zurückgelehnt, die Hände in die Hosentaschen gesteckt und sah zu, wie Peter jetzt Schwung holte. Ein paar Mal ging es blitzschnell über die linke, dann über die rechte Schuhspitze. Und dann kam es zum Schluss und als Höhepunkt sozusagen: Das Poliertuch flog in die Luft, schlug einen regelrechten Salto und landete mit einem deutlichen Knall wieder in Peters Händen.

»Mein Herr, Sie sind rasiert«, Peter grinste und verneigte sich.

»Wirklich – nicht schlecht – vor allem der Knall am Schluss. Was habe ich zu bezahlen?«

»Einen Groschen pro Schuh. Macht zwanzig Pfennige«, sagte Peter.

»Und für den Knall einen Groschen dazu, macht dreißig«, lachte der Dicke jetzt und zahlte.

»Es freut uns sehr, dass Sie zufrieden sind«, bedankte sich Peter.

»Beehren Sie uns bald wieder!«, fügte Emil Schlotterbeck hinzu.

»Aha, die Herren sind Kompagnons?«, fragte der Dicke und knöpfte an seinem Regenmantel.

»Sehr richtig. Und das hier ist unsere gemeinsame Kasse, wenn's beliebt«, grinste Peter und warf die drei Groschen in eine Zigarrenkiste. »Uruguay Brasil« stand in Goldbuchstaben auf ihrem Deckel.

»Na, dann flotten Geschäftsgang«, meinte der Dicke noch, dann tauchte er im Menschenknäuel der Bahnhofstraße unter.

Peter holte eine Rolle Orangedrops aus der Tasche. »Willst du?«

Emil bediente sich.

Jetzt standen die beiden, ihre Orangedrops lutschend, an die zwei Steinsäulen gelehnt, zwischen denen sie ihre Drehstühle stehen hatten. Das war gleich links am Eingang der Bahnhofshalle, einen halben Meter über dem Bürgersteig auf einem breiten Treppenabsatz.

Es gab genau fünfundzwanzig Schuhputzerjungen in der Stadt, weil es genau fünfundzwanzig Ecken gab, an denen gearbeitet werden durfte.

Zum Selbstschutz hatten sich die fünfundzwanzig regelrecht »organisiert«. Neuaufnahmen gab es nur, wenn einer der Jungen eine Lehrstelle antrat oder aus irgendeinem anderen Grunde ausschied. Das war dann auch die einzige Möglichkeit, um einen weniger günstig gelegenen Arbeitsplatz gegen einen besseren einzutauschen. Denn ein Neuer musste sich natürlich erst mal mit der schlechtesten Ecke zufrieden geben.

Das Revier am Hauptbahnhof war natürlich das beste, schon weil dieser Hauptbahnhof mitten im Zentrum der Stadt lag. Aber schließlich war Peter Pfannroth ja auch der Chef der Jungen und Emil Schlotterbeck sein Stellvertreter.

Auf dem Bahnhofsplatz fuhr jetzt ein dritter Lastwagen vor. Ein paar Männer machten sich sofort an der Laderampe zu schaffen und turnten dann hoch. Sie schienen es höchst eilig zu haben.

»Aber mit Baustelle hat das nichts zu tun«, überlegte Emil Schlotterbeck.

»Ganz deiner Meinung, Sheriff. Noch 'nen Orangedrops?«

Emil griff zu, ohne seinen Blick von dem neuen Lastwagen zu lassen.

»Mal abwarten, was sie ausladen«, sagte Emil. Unter den Jungen hieß er Sheriff, so, wie Peter ihn gerade genannt hatte. Das kam von Emils Begeisterung für Wildwestfilme.

Allerdings musste der Held dieser Filme immer ein Sheriff sein. Ein Mordskerl, vor dem die gefährlichsten Banditen schon türmten, wenn nur sein Schatten um irgendeine Ecke bog. »Du, das sind Scheinwerfer«, sagte Peter.

»Sieht so aus«, bestätigte der Sheriff.

Tatsächlich wurden drüben aus dem neuen Lastwagen jetzt

sehr vorsichtig riesige, schwarz lackierte Blechkessel ausgeladen, deren Vorderseiten glänzende Glasflächen hatten.

»Entschuldigen Sie, wenn ich störe«, sagte in diesem Augenblick eine Stimme. Die Stimme gehörte Herrn Schimmelpfeng, der nebenan in der Bahnhofshalle das kleine Blumengeschäft hatte. Er war Junggeselle, kam jeden Morgen so um die gleiche Zeit und las, während ihm die Schuhe geputzt wurden, immer die Sportseite vom »8-Uhr-Blatt«.

Aber heute musste Herr Schimmelpfeng zuerst eine Neuigkeit loswerden. »Interessiert euch wohl auch, was das da drüben zu bedeuten hat?«

Der Blumenhändler machte eine eindrucksvolle Pause, holte tief Luft und sprudelte dann los: »Es soll *gefilmt* werden!«

Herr Schimmelpfeng lehnte sich in seinen Drehstuhl zurück und sah die Jungen an, als habe er gerade einen doppelten Salto geschlagen.

Drüben auf dem Bahnhofsplatz hielt in diesem Augenblick ein geschlossener Lieferwagen. Er war rundum himmelblau lackiert. Auf seinen Seiten stand in zitronengelber Schrift GLOBAL-FILM.

Peter und der Sheriff waren sprachlos, zumindest für einen Augenblick.

»– und – und um *was* geht es?« Peter hatte sich zuerst wieder gefasst.

»Vermutlich handelt es sich um einen Kriminalfilm. Man will einen Banküberfall drehen. Drüben vor der ›Internationalen Handels- und Creditbank‹. (So etwas Ähnliches will wenigstens der Würstchenverkäufer gehört haben.) Wenn es so weit ist, komme ich mal rüber. Von hier aus übersieht man das Ganze ja wie vom besten Tribünenplatz aus.«

»Tribüne« war vermutlich so etwas wie ein Stichwort für Herrn Schimmelpfeng. Er erinnerte sich an die Sportseite vom »8-Uhr-Blatt« und fing auch schon an zu lesen.

Wenige Minuten später ging Herr Schimmelpfeng mit blitzblanken Schuhen zu seinen Hyazinthen und Maiglöckchen zurück.

Die nächste halbe Stunde war ziemlich ruhig.

Am Bahnhofsplatz lag jetzt schon ein Gewirr von dicken Kabeln auf dem Asphalt und die Arbeiter der Filmgesellschaft bauten immer mehr Scheinwerfer auf. Die Leute blieben stehen und bildeten bereits einen Kreis um all die Holzgerüste und Lastwagen. Auf dem Dach des himmelblauen Lieferwagens war ein breitbeiniges Stativ aufgebaut worden und vier Arbeiter wuchteten an einem großen schwarzen Kasten, der offenbar sehr schwer war. Dieser Kasten wurde jetzt sehr vorsichtig auf das Stativ gehoben.

»Das ist bestimmt die Kamera«, sagte Peter ziemlich aufgeregt. Aber der Sheriff hörte ihn gar nicht. Er war nämlich mit dem Auftragen der flüssigen grünen Tinktur auf die Wildlederschuhe einer Dame beschäftigt. Das war eine heillos kniffflige Sache und er biss sich dabei auf seine Zungenspitze.

Und jetzt bekam auch Peter wieder Arbeit.

Ein sehr eleganter Herr in dunklem Anzug und mit angegrauten Haaren setzte sich in den freien Drehstuhl. Er nahm seinen schwarzen Hut ab und grüßte so höflich, als betrete er das Finanzamt.

»Guten Morgen, die Herren.«

»Guten Morgen, Herr-r-r-«, antworteten Peter und der Sheriff.

»Dabei zogen sie das »Herr« am Ende ziemlich in die

Länge und hängten ihm noch irgendeinen unverständlichen Nachlaut an. Das sollte einen Namen ersetzen, den sie leider immer noch nicht in Erfahrung gebracht hatten.

Dabei war dieser grauhaarige Herr sozusagen ein Dauerkunde, der zuweilen sogar mehrmals am Tage kam und jedes Mal mit einem Fünfzigpfennigstück bezahlte. Da er auch bei strahlender Sonne immer einen Regenschirm bei sich trug, hieß er bei den Jungen ganz einfach »Regenschirm«. Irgendwie mussten sie doch eine Bezeichnung für ihn haben.

»Stell mal das Ding solange in die Ecke«, sagte der Herr; denn selbstverständlich hatte er auch jetzt wieder seinen Regenschirm bei sich. Peter war schon eine ganze Weile beim Putzen und Bürsten, da machte er plötzlich eine Pause und sah auf. »Wenn Sie kommen, freu ich mich immer!« So ganz aus heiterem Himmel und ohne sich etwas dabei zu denken, sagte er das.

»Regenschirm« hielt den Kopf ein wenig schief und lächelte. »Das ist nett«, meinte er nur.

Peter machte sich schon wieder mit seiner Bürste zu schaffen, da fiel ihm erst ein, dass man das, was er gesagt hatte, ja vielleicht auch missverstehen könnte. Bei diesem Gedanken wurde er rot im Gesicht wie ein kleines Mädchen, das beim Vorsingen plötzlich die zweite Strophe des Liedes vergessen hat.

»Verstehen Sie mich nicht falsch«, versuchte Peter zu erklären, »das hat nichts mit den fünfzig Pfennigen zu tun, die Sie uns jedes Mal geben. Es ist wegen Ihrer Schuhe. Wenn man immer nur Schuhe putzt, dann – dann bekommen Schuhe regelrechte Gesichter. Mir geht es wenigstens so. Aber das finden Sie bestimmt zum Lachen.«

»Regenschirm« fand das gar nicht zum Lachen. »Das geht dir mit deinen Schuhen nicht allein so«, sagte er. »Ich kann mir denken, dass für einen Tischler Stühle und Schränke Gesichter haben, für einen Schneider Hosen und Röcke und für einen Motorschlosser vielleicht sogar Autos. – Wenn man seinen Beruf liebt, ist das so. Dann bekommen die Dinge, mit denen man zu tun hat, so etwas wie Leben, eben Gesichter.«

Peter dachte über das, was »Regenschirm« gesagt hatte, noch eine Sekunde nach. Dabei ging er bereits wieder mit seinem Polierlappen über dessen schmale Spitzen seiner Lackschuhe. Der freundliche, grauhaarige Herr sah ihm zu. Er suchte dabei allerdings schon in der Seitentasche seiner Weste nach einem Fünfzigpfennigstück.

Bei der GLOBAL-FILM auf dem Bahnhofsplatz drängten sich die Menschen, als ob in den nächsten zehn Minuten Hundertmarkscheine ausgeteilt würden.

Wachtmeister Blunk, der um diese Zeit Dienst hatte und bisher eigentlich immer recht gut allein ausgekommen war, bekam es heute doch mit der Angst zu tun und forderte von seinem Polizeirevier Verstärkung an. Es dauerte auch nicht lange, da kamen schon vier seiner Kollegen im Laufschritt von der Alexanderstraße her. Sie hielten mit der rechten Hand ihre Mützen und mit der linken ihre Gummiknüppel.

Der eine von den Filmleuten, mit dunkler Sonnenbrille, einer ziemlich auffallenden Kamelhaarjacke, einer Baskenmütze und einem sehr farbigen Wollschal, kam den Polizisten gleich entgegen und redete auf sie ein.

Peter und der Sheriff verstanden nur einzelne Worte, darunter vor allem »Kabel«, »nasses Pflaster«, »Kurzschluss« und so weiter.

»Bitte zurücktreten!«, riefen die Beamten und drängten die Neugierigen, deren Zahl von Minute zu Minute immer noch zunahm, gute fünf Meter zurück.

»– und bitte nicht auf die Kabel treten. Es besteht Kurzschlussgefahr. Unsere Gesellschaft betont ausdrücklich, dass sie für irgendwelche Schäden nicht aufkommen wird!«, rief ganz laut und aufgeregt der Mann in der Kamelhaarjacke und mit dem knalligen Wollschal. Dabei kletterte er jetzt auf das Dach des himmelblauen Lieferwagens, stellte sich allgemein sichtbar hinter das Monstrum von Kamera und brüllte ganz einfach nur: »Licht!« Hinterher pfiff er noch kurz auf einer Trillerpfeife.

Das war offenbar das gewohnte Zeichen für die Arbeiter und Beleuchter, die jetzt auf den Holzgerüsten saßen. Sie schalteten an ihren Scheinwerfern herum und schon nach zwei oder drei Sekunden schoss ein Lichtstrahl nach dem anderen von der Höhe der Holzgerüste herunter. Lichtstrahl um Lichtstrahl wurde in die gleiche Richtung gebracht, bis ein großes, helles Strahlenbündel entstand. Im Brennpunkt dieses Strahlenbündels lag dann der Eingang zur »Internationalen Handels- und Creditbank«.

»Ob wir mal kurz –?« Peter sah seinen Kompagnon fragend an. Er hätte sich diese Filmerei doch gerne aus nächster Nähe angeguckt. So etwas gab es nicht alle Tage.

Aber da kam ein ziemlich langer und breit gewachsener Kerl in einem dunkelbraunen Ledermantel beinahe im 100-Meter-Tempo über die drei Treppenstufen herauf. Er trug eine Sportmütze aus einem Stoff mit Pfeffer-und-Salz-Muster und setzte sich, ohne ein Wort zu sagen, in Peters Drehstuhl. Dabei japste er nach Luft, als käme er nach fünf

Minuten Unterwasserschwimmen in diesem Augenblick wieder an die Oberfläche.

»Die Füße hier auf den Schemel, wenn ich bitten darf«, sagte Peter so freundlich wie möglich.

Der Kerl in seinem Ledermantel saß nämlich da und ließ seine Füße baumeln, als ob er gar keinen Wert darauf legte, sich die Schuhe putzen zu lassen. Er hatte auch Peter und den Sheriff bisher kaum eines Blickes gewürdigt. Sein ganzes Interesse galt allein drüben den Vorgängen auf dem Bahnhofsplatz. Jetzt allerdings wandte er sich kurz um.

»Ja – ja – natürlich«, sagte der Ledermantel gedankenlos und stellte seine Schuhe auf den Schemel. Hellbraune Schuhe aus Schlangenleder mit Gummisohle.

»Ich beeile mich«, sagte Peter und fing schon an zu bürsten.

»Hat Zeit«, erwiderte der Ledermantel kurz. Dabei ließ er die Filmleute und die hell angestrahlte Fassade der »Internationalen Handels- und Creditbank« nicht aus den Augen. Peter und der Sheriff sahen sich an. Eben hatte es der Kerl doch noch so eilig gehabt.

Aber da es offenbar doch nicht mehr auf jede Minute ankam, ließ sich Peter wirklich Zeit und sah auch immer wieder zum Aufnahmeplatz der GLOBAL-FILM hinüber. Der Sheriff tat natürlich überhaupt nichts anderes mehr. Um besser sehen zu können, stellte er sich sogar auf seine Kiste mit den Bürsten, Lappen und verschiedenen Schuhcremes.

Auf dem Dach des himmelblau lackierten Lieferwagens hielt der Mann in seiner Kamelhaarjacke gerade mit ausgestrecktem Arm ein Taschentuch in die Luft.

»Achtung – Probe – los!«, war zu hören und dann sauste der ausgestreckte Arm nach unten.

Ganz plötzlich war es auf dem weiten Platz ruhiger als sonst. Das ganze Interesse und alle Blicke richteten sich auf den Eingang der »Internationalen Handels- und Creditbank«, der im Licht der Scheinwerfer aussah, als schiene die heißeste Augustsonne.

Und jetzt passierte es:

Eine schwere schwarze Limousine, die wohl mit laufendem Motor etwas abseits auf das Zeichen gewartet hatte, kam in einem Höllentempo angebraust. Direkt vor der Drehtür der Bank stoppte sie, dass die Bremsen nur so quietschten. Vier Männer, die schon kurz vorher die Wagentüren aufgerissen hatten, stürzten ins Freie. Sie trugen schwarze Gesichtsmasken und hatten natürlich schussbereite Pistolen in den Händen. In einem Sprung waren sie über den Gehsteig hinweg in der Drehtür der Bank verschwunden.

Es sah alles so echt aus, dass den Zuschauern für mehrere Sekunden die Luft wegblieb.

In diesen Sekunden schalteten die Filmleute bereits wieder ihre Scheinwerfer ab.

»Ein toller Otto!«, sagte der Sheriff.

»Wie im verrücktesten amerikanischen Gangsterfilm«, meinte Peter.

Er war für einen Augenblick aufgestanden und hatte ebenfalls zugeschaut.

»Vielleicht spielt das Ganze auch gar nicht hier, weil die Limousine eine ausländische Nummer hat.«

Da wandte sich der Kerl im Ledermantel um. Fast ruckartig. Aber er sagte nichts. Er holte sich nur eine Zigarette aus der Tasche, zündete sie an und sah dann wieder zu den Scheinwerfern und den Menschen hinüber. Ziemlich nervös, dieser Herr im Ledermantel, dachte Peter. Beim Anzünden seiner Zigarette hatte der Kerl zwei Streichhölzer abgebrochen. Aber was kümmerten Peter die Nerven seiner Kunden? Ihn hatten nur diese Schlangenlederschuhe zu interessieren.

Hübsche Schuhe übrigens, allerdings ziemlich verkommen. Es fehlte an der nötigen Pflege. Die Absätze waren nach der Außenseite schon abgetreten und links war am gezackten Profil der Gummisohle ein ganzes Stück herausgebrochen. Ein Stück so groß wie eine Schuhcremeschachtel.

Aus der Drehtür der »Internationalen Handels- und Creditbank« traten die vier Männer mit ihren schwarzen Gesichtsmasken wieder ins Freie. Jetzt allerdings wie Sonntagsspaziergänger und so, als ob sie sich soeben nur ein kleines Sparkonto angelegt hätten. Sie wurden sogar von einem Herrn im schwarzen Anzug begleitet. Dieser Herr gehörte wohl zur Geschäftsleitung der Bank oder war gar ihr Direktor. Dieser Herr wollte sich fast ausschütten vor Lachen, als der Mann in der Kamelhaarjacke auf ihn zukam und offenbar eine sehr witzige Bemerkung machte. Zugleich gab die Kamelhaarjacke dem Chauffeur irgendwelche Anweisungen und der ließ seine Limousine dann im Rückwärtsgang wieder auf ihre Anfangsstellung zurückfahren.

Der Herr von der Bank wollte sich jetzt die Aufnahme der Szene von außen mit ansehen. Er kletterte also zusammen mit dem Filmmann auf das Dach des himmelblauen Lieferwagens, immer noch sichtlich vergnügt.

»Achtung – wir drehen!«, rief jetzt eine Stimme und die Scheinwerfer flammten auf wie vorher, einer nach dem anderen, bis das Strahlenbündel wieder vollständig war. »Kamera ab!«, rief es jetzt von einem Gerüst.

»Kamera läuft«, antwortete irgendjemand.

Das Taschentuch sauste wieder wie eine Startfahne senkrecht durch die Luft.

Und wie vorhin bei der Probe kam auch jetzt wieder die schwarze Limousine im Höllentempo angerast und wieder stürzten die vier maskierten Männer durch die Drehtür der »Internationalen Handels- und Creditbank«.

Allerdings dauerte es dieses Mal zwei oder drei Minuten länger, bis die »Gangster« wieder ins Freie kamen. Jetzt, bei der eigentlichen Aufnahme, schienen die Filmleute ihre Sache noch ernster zu nehmen als vorher bei der Probe. Man hörte sogar ein paar Schüsse, und als kurz danach die vier Maskierten wieder sichtbar wurden, splitterte auch noch eine der großen Scheiben der Drehtür.

Dieses Mal gingen die »Bankräuber« auch nicht im Spaziergangtempo, was ja wohl auch nicht der Wirklichkeit entsprochen hätte. Sie hielten sich vielmehr an ihre Rolle, die sie zu spielen hatten, und stürzten genauso schnell in ihre schwarze Limousine, wie sie kurz zuvor herausgestürzt waren. Der Chauffeur gab Gas und fast im gleichen Augenblick jagte der schwere Wagen auch schon davon.

»Aus!«, rief jemand. Das galt für die Kamera.

»Auch Scheinwerfer aus!«, rief ebenfalls jemand.

Das Licht der Strahlenbündel fiel in sich zusammen.

Es dauerte noch ein paar Sekunden, bis wieder Bewegung in die Zuschauer kam. Sie hatten ja zuvor schon die Probe gesehen. Aber man war allgemein der Überzeugung, dass die eigentliche Aufnahme bestimmt noch besser gelungen war.

Als jetzt in der zersplitterten Drehtür auch noch ein Angestellter der Bank erschien und noch einer und noch einer und als die alle zusammen laut Zeter und Mordio schrien, schlug ihnen allgemeines Gelächter entgegen. Noch echter ging's nicht mehr! Aber wenn schon, dann hätten diese Bankleute früher kommen müssen. Jetzt waren ja Scheinwerfer und Kamera längst abgeschaltet.

Etwa in diesem Augenblick stand drüben bei Peter und dem Sheriff der Kerl im Ledermantel von seinem Drehstuhl auf. »Schon gut«, sagte er nur. Er warf Peter ein Markstück zu und rannte los.

»Ich hab ja noch gar nicht poliert!«, rief Peter ihm nach. Er hatte jetzt doch ein schlechtes Gewissen, weil er über dem Zusehen bei der Filmerei den Kunden ziemlich vernachlässigt hatte.

Aber dem Kerl im Ledermantel schien das gleichgültig zu sein. Für einen kurzen Augenblick war seine Pfeffer-und-Salz-Mütze noch zwischen den Menschen vor der Bahnhofshalle zu sehen, dann sprang sie auf ein Taxi zu und verschwand darin.

»Komisch!«, sagte Peter und sah sich das Markstück an, das er noch in der Hand hatte.

»Prima!«, sagte der Sheriff und hielt die Zigarrenkiste auf. Da kam Herr Schimmelpfeng angerannt.

»Ist es schon so weit?«

»Allerdings«, sagte der Sheriff seelenruhig, »sie sind gerade fertig!«

Herr Schimmelpfeng konnte es zuerst gar nicht fassen und schimpfte wie ein Rohrspatz, weil ihn eine Kundin im Laden so lange aufgehalten hatte.

Aber es zeigte sich, dass er doch nicht alles versäumt hatte. Draußen auf dem Bahnhofsplatz wurde es nämlich zwischen den Lastwagen der GLOBAL-FILM-Gesellschaft und zwischen den Holzgerüsten mit den Scheinwerfern von Minute zu Minute lebhafter. Die Menschen drängten und schoben sich plötzlich durcheinander wie ein Ameisenhaufen, der von einer Flitspritze aufgescheucht wird.

Jetzt heulte auch noch die Sirene eines Einsatzkommandos dazwischen und es dauerte nicht lange, da stoppten gleich drei Polizeiwagen an der Stelle vor dem Eingang der »Internationalen Handels- und Creditbank«, an der kurz zuvor noch jene schwarze Limousine gehalten hatte.

Schwupp – sprangen die Polizisten ab, rissen sich die Sturmriemen unters Kinn und zogen die Pistolen. Ein Teil verschwand durch die zersplitterte Drehtür im Innern der Bank und die Übrigen verteilten sich sofort über den Platz und besetzten das Gewirr der Kabel, die Holzgerüste mit den Scheinwerfern und die Lastwagen der GLOBAL-FILM, natürlich auch den himmelblauen Lieferwagen samt Stativ und Kamera.

»Zurücktreten!«

Die Menge der Neugierigen wurde nicht gerade höflich zurückgedrängt und gleich so weit, dass sich jetzt das ganze Aufnahmegerät der Filmleute mit den paar Arbeitern, die dazugehörten, ziemlich verlassen und einsam vorkommen musste. Da stimmte irgendetwas nicht! »Auf – rüber!«, sagte Herr Schimmelpfeng und rannte los.

Peter und der Sheriff sagten nichts, aber sie rannten hinterher.

Es war nicht leicht, durch die Menschenmauer nach vorn zu kommen. Aber Peter und der Sheriff schlängelten sich durch wie Aale und zogen Herrn Schimmelpfeng einfach hinter sich her. Wollte es überhaupt nicht weitergehen, sagte Herr Schimmelpfeng ganz einfach nur: »Presse!«, und fuchtelte mit einer Hundesteuerkarte durch die Luft, als ob das der Ausweis des Berichterstatters einer Zeitung wäre.

Die drei hatten sich gerade bis zur ersten Reihe und bis dicht hinter den Rücken eines der absperrenden Schupos durchgearbeitet, da fuhr ein schwarzer Volkswagen vor und hielt so ziemlich in der Mitte des freigemachten Platzes. Ein kleiner, dicklicher Herr mit schwarzem Anzug und schwarzem Hut stieg aus. Er rauchte eine Zigarre und sah sich so interessiert nach allen Seiten um, dass es fast aussah, als stiege er nicht aus einem Auto, sondern aus einem Flugzeug und wisse nicht recht, ob er nun in Trinidad oder am Nordpol gelandet sei.

Der Leiter des Einsatzkommandos rannte auf ihn zu und gab dem Herrn ganz offensichtlich Bescheid über das, was hier los war.

Herr Schimmelpfeng, Peter und der Sheriff hörten allerdings zuerst nur, wie der Kommandoleiter immer wieder »Herr Kriminalkommissar« sagte.

Dann kamen der Kriminalkommissar und der Leiter des Einsatzkommandos näher.

»Jawohl, Herr Kriminalkommissar, genau elf Uhr dreiundvierzig«, das waren die ersten Worte, die ganz einwandfrei zu verstehen waren.

»Alles bleibt so, wie es steht und liegt«, sagte jetzt der Kommissar. »Keiner der Angestellten oder Arbeiter dieser Filmgesellschaft verlässt vorerst den Platz. Wo ist der Chef dieser Leute?«

»Bedaure, Herr Kommissar, der – der Leiter des Ganzen soll sich Filmregisseur Müller genannt haben.«

»Müller ist immer gut«, bemerkte der Kommissar.

»Aber dieser Müller, Herr Kommissar«, fuhr der Uniformierte fort, »ist spurlos verschwunden. Allerdings liegen genaue Personalbeschreibungen vor. Sonnenbrille, braune Kamelhaarjacke –«

Der Kommissar winkte ab. Er warf den Stummel seiner Zigarre aufs Pflaster und zertrat ihn mit dem rechten Fuß. Dabei sagte er nur: »Am helllichten Tag. Eine bodenlose Frechheit!«

»Und eine unglaubliche Blamage!«, ergänzte in diesem Augenblick jener Herr von der »Internationalen Handels- und Creditbank«, der sich noch vor einer knappen halben Stunde vor Lachen fast ausschütten wollte. Das Lachen war ihm inzwischen allerdings vergangen.

»Ich bin ruiniert!«, klagte er jetzt und stellte sich anschließend vor. »Direktor Degenhart von der ›Internationalen Handels- und Creditbank‹. Wenn ich richtig unterrichtet wurde, habe ich es mit Herrn Kriminalkommissar Lukkas zu tun?«

»Stimmt. Lukkas ist mein Name«, sagte der Kriminalkommissar und holte sich eine neue Zigarre aus der Tasche, eine sehr schwarze und dicke Brasil.

»Ich flehe Sie an, Herr Kriminalkommissar, kommen Sie sofort in unseren Schalterraum. Der Hauptkassierer hat soeben den Verlust zusammengezählt. Wir haben gerade Monatsende, wie Sie wissen, und sämtliche Gelder für die Lohn- und Gehaltszahlungen lagen für unsere Kunden bereit. Dieser Zufall hat der Bande –«

»Sie leben wohl auf dem Mond, Herr Direktor? Von wegen Zufall!«, brummte der Kriminalkommissar.

»Sie glauben doch etwa nicht –«, wollte der Bankdirektor

aufbegehren. Aber da stockte er plötzlich und stellte kleinlaut fest: »Einhundertzweiundvierzigtausend – Sie werden es kaum für möglich halten!«

»Ich fürchte, dass ich heute noch ganz andere Dinge für möglich halten muss«, sagte Kriminalkommissar Lukkas nur. »Gehen wir, meine Herren.«

Bis zu diesem Augenblick waren die Menschen, die diesem Gespräch folgen konnten, mäuschenstill gewesen, um ja jedes Wort aufzuschnappen.

Aber als jetzt der Kriminalkommissar mit dem Leiter des Einsatzkommandos und dem Bankdirektor über den Platz zurückging, machte sich die Spannung ganz plötzlich Luft.

Auch Herr Schimmelpfeng ließ sich sofort hören. »Für mich liegt der Fall völlig klar, meine Herrschaften –« Peter und der Sheriff hörten eine Weile zu, dann sahen sie sich nur kurz an und tauchten ganz einfach unter. Schließlich kamen sie im Rücken der Menschenmauer wieder ins Freie, wie zwei Unterseeboote.

Jetzt dachte natürlich erst recht niemand daran, sich seine Schuhe putzen zu lassen.

Peter und der Sheriff konnten sich also getrost selber in ihre Drehstühle setzen. Sie taten es auch und streckten ihre Beine von sich.

»Willst du?«, fragte Peter mal wieder und hielt dem Sheriff den Rest seiner Orangedrops hin.

Der Sheriff griff zu.

Drüben in der langen Halle und draußen über dem Bahnhofsplatz lag eine Luft und eine Stimmung wie vor einem Gewitter. Überall standen die Menschen in kleinen und größeren Gruppen beisammen und sprachen aufeinander ein.

»Ein toller –«, wollte Peter gerade sagen, da sagte der Sheriff genau das Gleiche.

»Ein toller Otto!«, sagten sie also zusammen.

Jetzt verging etwa eine Minute.

Da gab Peter seinem Drehstuhl einen Schubs, sodass er dem Sheriff gegenübersaß wie in einer Straßenbahn.

»Der Kerl mit dem Ledermantel –«, sagte Peter.

»– und mit den Schlangenlederschuhen«, sagte der Sheriff. Das war wieder so, als hätten sie das Gleiche gesagt, weil sie im Grunde schon eine ganze Weile das Gleiche dachten.

Es brauchte also gar nichts gesagt zu werden.

## Das kann nicht wahr sein!

In dem roten Backsteinbau der Kriminalpolizei am Sternplatz war der Teufel los, und zwar im Seitenflügel A, zweiter Stock, Zimmer 247.

Dieses Zimmer gehörte Kriminalkommissar Lukkas und die Tür zu ihm wurde bereits seit drei Stunden von den Lokalreportern sämtlicher Zeitungen förmlich belagert.

Aber die Tür öffnete sich nicht und war im Übrigen von innen verschlossen.

»Wir warten schon seit fünf Stunden!«, rebellierte schließlich der Vertreter des »Nachtexpress«. »Wir werden hier behandelt, als wollten wir den Herren von der Kriminalpolizei Staubsauger verkaufen!«

»Sehr richtig«, sagte die Dame von der »Morgenpost«. Aber es nützte alles nichts.

Wenn Kriminalkommissar Lukkas die Presseleute vorerst noch warten ließ, hatte das seinen guten Grund.

Er war ganz einfach noch viel zu perplex.

Wie sollte er den Zeitungen eine Sache glaubhaft machen können, die für ihn selber noch völlig unglaubhaft war.

»Meine Herren, das *kann* nicht wahr sein! Mein klarer Menschenverstand weigert sich zu glauben, dass so viel Leichtsinn und – ich muss es schon so nennen – Dummheit auf einem Haufen möglich sind!«

Kriminalkommissar Lukkas schlug mit der flachen Hand auf die zwanzig Papierblätter, die vor ihm auf dem Schreibtisch lagen. Auf diesen Papierblättern hatte er fein säuberlich mitgeschrieben, was ihm die Zeugen bisher im Laufe der Vernehmung erzählt hatten.

»Meine Herren, Sie sind doch erwachsene Menschen – zum Teil in sehr verantwortlichen Stellungen und wohl alle mit einiger Lebenserfahrung. Wenn ich Sie so der Reihe nach ansehe –« Kriminalkommissar Lukkas sprach plötzlich nicht weiter und sah sich wirklich einen der Zeugen nach dem anderen an, als sähe er ihn zum ersten Mal. Dabei saßen sie doch alle schon über drei Stunden vor ihm.

Da war vor allem Direktor Degenhart von der »Internationalen Handels- und Creditbank«. Er saß auf dem Stuhl direkt vor dem Schreibtisch des Kommissars, sah jetzt zur Seite und biss sich wie ein kleiner Junge auf die Unterlippe.

Daneben der Hauptkassierer der Bank. Ein Mann etwa im Alter von fünfzig Jahren. Auch er sah auf den Fußboden, als sei da irgendetwas nicht in Ordnung.

In einer Reihe für sich saßen drei Beleuchter der GLOBAL-FILM-Gesellschaft. Sie trugen noch ihre Arbeitskleidung und hatten seit der Sache auf dem Bahnhofsplatz noch nicht einmal Zeit gefunden, sich die Hände zu waschen. Ihren Chef, einen Herrn Michalsky, der bei den Aufnahmen gar nicht anwesend gewesen war, hatte Kriminalkommissar Lukkas im Polizeiwagen aus seinem Büro holen lassen.

Dieser Herr Michalsky hatte weißes Haar, war ziemlich klein und trug einen eleganten dunkelblauen Anzug. Er hatte die Beine übereinander geschlagen und fühlte sich eigentlich ziemlich unbeteiligt.

In der Ecke standen der Offizier des Überfallkommandos, zwei Polizisten der Absperrung und ein Straßenbahnschaffner, der den ganzen Vorgang von A bis Z mit angesehen hatte.

An der Tür lehnte noch Kriminalassistent Kühnast.

»Also – Sie bleiben dabei«, sagte jetzt Kriminalkommissar Lukkas und setzte sich wieder hinter seinen Schreibtisch, »dass sie ganz einfach auf den Trick der Bande hereingefallen sind. Ohne sich irgendetwas zu überlegen, ohne Rückfragen zu stellen, überhaupt ohne alles –?«

»Die GLOBAL-FILM war mir dem Namen nach bekannt«, setzte sich Direktor Degenhart zur Wehr, »und es ist ja nichts Ungewöhnliches mehr, dass man vor irgendwelchen Gebäuden Filmaufnahmen macht. Erst in der vergangenen Woche las ich in der Zeitung, dass sogar vor dem Rathaus gedreht worden war.«

»Aber ausgerechnet einen *Überfall.* Hätte Sie das nicht zumindest ein wenig misstrauisch machen müssen?«, fragte Kriminalkommissar Lukkas.

»Finden Sie das gerade vor einem Bankgebäude so ungewöhnlich?«

Direktor Degenhart wagte es endlich einmal wieder, den

Kopf zu heben. »So ziemlich in jedem zweiten Kriminalfilm wird eine Bank ausgeraubt.«

»Und was die GLOBAL-FILM betrifft«, sagte jetzt Herr Michalsky, »so ist es durchaus üblich, dass sich fremde Produzenten bei uns Aufnahmegeräte ausleihen. Die GLOBAL-FILM stellt dann selbstverständlich auch ihr Personal zur Verfügung. Im Übrigen interessieren wir uns lediglich für die Zahlungsfähigkeit unserer Kunden. In diesem Falle erübrigte sich jede Rückfrage, da wir bereits bei Auftragserteilung unser Geld bekommen hatten.«

»Und was man mit Ihren Geräten aufnimmt, ist Ihnen gleichgültig?«, fragte Kriminalkommissar Lukkas.

»Völlig.« Herr Michalsky zog an seiner silbergrauen Krawatte. »Sie müssen sich vorstellen, dass wir etwa wie eine Autovermietung arbeiten. Eine solche Firma würden Sie ja wohl auch nicht zur Verantwortung ziehen, wenn einer ihrer Wagen, anstatt ins Grüne zu fahren, von einem Kunden – sagen wir – zum Transport einer Zeitzünderbombe missbraucht würde. So etwas ist unerfreulich, selbstverständlich, aber leider nicht zu kontrollieren – wozu wir ja schließlich eine so glänzend funktionierende Kriminalpolizei besitzen.«

Herr Michalsky verneigte sich ein ganz klein wenig und lächelte sehr höflich über den Schreibtisch hinüber.

In diesem Augenblick klopfte es von draußen gegen die Tür.

»Was soll ich den Presseleuten sagen, Herr Kommissar?«, fragte Herr Kühnast etwas hilflos und fasste nervös an seine randlose Brille.

Kriminalkommissar Lukkas nahm einen langen Zug aus seiner Zigarre und sah noch einmal nachdenklich von einem zum anderen. Schließlich blieb sein Blick auf einem runden Glas mit zwei Laubfröschen stehen. Sie saßen ganz oben auf der höchsten Stufe ihrer kleinen Holzleiter.

»Es wird schönes Wetter geben«, bemerkte der Direktor der »Internationalen Handels- und Creditbank«.

»Vielleicht später«, sagte Kriminalkommissar Lukkas und gab dabei seinem Assistenten ein Zeichen. »Aber zuvor, fürchte ich, müssen Sie sich wohl noch auf ein ziemliches Gewitter gefasst machen.«

In diesem Augenblick blitzte es auch schon.

Von der Tür her.

Sämtliche Zeitungsleute standen plötzlich im Zimmer und die Fotoreporter schossen um sich, was das Zeug hielt, ein Blitzlicht nach dem anderen.

Herr Michalsky war der Einzige, der den Ansturm lächelnd über sich ergehen ließ.

Eine solche Reklame für die GLOBAL-FILM war unbezahlbar. Die Konkurrenz würde auf die Bäume klettern vor Neid.

## Vater Winkelmann verteilt Schweinskoteletts und meint, am Sonntag gehe es um die Wurst

Zwei Abende in der Woche waren die Jungen bei Kuhlenkamp.

Vor Jahr und Tag hatte man in dem niedrigen Gebäude Warburgstraße 12, Hinterhaus, noch Hustenbonbons fabriziert. Aber dann hatte der Hustenbonbonfabrikant Pleite gemacht und seine Räume hatten leer gestanden, über ein halbes Jahr lang, bis Paul Kuhlenkamp eingezogen war und mit ihm gleich ein Dutzend Handwerker, die sich über die Wände, Fußböden, Fenster und Türen hergemacht hatten.

In der Mitte des größten Raumes wurde ein Boxring aufgebaut und rund um ihn herum die Sandsäcke, Sprossenwände, Ruderapparate, Maisbirnen und Balkonbälle. Die übrigen Räume wurden zum Aus- und Anziehen oder für Duschen eingerichtet.

Das alles kostete natürlich eine Menge Geld und mit dem, was Paul Kuhlenkamp auf der Sparkasse liegen hatte, wären vielleicht gerade die fünf Sandsäcke zu bezahlen gewesen, die jetzt an ihren Stricken nagelneu von der Decke hingen.

Gott sei Dank gab es da noch Herrn Winkelmann, dem die »Großschlächterei Winkelmann« gehörte samt ihren sieben Filialen in der Stadt und dessen Liebhaberei das Boxen war.

»Ist gemacht. Ich finanziere Ihnen Ihre Sportschule«, hatte Herr Winkelmann gesagt, als Peter Kuhlenkamp ganz zu Anfang zu ihm gekommen war. »Allerdings nur unter der Bedingung, dass die Räume und Sie, Herr Kuhlenkamp, jeden Abend ab sieben Uhr meinen Astorianern zur Verfügung stehen!« Herr Winkelmann war nämlich beim Boxverein »Astoria« erster Vorsitzender.

Tagsüber quälten sich also dicke Fabrikdirektoren und Rechtsanwälte an den Sprossenwänden und die Abende gehörten, wie vereinbart, den Astorianern. Montags und donnerstags war die Jugendmannschaft an der Reihe.

Diese Jugendmannschaft von »Astoria« bestand fast nur aus Schuhputzerjungen. Und wer von ihnen nicht »aktiv« war, kam wenigstens als Zuschauer mit, auch heute wieder. Es war Montagabend.

Im Umkleideraum ging es drunter und drüber. Kein Wunder, wenn man sich vorstellt, dass sich siebenundzwanzig Jungen so ziemlich gleichzeitig die Schuhe ausziehen und Kleiderhaken für Hemden, Hosen und Pullover suchen. In einem Raum, der nur für fünfzehn Menschen eingerichtet ist.

»Die Herren werden erwartet!«, rief plötzlich eine helle Stimme.

Diese Stimme gehörte Fanny Kuhlenkamp. Sie war etwa vierzehn Jahre alt und hatte eine Menge heller Locken.

»Wir kommen, Admiral!«, riefen die Jungen.

Fannys Freundinnen hatten nämlich so etwas wie einen Marinetick und die ganze Schulklasse war aufgeteilt wie eine Schiffsmannschaft. Vom »Smutje« angefangen hatte jedes Mädchen seinen Rang und Fanny Kuhlenkamp war der »Admiral« des Ganzen.

Vater Kuhlenkamp wartete bereits im Trainingsraum.

»Zeit!« Das war das Kommando für die erste Trainingsrunde. Die Jungen hatten sich im ganzen Raum verteilt und begannen mit Seilspringen. Danach kamen die Geräte an die Reihe.

Vater Kuhlenkamp war früher einmal Amateurmeister im Mittelgewicht gewesen und nahm das Training verteufelt ernst.

»Handschuhe anziehen!«, kam jetzt das Kommando.

Peter stand wartend am Sandsack und der Sheriff vor einer Maisbirne.

»Zeit!«

Links, links – rechts.

Links, links – rechts.

Peter schlug hintereinander linke und rechte Haken.

Endlich kam der Sandsack mit seinen zwei Zentnern in Bewegung.

»Zeit!«

Noch vier Runden, eine nach der anderen. Dann war der erste Teil des Trainings vorbei.

In diesem Augenblick kam Fleischermeister Winkelmann.

Herr Winkelmann war groß und breit wie ein Kleiderschrank. Er hatte seitlich an den Schläfen und in seinem Bart schon ein paar weiße Haare.

»Ring frei!«, sagte Herr Winkelmann mit seiner lauten Stimme, lachte und schlug schallend seine großen Hände zusammen. »Wie geht's, wie steht's?«

»Guten Abend, Herr Winkelmann«, sagten die Jungen.

»Guten Abend«, antwortete Herr Winkelmann. »Schon im Ring?«

»Wir fangen gerade an damit«, antwortete Vater Kuhlenkamp. »Also los!«, sagte Herr Winkelmann und setzte sich mitten unter die Jungen.

Zuerst boxte ein Lehrling von Telefunken gegen den kleinen Horst Buschke, der am U-Bahn-Eingang Mönckebergstraße Schuhe putzte.

Kampf für Kampf ging es dann durch alle Gewichtsklassen. So kam es, dass die Jungen, die sich im Ring gegenüberstanden, immer schwerer und größer wurden. Im Mittelgewicht holte sich der Sheriff den Sieg. Allerdings erst in einer wilden dritten Runde. Bis dahin war sein Gegner ziemlich gleichwertig gewesen.

Auch Peter Pfannroth hatte es nicht leicht.

Bis zum vergangenen Jahr war Peter noch in der Gewichtsklasse des Sheriffs angetreten. Aber inzwischen war er größer geworden und natürlich auch schwerer. Aber noch nicht schwer genug. Er lag mit seinem Gewicht jetzt sozusagen zwischendrin. Das hieß, dass er im Halbschwergewicht boxen musste. Und zwar mit dem Nachteil, dass er meist Gegner hatte, die mehr an der oberen Grenze seiner neuen Gewichtsklasse lagen und ihm deshalb körperlich mit einigen Kilo voraus waren. Aber Peter war sehr gewandt. Dazu kam, dass er sehr hart schlagen konnte, vor allem mit seiner Rechten. Und mit dieser Rechten schaffte er es dann auch.

Der letzte Kampf im Schwergewicht war ziemlich einseitig. Ein langer, breit gewachsener Junge, der im Gegensatz zu seiner Größe noch ein richtiges Kindergesicht hatte, war in der »Astoria«-Jugendmannschaft als Einziger für die höchste Gewichtsklasse schwer genug. Damit er innerhalb des Vereins überhaupt einen Trainingspartner hatte, musste sich jetzt Vater Kuhlenkamp höchstpersönlich die Boxhandschuhe anziehen.

Natürlich gewann am Ende Herr Kuhlenkamp und alle Jungen tobten und klatschten wie bei einem richtigen Boxkampf, wenn der Sieger verkündet wird.

»Am Sonntag geht's um die Wurst«, meinte Herr Winkelmann, als sich alle wieder etwas beruhigt hatten.

»Bisher ging alles wie nach dem Fahrplan«, fuhr er fort und war ziemlich ernst dabei. »Alle anderen Vereine sind ausgeschieden bis auf ›Rot-Weiß‹ und ›Viktoria 93‹. Und ›Rot-Weiß‹ hat sich im letzten Jahr die Meisterschaft geholt, wie ihr wisst. So eine Meisterschaft will man behalten, wenn's irgend geht.« Herr Winkelmann zwirbelte an seinen Schnurrbartspitzen. »Wenn wir aber gegen die Rot-Weißen gewinnen, dann haben wir die Meisterschaft so gut wie in der Tasche.

Der letzte Kampf gegen die Viktorianer ist dann nur noch ein Spaziergang. Und deshalb geht es am Sonntag, wie gesagt, um die Wurst. Im Hinblick darauf habe ich –«, Herr Winkelmann zeigte auf einen großen Henkelkorb, der neben der Tür stand, »– für jeden von euch ein Schweinskotelett mitgebracht, so groß wie eine Schallplatte. Am Donnerstag gibt's das Gleiche noch mal. Was der olle Winkelmann für euch und den Sonntag tun kann, das will er gerne tun.«

»Hoch Herr Winkelmann!«, rief der kleine schwarzhaarige Telefunkenlehrling und alle Jungen fielen ein.

»Hoch Astoria!«, brüllten alle zusammen.

»Hepp! Hepp! Hepp!«

Dann ging's unter die Duschen und schließlich in den Umkleideraum.

Dort ging Herr Winkelmann schon mit seinem großen Henkelkorb wie der Weihnachtsmann von einem der Jungen zum anderen und verteilte die Schweinskoteletts.

Zum Schluss blieb noch eines der Koteletts übrig.

Herr Winkelmann überlegte eine Sekunde, dann gab er es dem Sheriff.

»Schönen Dank«, sagte der Sheriff und war ein bisschen verlegen, weil er jetzt ein Kotelett mehr als die anderen bekommen hatte. Dabei wusste doch jeder, dass sie beim Sheriff daheim zu siebt waren.

## Jungen mit Umgangsformen gesucht!

Die Pfannroths bewohnten mit ihrem Untermieter, einem gewissen Rochus Kalinke, zusammen hinter dem Rangierbahnhof eine Dreizimmerwohnung im vierten Stock. Herr Kalinke bezahlte für sein Zimmer gleich rechts neben der Wohnungstür fünfundzwanzig Mark im Monat, einschließlich Morgenkaffee und Küchenbenutzung. Er war Inspizient an der Städtischen Oper, ging meistens schon früh aus dem Haus und kam erst nach den Vorstellungen wieder. Alles in allem also ein idealer Untermieter.

Da der Kohlenkeller bis dicht an die Tür voller Kohlen war, nahm Peter sein Fahrrad über Nacht immer mit in die Wohnung. Er kletterte die vier Stockwerke hoch, ohne eine Pause einzulegen, als ob er nicht eben aus dem kuhlenkampschen Training käme.

Als er die Wohnungstür aufgeschlossen hatte, setzte er sein Fahrrad ab und sagte: »Guten Abend!«

Er stellte sein Rad an die Seite, nahm seine Ledertasche vom Gepäckträger und ging zum Ende des schmalen Korridors. Dort trat er ins Zimmer und sagte noch einmal: »Guten Abend, Frau Pfannroth!«

»Gut, dass du kommst. Du kannst gleich mal das Nadelkissen nehmen«, erwiderte Mutter Pfannroth und hielt ihre rechte Backe hin. Peter gab seiner Mutter auf die hingehaltene Backe einen Kuss. Dann legte er seine Ledermappe auf den Tisch und nahm das Nadelkissen.

»Immer zu Diensten, Frau Pfannroth. Wie ist das werte Befinden?«

Aber Peters Mutter war viel zu beschäftigt, um zu antworten. Sie war eben dabei, ein Durcheinander von blauweiß kariertem Stoff in Ordnung zu bringen. Dazu brauchte sie eine Unmenge Stecknadeln.

Endlich nahm das Durcheinander einigermaßen Form an und da entdeckte Peter zwischen all den blau-weißen Karos so etwas wie Haare und einen Kopf.

»Wenn mich nicht alles trügt, habe ich die Ehre, Frau Sauerbier bei uns begrüßen zu dürfen«, sagte Peter.

Der Kopf zwischen den Karos erwiderte: »Sie haben richtig geraten, junger Mann. Guten Abend.«

Frau Sauerbier hatte an der Ecke nebenan ein so genanntes Gemischtwarengeschäft, wie es in der Stadt nur noch wenige gab. Mutter Pfannroth gab sich mit ihr immer besonders viel Mühe. Und Frau Sauerbier erwies sich dafür in ihrem Laden beim Bedienen der Kundschaft erkenntlich, indem sie so zwischen dem Einwiegen von Kristallzucker und Leberwurst immer wieder jedem sagte, der es wissen wollte, dass sie nur bei Frau Pfannroth arbeiten ließe und dass weit und breit keine bessere Schneiderin denkbar sei.

»Wie gefällt Ihnen mein neues Muster, junger Kavalier?«, fragte Frau Sauerbier und sah dabei in den Spiegel.

»Mit Ihren Konservendosen und Dauerwürsten gibt das bestimmt ein sehr buntes Bild«, meinte Peter.

Die beiden Frauen wollten sich ausschütten vor Lachen.

»Das ist doch für ein Faschingskostüm«, erklärte Mutter Pfannroth. »Frau Sauerbier will als Domino auf den Wohlfahrtsball fürs Rote Kreuz.«

Kaum zehn Minuten später verabschiedete sich Frau Sauerbier.

»Also Donnerstag zweite Anprobe und Samstag früh fertig. Ich will mich nämlich vor dem Ball noch damit fotografieren lassen. Wer weiß, wie es nachher aussieht.« Mit diesen Worten ging sie.

Peter wartete, bis draußen die Wohnungstür schlug, dann legte er seine rechte Hand aufs Herz und sang mit schiefem Kopf: »Domino – Domino – warum hast du so traurige Augen?«

Frau Pfannroth lachte und räumte den blau-weißen Karostoff zur Seite. »Dreißig Mark«, sagte sie dabei, »das ist schon wieder die Hälfte der Miete. Wie waren die Geschäfte bei dir?«

»Es ging«, Peter holte seine Tageseinnahme aus der Tasche und zählte nach. »Sechs Mark zwanzig. Ganze zwei Mark mehr als gestern. Wenn das keine Umsatzsteigerung ist!«

»Es gibt gleich was zu essen. Röstkartoffeln mit Blumenkohl«, sagte Mutter Pfannroth und verschwand in der Küche.

»Dazu Schweinskotelett!«, rief Peter ihr nach.

»Ja – und wenn du mir Flügel anmontierst, bin ich eben ein Flugzeug!«, rief Mutter Pfannroth zurück.

»Das mit dem Schweinskotelett stimmt wirklich.« Peter kramte in seiner Ledertasche zwischen dem Turnzeug. »Da – schönen Gruß von Herrn Winkelmann.«

»Da brat mir einer ’nen Storch!«, sagte Frau Pfannroth. »Das reicht für morgen auch noch.«

»Und Donnerstag gibt’s die gleiche Portion ein zweites Mal, hat Herr Winkelmann gesagt.«

»Dann hat deine Boxerei ja auch was Gutes. Gib mir mal die Bratpfanne her. Danke. Und jetzt die Margarine.«

»Sagen Sie mal, Frau Pfannroth, Sie sehen es wohl nicht sehr gerne, dass Ihr Herr Sohn boxt?«

Es brutzelte jetzt schon in der Pfanne und fing an rundherum nach Sonntag zu riechen.

»Wenn es dir Spaß macht, soll's mir recht sein«, sagte Mutter Pfannroth und streute Salz über das Kotelett. »Die Sache ist nur die, dass ich es nicht gerne sehen würde, wenn mir irgend so ein Boxhandschuh, der von nichts eine Ahnung hat, durcheinander bringt, was wir zwei zusammen rund fünfzehn Jahre lang in Ordnung gehalten haben. Blaue Flecken und vielleicht auch noch ein geschwollenes Auge – schön, das ist deine Sache. Wie gesagt, wenn es dir Spaß macht. Aber wenn dir je einer mal die Nase schief schlagen sollte oder so etwas Ähnliches, dann sag ihm gleich, dass er sein Testament machen kann. Dann bekommt er's nämlich mit mir zu tun. Ich benütze aber keine Boxhandschuhe! So, das wär's – und das Kotelett ist jetzt fertig.«

Peter sagte nichts. Aber er gab seiner Mutter mitten in dem schönen Qualm, der von der Bratpfanne aufstieg, einen Kuss. Obgleich sie ihm ihre rechte Backe gar nicht hingehalten hatte.

Das Winkelmann-Kotelett schmeckte herrlich. Trotzdem blieb die Hälfte übrig.

»Ich hab übrigens eine Überraschung für dich«, meinte Mutter Pfannroth, als sie das Geschirr wieder abräumte, »sie liegt drüben auf der Nähmaschine.«

»Die hast du aber gut versteckt. Ich finde nichts.« Peter sah sich um. »Bis auf ein Stück Zeitungspapier.«

»Das ist es ja«, rief Mutter Pfannroth aus der Küche. »Unten rechts die Anzeige!«

»Paddelboot zu verkaufen? Willst du zur Marine?«

Mutter Pfannroth kam jetzt ins Zimmer und stellte sich

neben ihren Jungen. »Da – gleich unter der Paddelbootanzeige.«

»Pagen gesucht?«

Mutter Pfannroth nickte und las den Text vor.

»Jungen im Alter von 14 bis 15 Jahren, die Umgangsformen besitzen und in der Hotelbranche eine erstklassige Ausbildung erhalten wollen, werden als Pagen in Lehre genommen. Persönliche Bewerbung täglich von elf bis dreizehn Uhr bei der Direktion des ATLANTIC-Hotels.«

»Woher hast du das?«, fragte Peter und hockte sich wie ein Beduine vor der Nähmaschine auf den Kokosteppich. Seine Mutter hatte sich bereits hinter die Nähmaschine gesetzt, um ein Kleid fertig zu schneidern.

»Zufall. Frau Sauerbier hat mir den Blumenkohl darin eingepackt. Und als ich es wegwerfen wollte, sprang es mir plötzlich in die Augen: Pagen gesucht!«

»Hotel ATLANTIC – das ist doch der riesige Steinkasten an der Alster, nicht wahr?«

»So ziemlich das vornehmste und beste Hotel überhaupt, mit einer Unmenge Zimmer und bestimmt alle mit Balkon und dicken Teppichen.« Mutter Pfannroth saß mit gebeugtem Rücken und trat ihre Nähmaschine wie ein Fahrrad.

Bis Weihnachten muss ich das Geld für einen Motor zusammen haben, dachte Peter. Ich kann das einfach nicht mehr mit ansehen.

»Pagen in großen Hotels haben richtige Uniformen mit goldenen Knöpfen. Du würdest aussehen wie ein Eisprinz oder so was Ähnliches.«

»Ja – meinst du wirklich, dass ich –?«

Das Geräusch der Nähmaschine verstummte und Mutter

Pfannroth lehnte sich zurück. »Ich meine, dass du jetzt in das Alter kommst, in dem man einen richtigen Beruf ergreifen muss. Deine Schuhputzerei war schön und gut. Du hast uns damit auch viel geholfen. Aber das ist keine Grundlage für ein ganzes Leben.«

»Und wenn ich es aufgebe? Lehrlinge bekommen so ziemlich überall im Monat höchstens zwanzig oder fünfundzwanzig Mark. Das wird in einem Hotel nicht anders sein. Wenn es noch so groß und vornehm ist.«

»Damit habe ich gerechnet. Wir werden uns eben noch mehr einschränken und ich muss vielleicht jeden Abend noch eine Stunde länger arbeiten als bisher. Aber das geht halt nicht anders. Wenn dein Vater noch leben würde, hätten wir dich auf irgendeine Schule schicken können. Allein schaffe ich das nicht. Aber das kriegen wir noch hin, dass du einen Beruf erlernen kannst, der dir Freude macht und in dem du es einmal zu etwas bringen kannst.«

»Aber, Mutter, ich lass dich doch nicht allein das ganze Geld verdienen. Und um dir dabei zuzusehen, zieh ich mir dann noch eine Uniform mit lauter Goldknöpfen an. So weit kommt das.«

»Papperlapapp«, sagte Frau Pfannroth nur. Dann fragte sie: »Hättest du denn Lust, in so einem Hotel zu arbeiten?«

»Wir haben ja schon mal darüber gesprochen«, meinte Peter.

»Buchhalter oder Büro, das willst du doch nicht, andererseits bist du nicht gerade auf den Mund gefallen. Die vielen Menschen stören dich also nicht. Im Gegenteil, das macht dir sogar Spaß, wie ich dich kenne. Nach dem Pagen kommt dann später der Oberkellner oder sogar der Portier oder

Empfangschef. So ein bisschen weiß ich, wie es in diesen Hotels zugeht. Und am Ende – wenn du Glück hast – machst du selbst irgendetwas auf. Na, ist das nichts?« Frau Pfannroth kam hinter ihrer Nähmaschine hervor. »Du kannst dir mal das Konfirmationskleid überziehen, dann seh ich schon das Gröbste. Die junge Schubert hat fast die gleiche Figur.«

Fünf Minuten später stand Peter in dem blütenweißen schubertschen Konfirmationskleid auf einem Stuhl mitten im Zimmer und Frau Pfannroth steckte die Rocklänge ab. »Was denken Sie, junge Dame?«, fragte sie.

»Was wohl der Sheriff oder die Astoria-Jugendmannschaft sagen würden, wenn sie mich jetzt so sehen könnten«, grinste Peter. »Papperlapapp«, sagte Frau Pfannroth wieder einmal. »Ich meine die Sache mit dem ATLANTIC-Hotel. Dreh dich mal um, wie hinten die Rocklänge ist?«

»Es wird davon abhängen, was die Hoteldirektion von mir hält«, sagte Peter. Er zeigte seiner Mutter jetzt die Kehrseite.

»Du hättest also Lust?«

»Eigentlich sogar sehr, wenn ich ehrlich sein soll.«

»Dann lass das mit der Direktion meine Sorge sein!«, sagte Frau Pfannroth. »Morgen früh gehst du zuerst zu deinem Sheriff und sagst ihm Bescheid. Inzwischen lege ich deinen guten Anzug zurecht und ein frisches Hemd. Du machst, dass du schnell wieder zurück bist, und dann dampfen wir rechtzeitig los, sodass wir genau um elf Uhr im ATLANTIC sind.«

Mutter Pfannroth half ihrem Jungen, das Kleid mit all den vielen Stecknadeln wieder loszuwerden.

»So – und jetzt ins Bett, junger Mann, damit du morgen gut ausgeschlafen bist. Das wird vielleicht ein wichtiger Tag für uns zwei beide.« Mutter Pfannroth hielt mal wieder ihre rechte Backe hin.

»Gute Nacht, Mutter, und wenn du in einer Stunde spätestens nicht auch schlafen gehst, knipse ich dir einfach das Licht aus.«

»Papperlapapp – und schlaf gut«, sagte Mutter Pfannroth.

Natürlich surrte die Nähmaschine noch, als Peter längst im Bett lag. Nach dem Tag am Bahnhofseingang und dem kuhlenkampschen Training war er eigentlich ziemlich müde. Trotzdem konnte er nicht einschlafen. Immer wenn einer der Hochbahnzüge unten am Haus vorbeifuhr, jagten helle Lichtstreifen über die Decke seines Schlafzimmers. Wenn er doch nur älter wäre und schon Geld verdienen könnte! Es müsste ja nicht gleich eine ganze Million sein. Nur so viel, dass es für seine Mutter zu einem Häuschen reichte und einem kleinen Garten mit Blumen- und Gemüsebeeten. Sie schwärmte doch so für selbst gezogenes Gemüse.

Oberkellner – Portier – Empfangschef – Direktor – nicht auszudenken!

Was verdiente so ein Oberkellner wohl? Oder gar so ein Empfangschef? Bestimmt so viel wie Herr Schimmelpfeng. Und Herr Schimmelpfeng hatte sich vergangene Woche einen Volkswagen gekauft. Allerdings das Modell vom letzten Jahr.

Peter würde sich natürlich kein Auto kaufen, höchstens einen Motor. Richtig, einen Motor brauchte er, und zwar einen Motor für eine Nähmaschine, spätestens bis zu Weihnachten. Nebenan surrte und surrte es noch.

Wenige Minuten später war Peter eingeschlafen.

## Die Polizei muss ziemlich dicke Pillen schlucken

Am nächsten Tag stand der Banküberfall in allen Schlagzeilen: »Banküberfall am helllichten Tag!«

»Filmgangster erbeuten mehrere hunderttausend!«

»Der frechste Bankraub seit Jahren!«

Die Zeitungsleute machten sich in ihren Berichten über den ganzen Vorfall ziemlich lustig. Die eigentliche Tat der Gangster wurde natürlich verurteilt. Aber die Polizei bekam ziemlich dicke Pillen zu schlucken.

»Wo waren denn die viel gepriesenen Hüter unserer Ordnung?«, fragte die »Morgenpost« und schrieb gleich die Antwort: »Entgegenkommend, wie sie nun einmal sind, sorgten sie durch peinliche Absperrung dafür, dass der Überfall ja nicht gestört wurde. Ein dreifaches Hoch! Hoch! Hoch!«

» – und unsere liebe Polizei stand am Tatort und guckte interessiert zu. Weiter nichts!«, spottete das »8-Uhr-Blatt«.

In den überfüllten U-Bahnen und Omnibussen, in denen die Angestellten und Arbeiter der Stadt zu ihren Büros und Fabriken fuhren, war selten so viel gelacht worden wie an diesem Morgen.

»Das ist enorm!« Auch der Sheriff war richtig aufgeregt und trampelte, als ob er kalte Füße hätte. Aber er hatte keine kalten Füße. Er war nur maßlos vergnügt.

Er hatte sich nebenan vom Zeitungsstand die gesamte Morgenpresse ausgeliehen und saß jetzt mit all den Zeitungen auf der Treppe zwischen den hohen Steinsäulen am Eingang der Bahnhofshalle.

Jetzt quietschte eine Rücktrittbremse. Dicht vor den vier Steintreppen sprang ein Radfahrer ab. Dieser Radfahrer war natürlich Peter Pfannroth und sagte: »Guten Morgen, Sheriff.«

»Fünf Minuten zu spät«, erwiderte der Sheriff nur und schüttelte bedenklich den Kopf. Aber dann grinste er gleich wieder und zeigte auf all die Zeitungen, die um ihn herum lagen. »Dieser Bankdirektor kann einem direkt Leid tun, die Polizei übrigens auch.« Der Sheriff schlug gerade das »8-Uhr-Blatt« auf. »Da – hör dir das mal an!«

»Wir müssen ernsthaft miteinander reden«, unterbrach ihn Peter.

»Ich denke, wir tun nie etwas anderes«, brummte der Sheriff und faltete sein »8-Uhr-Blatt« wieder zusammen.

»Bitte – ich bin ganz Ohr!« Emil Schlotterbeck stützte sein Kinn auf die Fäuste, sah gespannt zu Peter und dann in die Bahnhofshalle.

»Die Sache ist nämlich die«, begann Peter und erzählte jetzt der Reihe nach die ganze Geschichte mit der ATLANTIC-Zeitungsanzeige.

»So, in der Hotelbranche und ausgerechnet im ATLANTIC – nicht schlecht, Herr Specht«, überlegte der Sheriff laut.

»Du glaubst also auch, dass ich's versuchen soll?«

»Auf jeden Fall«, sagte der Sheriff, ohne zu überlegen.

»Dann muss ich Sie heute um Urlaub bitten, mein Herr.« Peter setzte sich bereits wieder auf sein Fahrrad.

»Hau schon ab«, meinte der Sheriff. »Und wenn die Direktion dort irgendeine Empfehlung verlangt, kannst du ihr ja meine Telefonnummer geben –«

»Mistkäfer!«, rief Peter noch, dann verschwand er auch schon zwischen all den Autos und Menschen auf dem Bahnhofsvorplatz. Der Sheriff sah eine Weile hinter ihm her. Dann nahm er wieder sein »8-Uhr-Blatt« und las weiter.

## Der »Regenschirm« entpuppt sich als Hoteldirektor

Die beiden Pfannroths standen nebeneinander vor dem Spiegel. Peter zog gerade zum sechsten Male seine Krawatte zurecht und seine Mutter setzte sich den Hut auf.

»Ich kann mir nicht helfen, ich finde mich wirklich very vornehm!«, meinte Peter und bewunderte sein eigenes Spiegelbild.

Alles war heute blitzsauber an ihm. Das Hemd, der gute dunkelblaue Anzug mit den messerscharfen Falten in der langen Hose, die Schuhe, die Fingernägel – überhaupt alles. Sogar die Haare waren gekämmt und glatt gebürstet. Sie waren noch ganz nass.

»So – und jetzt ab durch die Mitte!«, befahl Mutter Pfannroth. Sie nahm ihre Handtasche und die Wohnungsschlüssel.

Draußen schien die Sonne.

Als die beiden Pfannroths an der Straßenbahnhaltestelle standen, zog Peter schon wieder an seiner Krawatte. Innerhalb einer Viertelstunde bereits zum siebten Mal.

»Lass das«, sagte Frau Pfannroth, »vornehme Leute behandeln ihre Krawatten nicht wie Schnürsenkel!«

»Weißt du zufällig, wer diese Dinger erfunden hat?«, fragte Peter ausgesucht höflich.

»Leider nicht, wieso?«

»Ich würde dem Burschen gerne eine Sprengbombe unters Kopfkissen legen –«

»Papperlapapp«, sagte Frau Pfannroth und sah zur Markthalle hinüber. Da bog nämlich gerade die Straßenbahn um die Ecke.

Am Dammtor stiegen die beiden Pfannroths aus, gingen über die Lombardbrücke und dann an der Alster entlang.

»Sieh mal, die Möwen«, meinte Mutter Pfannroth und blinzelte in die Sonne.

Peter gab keine Antwort.

»Ein wirklich schönes Wetter«, fuhr Mutter Pfannroth nach einer Weile fort.

Aber Peter gab wieder keine Antwort.

»Lampenfieber?«

»Bis in den großen Zeh«, gab Peter zu und blieb stehen. Drüben auf der anderen Seite der breiten Asphaltstraße lag der riesige und schneeweiße Steinbau des ATLANTIC. Nachts war die Kugel auf dem Dach erleuchtet und dann konnte man das ATLANTIC bis zum Bahnhof hinüber lesen oder noch vom Jungfernstieg aus.

Die Verkehrsampel sprang gerade auf Grün. »Avanti«, sagte Mutter Pfannroth und sie spazierten los.

Vor dem Haupteingang des Hotels ging ein ziemlich langer Kerl in einem roten Portiersmantel auf und ab. Er trug eine Schirmmütze und hatte zwei Reihen blanker Goldknöpfe auf der Vorderseite.

»Sie entschuldigen«, sagte Mutter Pfannroth.

»Zu Ihren Diensten, gnädige Frau«, antwortete der Rotmantel und lüftete seine Schirmmütze.

»Ich hätte eine Frage, Herr Portier«, meinte Mutter Pfannroth und knipste ihre Handtasche auf.

»Nur Wagenmeister, gnädige Frau. Wagenmeister Krause, wenn ich bitten darf.«

»Schönen Dank, Herr Krause«, sagte Frau Pfannroth und faltete jetzt das Zeitungsblatt mit der ATLANTIC-Annonce auseinander. »Wir wollten gerne zur Direktion.«

»Handelt es sich um eine Zimmerbestellung oder um irgendwelche Lieferungen?«

»Weder noch«, stellte Mutter Pfannroth fest. »Wir kommen hier wegen dieser Anzeige. Mein Junge möchte sich als Page bewerben und hier steht, dass die Direktion täglich ab elf Uhr –«

»Gestatten Sie«, unterbrach jetzt der Wagenmeister Krause. »Ich muss Sie leider enttäuschen. Die neuen Pagen sind alle schon verpflichtet. Wenn Sie freundlicherweise das Datum beachten wollen. Diese Zeitung ist bereits zwei Wochen alt!«

Wagenmeister Krause wies mit seinem Zeigefinger, der in einem Handschuh steckte, auf den Erscheinungstag am oberen Rand des Zeitungsblattes.

»Tatsächlich!«, japste Mutter Pfannroth.

»Es tut mir sehr Leid«, bedauerte der Wagenmeister.

»Diese Sauberbier! Das sieht ihr ähnlich!«, ärgerte sich Mutter Pfannroth.

»Aber du kannst doch nicht verlangen, dass sie dir deinen Blumenkohl immer in die neuesten Zeitungen einpackt«, verteidigte Peter Frau Sauerbier.

»Nicht immer, aber wenigstens diesmal hätte sie's tun können«, korrigierte sich Mutter Pfannroth.

In diesem Augenblick rollte ein breiter amerikanischer Wagen vor den Eingang. Wagenmeister Krause öffnete sofort die Tür und zog wieder einmal seine Schirmmütze. »Good morning! What can I do for you?«, fragte er sehr höflich.

Die hellblonde Dame, die am Steuer saß, sprach hinter der Windschutzscheibe eine Menge englischer Worte, der Wagenmeister schob seinen Kopf zu ihr, nickte immer wieder und dann stieg die Dame aus. Sie ging über die paar Stufen zu der großen gläsernen Drehtür und verschwand.

»Entschuldigen Sie mich bitte«, sagte der Wagenmeister zu Frau Pfannroth. »Aber ich muss den Wagen jetzt um die Ecke in die Garage bringen.«

Die beiden Pfannroths sahen ihm nach.

»Dann eben mit Volldampf zurück!«, sagte Peter nach einer ganzen Weile. »Wenigstens kann ich jetzt diesen Anzug und diese verflixte Krawatte gleich wieder ausziehen.«

Aber Frau Pfannroth rührte sich nicht vom Fleck. Sie sagte nur: »Papperlapapp!«, und holte tief Luft. »Wenn du glaubst, wir fahren jetzt einfach wieder nach Hause und schenken der städtischen Straßenbahn für nichts und wieder nichts auch noch das Fahrgeld für die Rückreise, dann kennst du deine Mutter schlecht. Zieh deine Krawatte gerade und auf geht's! Dalli!«

Das klang, wie wenn ein Offizier bei irgendeinem Angriff seinen Degen zieht und hinter sich ruft: »Mir nach!«

Mutter Pfannroth dampfte wie ein Schlachtschiff in voller Fahrt auf die große gläserne Drehtür zu. Peter folgte ihr, sozusagen im Kielwasser. Als die Drehtür die beiden Pfannroths auf der anderen Seite wieder ausspuckte, sagte eine helle Stimme: »Guten Tag, meine Herrschaften!« Diese Stimme gehörte einem sehr freundlichen kleinen Jungen, der in einer zinnoberroten Uniform steckte, die mit goldenen Litzen und goldenen Knöpfen besetzt war.

»Kann ich Ihnen irgendwie behilflich sein?«, fragte der zinnoberrote Junge jetzt. Die beiden Pfannroths waren nämlich ziemlich hilflos stehen geblieben und sahen nur staunend in die riesige Halle. Unter ihren Füßen lag ein großer und dicker Teppich. Hohe Marmorsäulen standen herum wie richtige kleine Türme und dazwischen gab es eine Menge Schalter, breite Treppenaufgänge, die glänzende Messingtür des Fahrstuhls, Glasvitrinen mit allen möglichen Ausstellungsstücken und über dem Ganzen ziemlich hoch oben eine regelrechte Kuppel mit einem riesigen Kronleuchter aus hunderttausend kleinen Glasstücken. Im Hintergrund standen niedrige Tische und breite Klubsessel. Dort saßen verschiedene Damen und Herren, tranken Kaffee und rauchten Zigaretten oder Zigarren. Über eine der Treppen kam gerade ein ziemlich dicker Herr, der eine ganz dunkle Hautfarbe hatte und einen Turban trug. Er ging sehr langsam und las dabei in der Morgenausgabe vom »8-Uhr-Blatt«.

»Der Portier ist gleich hier nebenan«, sagte der Page.

»Danke schön«, antwortete Mutter Pfannroth. Sie hatte sich jetzt von ihrer ersten Verwunderung erholt. Sie nickte Peter zu und gemeinsam gingen sie auf die Portierloge zu.

»Welche Zimmernummer, wenn ich bitten darf?«, fragte der Portier. Er trug eine Brille und sein Rock hatte die gleiche zinnoberrote Farbe wie die Uniform des Jungen an der Drehtür.

»Wir wollen nur die Direktion sprechen, wenn's recht ist«, antwortete Mutter Pfannroth.

»Sind Sie angemeldet, wenn ich bitten darf?«

»Wir werden erwartet«, sagte Frau Pfannroth bescheiden und lächelte dem Portier mitten ins Gesicht. Der überlegte eine Sekunde und dann lächelte er plötzlich genauso freundlich zurück. »Zu Herrn Direktor Adler persönlich?«

»Wenn ich bitten darf«, sagte Frau Pfannroth.

»Page!«, rief der Portier. Dabei schnalzte er mit Daumen und Zeigefinger.

Gegenüber der Portierloge saßen drei Jungen in ihren zinnoberoten Uniformen. Einer von ihnen sprang jetzt wie elektrisiert auf und kam angerannt. Der Junge war schon etwas größer und hatte etwas abstehende Ohren. Er fragte: »Bitte?«

»Zu Herrn Direktor Adler«, sagte der Portier. Dann wandte er sich wieder an Mutter Pfannroth: »Der Page bringt Sie hin«, lächelte er jetzt.

Es ging ein Stück weit durch den Gang, über dicke, weiche Teppiche.

»Bitte links«, sagte der Junge mit den etwas abstehenden Ohren und klopfte an die Tür. An dieser Tür hing ein Schild mit der Aufschrift »Direktion«.

»Die Herrschaften wollen zu Herrn Direktor Adler«, meldete der Page. Bei dem Wort »Direktor« rutschte seine Stimme aus wie auf Glatteis. Vermutlich war er gerade im Stimmbruch. Die Pfannroths standen in einem Vorzimmer und dort saß am Fenster hinter einer Schreibmaschine eine junge Frau. Diese Frau stand jetzt auf und lächelte zu dem Pagen hinüber.

»Danke, Friedrich.« Daraufhin zog sich der Junge mit den abstehenden Ohren wieder zurück.

»Herr Direktor Adler ist sehr beschäftigt. Es ist mir nicht

bekannt, dass er Sie erwartet.« Die Frau, die ein sehr buntes und lustiges Sommerkleid trug, sah auf einen Kalender und schüttelte den Kopf. »Wie war Ihr Name, wenn ich bitten darf?«

»Pfannroth – es handelt es sich um eine persönliche Angelegenheit.«

Auf dem kleinen Tisch neben der Schreibmaschine stand zwischen lauter Briefen und Papierblättern ein hohes Glas mit einer hellroten Limonade und einem Strohhalm. Die junge Frau nahm jetzt aus diesem Strohhalm einen Schluck und machte dabei einen ganz spitzen Mund. Das sah sehr nett aus. Vor allem, weil sie gleichzeitig mit ihren großen blauen Augen zu den beiden Pfannroths hinübersah.

»Sie würden mir einen großen Gefallen tun«, meinte Mutter Pfannroth, »und es würde bestimmt nicht länger dauern als vier oder fünf Minuten.«

In diesem Augenblick leuchtete eine rote Lampe auf und ein leiser Summerton war zu hören, wie wenn ein Maikäfer durchs Zimmer schwirren würde.

»Das ist er«, sagte die Frau und stellte schnell ihr Limonadenglas wieder neben die Schreibmaschine. Sie nahm einen Bleistift und ihren Stenogrammblock.

»Ich will sehen, was ich für Sie tun kann«, sagte sie noch und verschwand jetzt hinter zwei schmalen, hohen Türen. Diese Türen waren von innen dick mit Leder bepolstert.

»Wir benehmen uns wie Heiratsschwindler«, stöhnte Peter leise. »Ob das gut geht?«

»Von Heiraten kann nicht die Rede sein. Und von Schwindel erst recht nicht. In dieser Zeitungsanzeige steht schwarz auf weiß, dass man sich täglich ab elf Uhr vorstellen soll. Also sind wir bestellt und angemeldet. Basta!« Mutter Pfannroth nickte energisch und setzte sich auf einen der Stühle.

»Ich bin trotzdem sehr gespannt«, stellte Peter fest und setzte sich ebenfalls.

Eine ganze Weile ereignete sich nichts mehr. Nur vom Korridor her waren Stimmen zu hören.

Da klingelte auf dem kleinen Tisch neben der Schreibmaschine das Telefon ein zweites Mal – ein drittes Mal –

Die beiden Pfannroths sahen sich an. »Ob ich hingehe?«, grinste Peter gerade, als sich eine der beiden lederbepolsterten Türen öffnete. Die Sekretärin in ihrem bunten Sommerkleid kam wieder ins Zimmer. Sie nahm den Hörer ab und meldete sich: »Vorzimmer Direktor Adler –« Dabei sah sie zu Mutter Pfannroth und machte mit ihrem Kopf eine Bewegung zur Tür, die ins Zimmer ihres Chefs führte.

Mutter Pfannroth war sich unschlüssig. Sollte das bedeuten, dass sie eintreten dürfte? Sie wollte das genau wissen, zeigte also auf sich selbst und dann auf die lederbepolsterten Türen. Dabei sah sie fragend zu der Sekretärin am Telefon. Die nickte jetzt und lächelte zustimmend.

»Danke schön«, sagte Mutter Pfannroth. Das heißt, sie hauchte es eigentlich nur. Dann ging sie auf die beiden schmalen Türen zu und klopfte an.

»Herein«, war es von drinnen zu hören und Mutter Pfannroth trat ein. Zuvor hatte sie allerdings noch tief Luft geholt und sich nach ihrem Jungen umgeschaut.

»Sie machen sich unnötige Mühe, mein Herr«, sagte gerade die Sekretärin am Telefon. »Es ist sinnlos, diese Geschichte ausgerechnet *mir* zu erzählen. Ebenso gut könnten Sie mit Ihrem Briefträger über die Sache reden. Hier ist einzig und allein Herr Direktor Adler zuständig und ich verbinde Sie jetzt mit ihm.«

Die Frau im lustigen Sommerkleid drückte auf einen weißen Knopf an der Vorderseite des Telefons und sagte: »Die Sibelius-Werke, Herr Direktor – ich verbinde.« Jetzt drückte sie wieder auf irgendeinen anderen Knopf, horchte eine Weile, um sich zu versichern, ob das Gespräch nicht verloren gegangen wäre, und legte dann den Hörer auf.

»Du heißt bestimmt Peter mit Vornamen?«, fragte sie jetzt wie aus heiterem Himmel.

»Allerdings«, gab Peter zu.

»Siehst du«, lächelte die Sekretärin zufrieden und holte eine angebrochene Tafel Schokolade aus der Schublade. »Vollmilch-Nuss. Willst du?«

»Ich bin so frei«, sagte Peter, stand von seinem Stuhl auf und bediente sich. »Es gibt doch bestimmt mindestens tausend verschiedene Vornamen. Wieso wissen Sie, welcher davon mir gehört?«

»Das ist so mein Sport«, erklärte sie und knabberte an ihrer Schokolade. »Jeder Vorname passt immer nur zu einem ganz bestimmten Typ. Natürlich richten sich danach nicht alle Menschen und heißen meistens ganz anders, als sie eigentlich heißen müssten. Sie spazieren dann mit ihren falschen Vornamen durch die Geografie wie mit Schuhen, die ihnen viel zu groß oder viel zu klein sind. Du hast Glück gehabt. Wenn jemand Peter heißt, muss er so aussehen wie du. Bei mir stimmt es leider gar nicht. Ich heiße Daniela und müsste eigentlich, so wie ich aussehe, Inge heißen. Vom Familiennamen nicht zu reden.«

»Ist es sehr unhöflich, wenn ich Sie nach Ihrem Familiennamen frage?«, sagte Peter und nahm sich noch einmal ein Stück von der Milch-Nuss-Schokolade.

»Wiesengrund«, lachte die Frau. »Daniela Wiesengrund.«

»Finde ich aber sehr nett«, stellte Peter ehrlich fest. »Ich habe selten einen so lustigen Namen gehört. Und er passt zu Ihnen. Er passt auch zu dem Kleid, das sie anhaben.«

Frau Wiesengrund lächelte Peter mit ihren großen himmelblauen Augen fröhlich an.

Peter zog verlegen an seiner Krawatte. »Jetzt habe ich Ihnen so ziemlich Ihre ganze Schokolade aufgegessen. Sie sind wirklich sehr freundlich zu mir!«

»Das beruhigt mich. Dann wirst du hoffentlich später nicht allzu böse auf uns sein.«

»Ich verstehe kein Wort«, sagte Peter und machte große Augen.

Frau Wiesengrund nahm zur Abwechslung mal wieder mit dem Strohhalm einen Schluck aus ihrem Limonadenglas. »Die Sache ist ganz einfach. Du wolltest doch bei uns als Page anfangen. Deshalb bist du doch mit deiner Mutter hier, nicht wahr?«

Peter wurde blitzartig ganz rot, wie eine Verkehrsampel, die auf Halt springt. »Sie – Sie – können mehr als nur Vornamen erraten, Frau Wiesengrund«, stammelte er schließlich.

»Das zu erraten war nicht schwer. In der letzten Zeit waren eine ganze Menge Väter und Mütter mit ihren Jungen in diesem Zimmer. Sie haben sich genauso benommen wie ihr beiden. Ich wusste sofort Bescheid. Aber es tut mir Leid, dass du kein Glück haben wirst. Du *kannst* gar kein Glück haben, weil alle Stellen schon besetzt sind. Das ist jammerschade, du hättest bestimmt sehr gut hierher gepasst und es hätte dir auch Spaß gemacht. So – und jetzt nimm auch noch das letzte Stück Schokolade und sei, wie gesagt, nicht böse auf uns, wenn dir in ein paar Minuten deine Mutter oder der Direktor sagen muss, dass wir keinen Platz mehr frei haben.«

Peter nahm das letzte Stück Schokolade eigentlich ganz in Gedanken. Er ließ es langsam auf der Zunge zergehen, kaute an den beiden Nüssen herum, die daran waren, und sah zum Fenster hinaus.

Drüben war eine riesengroße Reklame auf die Hauswand gemalt. »Persil bleibt doch Persil.« Die Farbe vom l beim zweiten »Persil« war allerdings schon etwas abgebröckelt.

»Sie sind wirklich sehr freundlich, Frau Wiesengrund«, sagte Peter nach einer ganzen Weile noch einmal. Er sah die Sekretärin an. »Natürlich hätte ich mich gefreut wie ein Schneekönig, wenn es hier geklappt hätte. Aber vielleicht ist es sogar besser so. Ich meine, wenn es nicht klappt. Ich verdiene nämlich im Augenblick für mein Alter gar nicht so schlecht und das hilft uns zu Hause. Als Page bekommt man am Anfang bestimmt nicht viel und da müsste meine Mutter noch mehr arbeiten als bisher schon. Dabei ist sie sowieso nicht ganz auf dem Posten, müssen Sie wissen. Man sieht es ihr nur nicht an und sie will es auch nicht zugeben. Aber ich weiß –«

In diesem Augenblick schnappte die Klinke an den beiden lederbepolsterten Türen. Diese Türen öffneten sich allerdings noch nicht.

»– und wenn ich Sie gestört habe, bitte ich Sie recht sehr um Entschuldigung«, hörte man die Stimme von Frau Pfannroth.

Frau Wiesengrund und Peter sahen sich an. Dann gingen

ihre Blicke aber sofort wieder zu der Messingklinke hinüber, die immer noch heruntergedrückt war, ohne dass sich die Tür öffnete.

»Liebe Frau Pfannroth, dafür habe ich Verständnis. Ich würde an Ihrer Stelle auch alles versucht haben«, das war die Stimme des Direktors. »Aber Sie müssen auch mich verstehen. Und das tun Sie, wie ich sehe. Vielleicht, wenn ihr Junge in einem Jahr noch nichts anderes gefunden hat, kommen Sie wieder.«

Jetzt wurde die Tür aufgemacht.

Zuerst erschien Mutter Pfannroth, mit dem Rücken voraus.

Sie verabschiedete sich gerade. Von dem Direktor war dabei lediglich die Hand zu sehen und ein Stück schwarzen Rockärmels.

»Auf Wiedersehen, Herr Direktor«, sagte Mutter Pfannroth.

»Auf Wiedersehen, Frau Pfannroth« antwortete der Direktor.

Und jetzt erschien er ebenfalls im Rahmen der geöffneten Tür.

In diesem Augenblick wäre Peter beinahe umgekippt. Der weißhaarige Herr, der jetzt mit Mutter Pfannroth ins Zimmer trat, war der »Regenschirm«!

Peter biss sich auf die Unterlippe. Donnerwetter, das tat weh. Er träumte also nicht, und was er sah, musste wirklich wahr sein. Eine tolle Sache! Direktor Adler und der »Regenschirm« waren also ein und dieselbe Person.

Direktor Adler war der »Regenschirm« und umgekehrt war der »Regenschirm« Direktor Adler.

»Hallo!« Direktor Adler hatte den Jungen entdeckt und ging jetzt lachend auf ihn zu. »Kundendienst bis in die eigene Wohnung. Postkarte genügt, komme sofort. Das ist wohl das Neueste bei euch, wie?«

»Guten Tag, Herr Direktor«, sagte Peter. Seine Stimme hörte sich an, als habe er sich gerade auf einem Fußballplatz heiser gebrüllt.

Immer noch lachend, legte Direktor Adler dem Jungen seine Hand auf die Schulter. »Nanu, was ist denn los mit dir?«

Peter sah etwas hilflos zu Frau Wiesengrund und dann zu seiner Mutter.

Auch Direktor Adler sah jetzt zu seiner Sekretärin und dann zu Frau Pfannroth. »Eigentlich ist er sonst gar nicht so schüchtern, wie es vielleicht jetzt den Eindruck macht.«

»Kennen Sie sich denn?«, fragte Frau Wiesengrund.

»Und ob wir uns kennen! Das ist doch der Junge, von dem ich Ihnen immer erzähle, Frau Wiesengrund. Einer von den beiden Schuhputzern drüben am Bahnhofseingang.«

Direktor Adler überlegte jetzt. »Sagten Sie nicht, Frau Pfannroth, dass auch Ihr Junge bei den Schu… –?« Er brach mitten im Wort ab und sah wieder zu Mutter Pfannroth, dann zu Peter und Frau Wiesengrund.

»Stimmt«, sagte Mutter Pfannroth nur.

»Dann ist das –?« Direktor Adler hielt fragend den Kopf etwas schief.

»Peter Pfannroth«, bestätigte Frau Wiesengrund und strich mit der Hand über eine Falte ihres bunten, lustigen Sommerkleids.

»Verflixt und zugenäht«, brummte Direktor Adler. Er ging nachdenklich zum Fenster und sah eine ganze Weile zu der

Persil-Reklame hinüber. »Nun putzt mir der Kerl jeden Tag meine Schuhe, oft sogar zwei- oder dreimal – aber er sagt kein Wort!«

»Ich wusste ja nicht –«, gab Peter zu bedenken.

»Verflixt und zugenäht«, sagte Direktor Adler noch einmal. Dabei drehte er sich jetzt wieder um und sah zu seiner Sekretärin. »Was ist da zu machen, Wiesengründchen?«

»Vielleicht, dass einer von den zehn Jungen, die Sie schon eingestellt haben, plötzlich Keuchhusten bekommt?«, überlegte Frau Wiesengrund. »Aber eigentlich soll man so etwas nicht wünschen.«

»Herr Direktor«, fasste sich jetzt Mutter Pfannroth ein Herz, »Ihr Hotel ist so ein riesengroßer Kasten und in dem läuft eine solche Menge Menschen durcheinander, dass es doch gar nicht auffällt, ob nun ein Page mehr oder weniger mitläuft.

»Es bleibt ja nicht beim Pagen, Frau Pfannroth. Die Jungen sollen Jahr für Jahr weiter aufrücken und bei uns Platz finden!« Direktor Adler überlegte und ging im Zimmer auf und ab. Dabei ging er zwei-, dreimal an Peter vorbei und sah ihn an. Plötzlich blieb er stehen. »Also gut, in diesem Jahr gibt es dann statt zehn einfach elf Pagen. Ich hoffe, dass ich das verantworten kann.«

»Danke schön!«, sagte Mutter Pfannroth nur. Aber sie strahlte, als ob sie selber Hotelboy wäre.

»Ich finde das sehr nett«, meinte Frau Wiesengrund und lächelte mit ihren himmelblauen Augen zu Direktor Adler hinüber. »Es passt richtig schön zu der Sonne, die draußen scheint.«

»Finde ich eigentlich auch«, lächelte Direktor Adler zurück und gab Peter jetzt die Hand. »Wir kennen uns ja. Ich habe drüben am Bahnhofseingang schon immer Freude an dir gehabt. Und nur weil ich denke, dass das auch in Zukunft so bleibt, kann ich diese Ausnahme mit dir machen. Auf gute Zusammenarbeit!«

Peter hatte plötzlich ganz oben in der Kehle so ein komisches Gefühl. Er musste zweimal ohne jeden Grund schlucken, bevor er antworten konnte. »Auf gute Zusammenarbeit«, sagte er jetzt ebenfalls und erwiderte den Händedruck seines neuen Chefs.

»Also – dann hat es doch noch so geklappt, Frau Pfannroth«, lächelte Direktor Adler.

»Frau Wiesengrund bringt Sie jetzt zu unserem Personalchef, Herrn Thomas. Dort erhält Peter seinen Anstellungsvertrag und so weiter. Der Erste ist bereits am kommenden Dienstag. Da geht's dann gleich früh um sieben los!«

Personalchef Thomas war ziemlich klein und trug einen genauso schwarzen Anzug wie Direktor Adler. Er musste wohl so sechzig oder fünfundsechzig Jahre alt sein. Aber seine schmalen Äuglein waren ganz hell und sprangen lebhaft von einem zum anderen, als Frau Wiesengrund jetzt mit beiden Pfannroths vor ihm stand.

»Was heißt hier, elf statt zehn«, brummte er. »Für mich ist die Pagengeschichte so gut wie gestorben. Soll ich jetzt wieder von vorne anfangen?«

»Ist ja auch nicht so wichtig«, lächelte Frau Wiesengrund und fing plötzlich an, von Kanarienvögeln zu reden, fünf Minuten lang. Die beiden Pfannroths schauten ziemlich verwundert drein und waren erstaunt zu erfahren, wie viele Sorten von Kanarienvögeln es gab und was man diesen verschiedenen Sorten als Futter geben durfte und was nicht.

Personalchef Thomas blühte immer mehr auf. Kanarienvögel waren sein Steckenpferd. Und als er ganz und gar aufgeblüht war – schwupp –, machte Frau Wiesengrund zwei freche Bogen wie bei einer Acht auf der Eisbahn und kam von den Kanarienvögeln wieder auf Peters Anstellungsvertrag zurück.

»Sie wickeln einen alten Mann um Ihren Finger wie eine Mullbinde«, stellte Personalchef Thomas vorwurfsvoll fest. »Sie sollten sich was schämen!«

»Mullbinde, nicht ganz so weich, Herr Thomas. Entschuldigen Sie, mein Chef wartet.« Frau Wiesengrund zwinkerte vergnügt mit ihren himmelblauen Augen und gab den beiden Pfannroths die Hand. »Auf Wiedersehen, und ich freue mich für Sie beide!«

»Sie haben uns viel geholfen dabei«, bedankte sich Mutter Pfannroth. Aber da war Frau Wiesengrund schon aus dem Zimmer.

»Eine nette Person, diese Wiesengrund«, brummte Personalchef Thomas vor sich hin und holte einen Stapel Akten aus seiner Schreibtischschublade.

Es dauerte etwa eine halbe Stunde, bis alle Personalien aufgenommen waren und Herr Thomas die verschiedenen Paragrafen des Lehrvertrages durchgesprochen hatte. Schließlich mussten die beiden Pfannroths unterschreiben.

»Wenn du am Dienstag anfängst, bekommst du den Durchschlag mit der Unterschrift von Direktor Adler«, erklärte Herr Thomas.

»Hier ist die Adresse der Schneiderei Hesselbein. Am Besten sofort hinfahren und Herrn Hesselbein persönlich bitten, dass er dir noch bis zum Ersten deine Pagenuniform zusammenschneidert. So, das wär's für heute!«

## Ein gewisser Herr Hesselbein wartet mit einer Überraschung auf

Schneidermeister Hesselbein war leider gar kein Schneidermeister. HESSELBEIN & CO war vielmehr eine Art Kleiderfabrik, die ihre Mäntel und Anzüge am Fließband herstellte. Und Herr Hesselbein war sozusagen der kaufmännische Leiter des Unternehmens.

Durch die Glaswände der Büros konnte man in die Werkstätten sehen. Mutter Pfannroth war sprachlos. Wenn sie da an ihre alte Nähmaschine dachte, konnte es ihr fast schwindlig werden.

Die Schneider saßen in langen Reihen an Tischen. Eine Anzahl Frauen und junger Mädchen hatte nichts anderes zu tun, als nur Knöpfe anzunähen, Hosenknöpfe, Mantelknöpfe, Rockknöpfe, eine Zuschneidemaschine zersägte ganze Stoffberge. Eine Überraschung nach der anderen. Die größte Überraschung brachte allerdings Herr Hesselbein persönlich. Leider war diese Überraschung unerfreulich.

»Dienstag früh wird die Uniform gebraucht. Das bedeutet, dass wir bis Montagabend liefern müssen. Das ist möglich. Sie sehen, wir sind ein leistungsfähiger Betrieb.«

Herr Hesselbein machte eine Bewegung zu den Glaswänden und den Werkstätten, die dahinter lagen. Dann drückte er auf einen Klingelknopf und lächelte. Er lächelte sehr höflich, und seine vorstehenden Vorderzähne wurden dabei sichtbar.

Die Klingel zauberte einen Angestellten im weißen Arbeitsmantel und mit einem Zentimetermaß herbei.

»Pagenuniform, Hotel ATLANTIC! Nehmen Sie bitte Maß bei dem jungen Herrn«, sagte Herr Hesselbein und lächelte wieder ohne jeden Grund. Aber er lächelte eben.

»Zweiundsechzig – dreiundvierzig – sechsundzwanzig.« Peter erfuhr erstmals auf den Zentimeter genau, wie lang seine Arme und Beine waren, wie breit sein Rücken war und welchen Brustumfang er hatte. Herr Hesselbein machte Notizen. Lächelnd schrieb er auf, was der Angestellte ansagte.

»Jetzt noch die Kragenweite – danke – damit hätten wir's«, sagte Herr Hesselbein schließlich. »Wenn ich bitten darf, zur Anprobe Freitag früh. Und welchen Betrag darf ich als Anzahlung quittieren?«

Das war die unerfreuliche hesselbeinsche Überraschung. Die beiden Pfannroths sahen sich an, als hätte man ihnen gesagt, sie müssten leider sofort in eine fliegende Untertasse steigen und mal schnell zum Mond rüberfliegen. »Ich denke, die Uniform wird vom Hotel bezahlt?«, fragte Mutter Pfannroth nach einer Weile.

»Man scheint Sie bedauerlicherweise nicht unterrichtet zu haben«, lächelte Herr Hesselbein. »Die Uniform muss von jedem Pagen selbst gestellt werden. Das ist in der gesamten Hotelbranche so üblich. Und damit sich alle Uniformen gleichen wie ein Ei dem anderen, ist unsere Firma mit der alleinigen Herstellung beauftragt. Der Preis ist übrigens einhundertsechsundzwanzig Mark und sechzig. Sie werden zugeben, das ist sehr entgegenkommend.«

Die beiden Pfannroths sahen sich wieder einmal an.

»Unsere Firma muss bei der Auftragserteilung allerdings auf einer Anzahlung bestehen und bei Lieferung der Uniform ist der volle Betrag fällig. Wir haben früher auch Teilzahlungen gestattet, aber leider sehr schlechte Erfahrungen machen müssen.«

»Damit habe ich nicht gerechnet«, gab Mutter Pfannroth zu.

»Sie wollen den Auftrag also wieder zurückziehen?« lächelte Herr Hesselbein.

Dieses ewige Lächeln geht mir allmählich auf die Nerven, dachte Peter.

»Von Zurückziehen kann nicht die Rede sein. Ich muss Sie nur bitten, dass Sie im Augenblick auf eine Anzahlung verzichten. Aber ich verspreche Ihnen, das Geld bis zur Lieferung am Montag aufgebracht zu haben. Ich gebe Ihnen meine Adresse«, sagte Mutter Pfannroth. »Im Übrigen bin ich selbst Schneiderin. Sie wissen ja, wie schwer es manchmal für unsereinen ist, sein Geld zu bekommen«.

»Parole d'honneur«, lächelte Herr Hesselbein. Dieses Mal besonders süß und höflich. »Einverstanden, sozusagen aus kollegialer Gefälligkeit.«

»Danke schön«, sagte Mutter Pfannroth und verabschiedete sich. Herr Hesselbein ging mit bis zur Tür.

»Nicht vergessen, Freitag früh zur Anprobe, junger Freund, und meine beste Empfehlung.«

Die beiden Pfannroths stiegen nebeneinander die Treppe hinunter, ohne ein Wort zu sagen. Endlich im Erdgeschoss blieb Peter plötzlich stehen.

»Nicht böse sein, Frau Pfannroth, aber was Sie da oben gemacht haben, ist nun wirklich Hochstapelei. Wo sollen wir bis Montag um alles in der Welt hundertsechsundzwanzig Mark hernehmen?«

»Einhundertsechsundzwanzig«, rechnete Frau Pfannroth vor sich hin, »nicht sehr viel für jemanden, der Geld hat, aber für uns eine ganze Menge!« Frau Pfannroth ging langsam weiter.

»Komm, lass uns das Ding abbestellen«, schlug Peter vor.

»Eine ganze Menge, hab ich gesagt und das stimmt auch. Aber so viel ist es dann auch wieder nicht, auch für uns nicht. Ich meine, dass wir deshalb nicht einfach die Flinte ins Korn werfen müssten.« Mutter Pfannroth war auf einmal wieder unternehmungslustig wie eh und je. Sie kniff Peter sogar in den Arm und zwinkerte mit dem rechten Auge. »Du machst jetzt, dass du zu deinem Sheriff kommst. Und heute Abend ist pfannrothscher Kriegsrat. Da sehen wir weiter. Wäre ja gelacht!«

»Also nicht abbestellen?«, fragte Peter noch einmal.

»Papperlapapp! Ich gehe jetzt noch bei Rechtsanwalt Born vorbei und bei Frau Blumensaat. Herr Born hat mir schon seit zwei Monaten einen Schlafanzug zu bezahlen und Frau Blumensaat hängt noch seit Weihnachten mit ihrem Wintermantel. Tschüss!«

Die beiden Pfannroths gaben sich die Hand und spazierten los, jeder für sich in seine eigene Richtung.

## Wenn Mutter Pfannroth ans Telefon gerufen wird, glaubt sie immer gleich, der Bahnhof sei explodiert

Als Peter so etwa eine halbe Stunde später zum Bahnhofseingang kam, saß der Sheriff auf seiner Kiste gerade über einem Kreuzworträtsel. Er war beinahe fertig damit. Nur in der zweiten Querspalte fehlte ihm noch ein indischer Staatsmann mit einem G am Anfang und einem i am Ende.

Garibaldi?, überlegte der Sheriff.

Aber leider stimmte die Anzahl der Buchstaben nicht. Drei blieben übrig. Der Sheriff überlegte weiter. Dabei schloss er die Augen und pfiff ganz leise vor sich hin.

In diesem Augenblick setzte sich jemand in den Drehstuhl.

»Sofort, mein Herr«, entschuldigte sich der Sheriff, steckte das Kreuzworträtsel in seine Hosentasche und griff nach der Schmutzbürste. Er wollte sich schon an die Arbeit machen, da sah er plötzlich die beiden Schuhe vor sich, die ihm ja nicht unbekannt waren. Er ließ seinen Blick von diesen Schuhen jetzt langsam höher wandern. Bis über den Drehstuhl und zu Peters grinsendem Gesicht.

»Knalltüte!«, sagte er nur und warf seine Schmutzbürste wieder in die Kiste zurück.

»Wie reden Sie mit Ihrer Kundschaft, junger Mann?« Peter schüttelte vorwurfsvoll den Kopf und schnalzte ein paar Mal hintereinander mit der Zunge. »Ich muss mich doch sehr wundern, Herr Emil Schlotterbeck!«

»Es ist kein reines Vergnügen, Schuhwichse ins Gesicht zu bekommen!«, knurrte der Sheriff. »Ich warne dich!« Glücklicherweise kamen in diesem Augenblick zwei Reisende über die vier Steinstufen und stellten ihre Koffer neben die Drehstühle. »Aber Tempo, unser Zug fährt in einer Viertelstunde!«, sagten sie. Peter flitzte zu seiner Bürstenkiste und die beiden Reisenden nahmen Platz.

»Weißt du, wer ›Regenschirm‹ ist?«, fragte Peter noch schnell.

»Natürlich. Gibt jedes Mal fünfzig Pfennige und hat eben 'nen Regenschirm.«

»Der ›Regenschirm‹ heißt Direktor Adler und ist der Chef des ATLANTIC-Hotels«, platzte Peter heraus.

»Ich werde verrückt!«, stellte der Sheriff in Aussicht.

»Aber bitte erst, wenn meine Schuhe geputzt sind«, meinte der eine der beiden Reisenden und steckte sich eine Zigarette an.

Von diesem Augenblick an war es wie verhext.

Fast eine Stunde lang riss die Arbeit nicht mehr ab. Die beiden Jungen hatten ohne eine Pause alle Hände voll zu tun. Als die beiden Reisenden bedient waren, kam sofort eine Krankenschwester und wieder einmal ein Taxichauffeur. Dann ein Polizist, der zum Dienst ging, und ein Kellner vom Bahnhofsrestaurant. Alle hatten es natürlich eilig und wollten eigentlich schon fertig sein, bevor sie sich gesetzt hatten. Zum Schluss kamen zwei Grenzschutzbeamte. Mit diesen zwei Grenzschutzbeamten schien der Kundenansturm vorerst abgeschlagen zu sein.

»Ein Betrieb wie zu Weihnachten«, sagte der Sheriff und stand auf. »Und jetzt erzähl endlich die Sache mit dem ›Regenschirm‹!«

Er setzte sich in seinen Drehstuhl und holte wieder sein

Kreuzworträtsel aus der Tasche. »Ich höre«, sagte er noch und schlug die Beine übereinander.

»Eigentlich eine tolle Geschichte«, fing Peter an.

Drüben in der Bahnhofshalle sammelten sich schon seit etwa einer halben Stunde die Passagiere für einen der HAPAG-Dampfer, die nach Amerika ausliefen. Eine kleine Musikkapelle spielte bereits Abschiedslieder.

In die Amerikafahrer kam jetzt Bewegung. Vor der Bahnhofshalle stoppten soeben die großen Omnibusse, mit denen es zum Hafen gehen sollte.

Als die Musikkapelle »Muss i denn, muss i denn zum Städtele hinaus« spielte, war Peter mit seiner Erzählung bei Herrn Hesselbein angelangt.

»Wie viel?«, fragte der Sheriff.

»Einhundertsechsundzwanzig«, wiederholte Peter. Er musste es beinahe rufen. Die Musikkapelle spielte jetzt, was das Zeug hielt. Dazu kam noch das Geräusch der abfahrenden Omnibusse. Es rief und winkte nur so durcheinander. Aber schon drei oder vier Minuten später war alles vorbei. Die Menschen verliefen sich und die Musikanten fuhren mit ihren Trompeten unter dem Arm wieder in Straßen- und Hochbahnen nach Hause.

»Das wäre direkt eine Geschichte für die Zeitung«, stellte der Sheriff abschließend fest und überlegte.

»Alles schön und gut, bis auf die Rechnung von Herrn Hesselbein«, sagte Peter.

»Aber deine Mutter hat Recht. Irgendwie muss das Geld einfach auf die Beine kommen.«

»Vielleicht könnte ich mein Fahrrad verkaufen«, schlug Peter vor.

»Höchstens dreißig oder fünfunddreißig Mark«, schätzte der Sheriff und sah wieder auf das Stück Papier mit dem Kreuzworträtsel.

»Oder ich frage Herrn Winkelmann. Wenn ich ihm verspreche, das Geld Monat für Monat zurückzuzahlen – mit Zinsen natürlich.«

»Schulden sind wie Sirup. Wenn du einmal reinfällst, bleibst du für immer dran kleben«, stellte der Sheriff fest. »Das ist nicht von mir, das sagt mein alter Herr immer.«

»Also abwarten und Tee trinken. Für heute Abend ist nämlich der pfannrothsche Familienrat einberufen!«

»Da werdet ihr euch aber in eurer Wohnung gegenseitig sehr auf die Füße treten«, grinste der Sheriff. »Kennst du übrigens einen indischen Staatsmann mit einem G am Anfang und hinten mit einem i?«

»Gandhi«, sagte Peter, ohne zu überlegen.

»Siehst du, das dachte ich schon die ganze Zeit.« Der Sheriff nahm seinen Bleistift und fing an zu schreiben. Plötzlich stockte er.

»Stimmt nicht. Einer fehlt«, bedauerte er.

»Was fehlt?«

»Nu ja, *ein* Buchstabe zu wenig – müssen sechs sein.«

»Es sind doch sechs«, stellte Peter fest.

»Wieso? G-A-N-D-I«, buchstabierte der Sherriff.

»Nach dem D kommt erst noch ein H, Herr Schlotterbeck«, korrigierte Peter.

»Ich werde einen Verein gründen, der bei den Kreuzworträtselfabrikanten gegen die Verwendung von Fremdwörtern protestiert«, gab der Sheriff bekannt und zerknüllte das Stück Papier, um es in einen Papierkorb werfen zu können. »Im Übrigen bitte ich Sie, Herr Pfannroth, mich für zehn Minuten zu entschuldigen. Ich möchte nämlich eine Zitronenlimonade trinken, wenn's recht ist.«

»Bitte, Herr Schlotterbeck«, verneigte sich Peter.

»Sehr gütig«, erwiderte der Sheriff, verneigte sich ebenfalls und spazierte los.

Aber der Sheriff spazierte nicht zu einer Zitronenlimonade, sondern um die Ecke zum Bahnhofspostamt. Dort ging er in eine Telefonzelle, nahm den Hörer vom Apparat und wählte. Die zwei oder drei Nummern, die für ihn in Frage kamen, wusste er auswendig.

»Hier spricht Emil Schlotterbeck. Ich hätte eine große Bitte. Würden Sie so freundlich sein und Frau Pfannroth vom vierten Stock an den Apparat rufen? Ich würde Sie nicht bemühen, wenn es nicht wirklich sehr dringend wäre. Danke schön! Bitte sagen Sie einfach nur, der Sheriff will sie sprechen. Ja, Sheriff, wie die Sheriffs aus den Cowboyfilmen. Sehr richtig! Und es sei nichts passiert, wenn Sie das bitte gleich sagen wollen. Frau Pfannroth glaubt nämlich immer gleich, der Bahnhof sei explodiert oder so etwas Ähnliches, wenn sie ans Telefon gerufen wird. Nochmals schönen Dank! Ja, ich warte.«

Der Sheriff konnte sehr höflich sein, wenn es unbedingt erforderlich war.

»Um Himmels willen, was ist los, Sheriff?«, meldete sich nach einer Weile Mutter Pfannroth. Sie war vom Treppensteigen noch ganz außer Atem. Natürlich war sie gerannt wie die Feuerwehr.

»Überhaupt nichts, Frau Pfannroth.«

»Warum telefonierst du dann durch die Gegend?«, fragte Frau Pfannroth und japste immer noch nach Luft.

»Es ist wegen des Geldes für die Uniform.«

»Hundertsechsundzwanzig Mark, mir blieb die Spucke weg, als ich das hörte. Aber ich hab mir natürlich nichts anmerken lassen.« Jetzt kam Mutter Pfannroth am anderen Ende der Strippe allmählich wieder in Gang.

»Machen Sie sich keine Sorgen. Hundert Mark davon übernehme ich. Das wollte ich ihnen nur sagen. Bis Sonntag dann.«

»Hast du im Toto gewonnen?«, wollte Mutter Pfannroth wissen.

»Leider nicht«, musste der Sheriff zugeben. Aber sie seien fünfundzwanzig Jungen und er habe sich überlegt, wenn sie Sonntagvormittag vor den Boxkämpfen alle einmal ausnahmsweise arbeiten würden, dann müsste es zu schaffen sein.

»Das wären im Durchschnitt vier Mark pro Junge. Aber Peter darf nichts davon erfahren. Sie müssen mir das versprechen, Frau Pfannroth. Er würde das nämlich bestimmt nicht zulassen. Und damit er nicht irgendeinen anderen Quatsch macht, müssen Sie ihm heute Abend in Ihrem Familienrat sagen, dass Ihnen irgendjemand von Ihrer Kundschaft das Geld vorschießt. Notlügen sind erlaubt, wenn nichts Schlechtes dahintersteckt, sagt meine Mutter. Peter überlegt nämlich, ob er sein Fahrrad verkaufen oder Herrn Winkelmann anpumpen soll. Das Fahrrad braucht er doch und gegen Schulden haben wir Schlotterbecks sozusagen eine Familienabneigung. Wie denken Sie darüber, Frau Pfannroth?«

Auf der anderen Seite rührte sich nichts. Völlige Funkstille. »Hallo, Frau Pfannroth – sind Sie noch da?«

»Ja, ich bin noch da, Sheriff.«

»Ehrenwort, dass Sie ihm nichts sagen?«

»Großes Ehrenwort – und schönen Dank auch«, sagte Mutter Pfannroth.

»Dann Tschüss! Ich hab Peter nämlich gesagt, dass ich nur eine Zitronenlimonade trinken gehe.« Der Sheriff hängte wieder ein.

Auch Mutter Pfannroth legte den Hörer wieder auf, allerdings erst eine kleine Weile später.

»Ist doch was passiert?«, wollte Herr Brambeck wissen. Er war Vertreter für Fischkonserven und hatte deshalb ein Telefon.

»Nein – wirklich nicht«, sagte Mutter Pfannroth. »Und nochmals besten Dank.«

»Jungen in diesem Alter können verdammte Dummheiten machen«, meinte der Vertreter. »Wenn ich so zurückdenke –«

»Das stimmt schon. Aber manchmal können sie auch ordentlich sein«, antwortete Mutter Pfannroth etwas leise und ging zur Tür.

»Vielleicht, wenn Weihnachten und Ostern mal zusammenfallen!«, lachte Herr Brambeck.

Er lachte noch, als Mutter Pfannroth schon die Treppen zu ihrem vierten Stock hinaufstieg.

## Sheriff hält eine geheime Versammlung ab

Vom Donnerstagabend bei Kuhlenkamp interessieren eigentlich nur die letzten zehn Minuten.

Allerdings fiel es schon von Anfang an auf, dass die Schuhputzerjungen heute so vollzählig »an Deck« waren.

Aber dafür gab es verschiedene Erklärungen.

Vater Kuhlenkamp, zum Beispiel, fand es ganz natürlich, dass die Jungen gerade beim letzten Training vor den Kämpfen am Sonntag mit dabei sein wollten.

Herr Winkelmann dagegen dachte so im Stillen an seine Schweinskoteletts und schmunzelte in sich hinein.

In Wirklichkeit hatte der Sheriff Alarm gegeben. Mit der Bemerkung allerdings, dass Peter Pfannroth von diesem Alarm kein Wort erfahren dürfe, aus bestimmten Gründen, die er der Versammlung am Abend darlegen würde. So hatte er sich wörtlich ausgedrückt.

»Nach dem Training auf dem Gelände der SHELL-Tankstelle gegenüber Kuhlenkamp«, hatte der Sheriff als Parole ausgegeben.

Die SHELL-Tankstelle lag tatsächlich gleich gegenüber der Sportschule. Der Vater eines der Jungen war dort Tankwart.

Es war allerdings etwas auffallend, wie die Jungen abends auf der Straße vor der kuhlenkampschen Sportschule noch zusammenblieben.

»Einzeln zur Tankstelle, ihr Knalltüten!«, zischte der Sheriff zwischen den Zähnen. Er benutzte dazu den Augenblick, als Peter sein Fahrrad holte. Aber auch jetzt war er sofort wieder neben ihm. Peter klebte schon den ganzen Abend an dem Sheriff wie eine Briefmarke am Brief. Die Jungen hatten begriffen. Das allgemeine Herumstehen löste sich auf und es sah jetzt so aus, als ginge man tatsächlich nach Hause.

Bisher war es immer so gewesen, dass Peter nach dem Training sein Rad bis zur nächsten U-Bahn-Station neben sich hergeschoben hatte, um den Sheriff zu begleiten.

Das würde, leider, auch heute nicht zu ändern sein, wenn der Sheriff nicht riskieren wollte, dass Peter etwas merkte.

Der Sheriff hatte sich alle möglichen Ausreden überlegt, aber beim besten Willen war ihm nichts Richtiges eingefallen. »Gehen wir!«, sagte er also. Je schneller sie aufbrachen, umso früher konnte er zurück sein.

Da geschah etwas völlig Unprogrammgemäßes. Für den Sheriff war es wie ein Geschenk des Himmels.

»Du, Sheriff«, sagte Peter, »der Admiral will sich bei meiner Mutter ein Kleid schneidern lassen, und da sie nicht genau weiß, wo wir wohnen, wollten wir jetzt zusammen losfahren.«

Peter war richtig verlegen. »Aber nur, wenn es dir nichts ausmacht.«

Der Sheriff musste zuerst einmal tief Luft holen, dann hätte er Peter am liebsten umarmt. Aber er umarmte ihn nicht, vielmehr zwang er sich, möglichst ruhig zu bleiben, und sagte nur: »Sing doch keine Operntexte! Ist doch ein ganz klarer Fall.« Dabei gab er Peter die Hand.

In diesem Augenblick hörte man aus dem kuhlenkampschen Hinterhof auch schon das Geräusch eines Motorrollers. Dieses Geräusch kam mit Tempo angefegt. Jetzt quietschte die Bremse und ein helles Horn hupte dreimal kurz hintereinander.

»Fahren wir los oder nicht?«, fragte der Admiral und schaltete den Motor ab. Sie hatte ihre silbergraue Vespa vor etwa drei Monaten bei der Funklotterie gewonnen und war sehr stolz darauf, dass sie »motorisiert« war, wie sie es nannte.

»Also was ist?«, fragte der Admiral noch einmal.

»Tut es eigentlich sehr weh, wenn einem so eine Knattermühle in den Kopf steigt?«, wollte der Sheriff wissen.

»Blasser Neid der Fußgänger«, meinte der Admiral und warf die hellblonden Locken zurück.

»Bis morgen«, grinste Peter und stieg auf sein Fahrrad.

»Wir müssen übrigens an eine Generalversammlung denken. Heute hätte es ganz gut gepasst.«

Der Sheriff spürte, wie ihm schon wieder die Luft wegblieb.

»Wir waren so ziemlich vollzählig«, fuhr Peter fort. »Aber vielleicht am Sonntag nach den Kämpfen. Ihr müsst einen anderen Chef wählen und dann kann ja an meiner Stelle auch ein Neuer anfangen.«

»Unterhalten wir uns morgen darüber«, sagte der Sheriff und fing wieder an regelmäßig zu atmen.

»Davon weiß ich ja gar nichts«, sagte der Admiral ziemlich neugierig.

»Kleine Mädchen wissen vieles nicht«, grinste der Sheriff jetzt.

Da ließ der Admiral seinen Motor wieder anspringen und gab Gas. So im Stehen machte das einen Heidenlärm.

»Gute Nacht, Sheriff!«, rief Peter noch und fuhr los.

»Fahr nicht so schnell, sonst kommt sie nicht mit!«, mahnte der Sheriff hinterher.

Aber da musste er zur Seite springen. Der Admiral hatte nämlich den Kupplungshebel losgelassen und fuhr direkt auf ihn zu.

»Knalltüte«, brummte der Sheriff wieder einmal. Er wartete noch, bis die beiden am Ende der Straße in einer Kurve verschwanden. Dann rannte er zur Tankstelle.

## Tausend Schuhe für Peter Pfannroth

Am Sonntagmorgen fielen wohl viele geplante Spaziergänge und Hafenrundfahrten und Familienausflüge ins Wasser.

Das ist wörtlich zu nehmen. Es regnete nämlich schon seit dem frühen Morgen.

Einige Leute ärgerten sich, die anderen zogen einfach ihre Bettdecke wieder über die Ohren.

So ziemlich alles auf der Welt hat seine zwei Seiten. Es kommt nur darauf an, aus welcher Ecke man die Dinge betrachtet. Wer zum Beispiel nur darauf wartete, dass sich andere Leute ihre Schuhe schmutzig machten, konnte mit dem heutigen Wetter zufrieden sein, außerordentlich zufrieden sogar.

Es gab also in der ganzen Stadt mit Sicherheit mindestens fünfundzwanzig Jungen, denen der Regen überhaupt nichts ausmachte, ganz im Gegenteil.

Diese fünfundzwanzig Jungen saßen wie jeden Tag an ihren Straßenecken, in den Toreinfahrten und an den U-Bahn-Stationen. Jeder von ihnen hatte sich bereit erklärt, an diesem Sonntagmorgen zwanzig Paar Schuhe zu putzen.

Zwanzig mal zwanzig Pfennige, das machte vier Mark. Und fünfundzwanzig Mal diese vier Mark, das ergab nach Adam Riese genau die hundert Mark, die der Sheriff Mutter Pfannroth versprochen hatte.

Fünfundzwanzig Jungen waren also an diesem Sonntagmorgen aus ihren Betten gekrochen, um mal schnell so rund tausend Schuhe zu »wienern«.

Als der Sheriff seine vier Mark am Bahnhofseingang beisammen hatte, spazierte er zum Gänsemarkt. Dabei kam er in der Mönckebergstraße an Horst Buschkes Stand vorbei, der ziemlich niedergeschlagen auf seiner Kiste mit den Bürsten und Schuhwichseschachteln saß. »Es ist zum Auswachsen! Am Anfang standen sie Schlange, als gäbe es etwas umsonst, und jetzt ist's auf einmal, als hätte jemand die Sicherung rausgedreht. Dabei fehlen mir nur noch sechzig Pfennig!«, knurrte der kleine, schwarzhaarige Kerl.

»Sind Sie frei?«, fragte in diesem Augenblick ein älterer Herr, der ein kleines Paket und einen Blumenstrauß bei sich hatte. Horst Buschke sprang auf wie von einer Stecknadel gepikt. »Selbstverständlich, mein Herr!«

»Dann bis gleich«, grinste der Sheriff und marschierte weiter.

Der Gänsemarkt lag im Zentrum der Stadt. Deshalb hatten sich die Jungen hier verabredet. Wer seine vier Mark beisammen hatte, sollte sie in der Eisdiele abliefern.

»O sole mio!«, sagte der Sheriff, als er eintrat. Die Eisdiele am Gänsemarkt gehörte nämlich Herrn Tavanti und Herr Tavanti war Italiener.

»Buon giorno, ragazzo«, grüßte der dicke Eisdielenbesitzer. Er war gerade dabei, einen Kübel mit Vanilleeis einzurühren. Der Sheriff setzte sich an einen der kleinen Tische mit den Marmorplatten und holte ein Stück Papier aus der Tasche. Auf dieses Stück Papier schrieb er jetzt ganz oben seinen Namen und dahinter malte er eine Vier. Dann lehnte er sich zurück und wartete.

»Wetter non buono – nix gut«, meinte Signor Tavanti. Er rührte immer noch in seinem Vanilleeis.

»Am Nachmittag wird es besser. Der Regen lässt schon

nach«, antwortete der Sheriff. Dabei tat er so, als drehe er den Hahn einer Wasserleitung ab.

»Bellissimo«, begriff Signor Tavanti. Sein Geschäft beginne ohnehin erst am Nachmittag, fügte er noch auf Italienisch hinzu. Aber das verstand der Sheriff natürlich nicht. Trotzdem lächelte er zustimmend und sagte wieder einmal »O sole mio«. Dann spendierte er sich ein Himbeereis. Signor Tavanti balancierte dieses Himbeereis gerade durch die Gegend, da kamen auch schon die ersten Jungen. Der Sheriff notierte ihre Namen und schrieb jeweils die Summe des abgelieferten Betrages dahinter. Bisher standen nur lauter Vieren untereinander.

»Fast alles in Groschen«, brummte der Sheriff und zählte nach. »Der Nächste.«

»Hans Werkshagen.«

»Dieter Grassy.«

»Jürgen Passow.«

Das Blatt Papier auf Sheriffs Marmortischplatte füllte sich immer mehr mit Namen und entsprechend füllte sich auch immer mehr Signor Tavantis Eisdiele.

»Eine Limonade.« »Schokoladeneis.« »Vanille und Nuss gemischt.«

Der Italiener hatte plötzlich alle Hände voll zu tun.

Die meisten Jungen hatten nämlich, weil sie sich ausgerechnet in der Eisdiele verabredet hatten, einige Paar Schuhe mehr geputzt.

Kurz nach zwölf hatte der Sheriff vierundzwanzig Namen auf seinem Zettel stehen. Jetzt fehlte nur noch Horst Buschke vom U-Bahn-Eingang in der Mönckebergstraße.

Eine Viertelstunde verging.

Der Sheriff fing schon an auf die Rückseite seiner Namenliste Männchen zu malen.

Auch die Jungen fingen an sich zu langweilen. Selbstverständlich hatten sie ihre Limonaden längst ausgetrunken und ihre Eisportionen aufgegessen.

»Entschuldigung – aber es war wie verhext!« Der kleine Horst Buschke war völlig außer Atem. Er kramte seine vierzig Groschen aus der Tasche und legte sie vor dem Sheriff auf den Tisch, einen eben den anderen. »Als du weg warst, kam kein Mensch mehr. Zappenduster! Bis vor fünf Minuten. Da standen sie dann wieder rum wie die Heilsarmee. Aber als ich meine vier Mark beisammenhatte, sagte ich einfach: ›Feierabend!‹, und haute ab.«

»Genau hundert Mark!«, stellte der Sheriff fest. Er stand auf. »Besten Dank, meine Herren!« Er verneigte sich nach allen Seiten und grinste. »Im Übrigen: um zwei Uhr bei Kuhlenkamp und nach den Kämpfen Generalversammlung, wie gesagt.«

Es hatte aufgehört zu regnen.

Die obersten Fensterreihen der Häuser fingen sogar schon an zu blinken. Jeden Augenblick konnte die Sonne durchbrechen.

Der Sheriff hatte einen regelrechten Seemannsgang, als er vom Gänsemarkt wieder zur Mönckebergstraße zurückging, so richtig mit Schlagseite. Das kam natürlich von seinen beiden Hosentaschen. Sie waren schwer wie zwei kleine Zementsäcke und schlugen ihm bei jedem Schritt gegen die Schenkel.

Immerhin hatte der Sheriff für hundert Mark Groschen bei sich. Die wollte er so schnell wie möglich loswerden. Aber gerade sonntags war es nicht ganz einfach, eine solche Menge Kleingeld in Scheine umzuwechseln. Das war wohl nur am Bahnhof möglich.

Und dort, an den Fahrkartenschaltern und beim Telegrafenpostamt schaffte er es schließlich auch.

Kurz nach eins stieg der Sheriff einigermaßen erleichtert in die Hochbahn. Dabei erledigte er das Öffnen der Tür und so weiter mit der linken Hand. Die rechte blieb, zur Faust geballt, in der Tasche, weil er nämlich in dieser Faust fünf Zwanzigmarkscheine hatte. Am Rangierbahnhof kletterte der Sheriff ins Freie.

Etwa im gleichen Augenblick, als er durch die Sperre ging, setzten sich die beiden Pfannroths in ihrem vierten Stock zum Mittagessen.

»Hätte ich der Sauerbier nie zugetraut«, sagte Peter und fing an seine Suppe zu löffeln.

»Man täuscht sich oft in einem Menschen«, bemerkte Mutter Pfannroth und sah ein wenig verlegen vor sich in den Teller.

»Und bis wann will sie das Geld zurückhaben?«, wollte Peter wissen.

»Hoffentlich brennen die winkelmannschen Koteletts nicht an«, wich Mutter Pfannroth aus.

Da klingelte es.

»Nanu?«, fragte Peter und stand auf.

Aber auch Mutter Pfannroth erhob sich.

Sie stießen beinahe zusammen und vor der Tür hätte es ums Haar einen »Verkehrsunfall« gegeben.

»Lass deine Suppe nicht kalt werden. Das ist bestimmt irgendjemand von meiner Kundschaft.«

»Oder es ist Frau Sauerbier, die es sich mit ihren hundert Mark anders überlegt hat«, meinte Peter. »Im Übrigen wird deine Suppe genauso kalt. Was hast du überhaupt? Du bist heute so nervös!«

Da klingelte es zum zweiten Mal.

Peter ging zum Korridor.

Mutter Pfannroth setzte sich wieder vor ihren Suppenteller, schloss die Augen und holte ein paar Mal tief Atem.

»Herr Schlotterbeck«, meldete Peter und kam nach einer Weile mit dem Sheriff ins Zimmer zurück.

»Guten Tag, Frau Pfannroth«, grüßte Emil. Dabei hatte er immer noch seine rechte Hand in der Tasche. »Herr Schlotterbeck bittet dich um eine Privataudienz unter vier Augen«, grinste Peter. »Da geh ich wohl solange in den Kohlenkeller.«

»Es ist wegen – ich – ich dachte –«, stotterte der Sheriff.

»Wenn du's gestattest, löffle ich nur vorher noch meine Suppe aus«, entschuldigte sich Peter. Er schob dem Sheriff einen Stuhl hin und setzte sich wieder an den weiß gedeckten Mittagstisch. Dabei blinzelte er zu seiner Mutter hinüber. »Ich wette, er hat einen Blumenstrauß in seiner Hosentasche versteckt und will dir einen Heiratsantrag machen.«

»Lass deine Witze«, sagte Frau Pfannroth. »Du hättest allen Grund, zum Sheriff nett zu sein. Wenn du wüsstest –«

»Aber ich bitte Sie«, unterbrach der Sheriff. Er rückte auf seinem Stuhl hin und her wie beim Zahnarzt.

»Lass uns endlich die Wahrheit sagen, Sheriff«, schlug Mutter Pfannroth plötzlich vor und legte ihren Suppenlöffel aus der Hand. Und da sie vergessen hatte, ihn abzutrocknen, gab es einen kleinen Fleck auf dem weißen Tischtuch.

»Diese Schwindelei macht mich noch ganz krank. Ich könnte nie Schauspielerin werden.«

»Was für eine Schwindelei?«, wollte Peter wissen.

Da holte der Sheriff jetzt langsam seine rechte Hand aus der Tasche und legte fünf Zwanzigmarkscheine neben die Suppenlöffel und auf das pfannrothsche Sonntagstischtuch.

»Frau Sauerbier, das sind nämlich in Wirklichkeit der Sheriff und die Jungen«, sagte Mutter Pfannroth nur. Sie stand auf, fuhr dem Sheriff durchs Haar und gab ihm einen Kuss, so in sein Haar hinein, hinter sein linkes Ohr. »Und jetzt hol ich die Schweinskoteletts und noch einen Teller.«

Der Sheriff glühte plötzlich im ganzen Gesicht wie ein überheizter Kanonenofen.

»Oder warten sie bei dir zu Hause, wenn du nicht zum Essen kommst?«, fragte Mutter Pfannroth aus der Küche.

»Wenn so viele um einen Tisch sitzen wie bei uns, kann man nicht auf jeden Einzelnen warten«, antwortete der Sheriff ziemlich leise.

»Dann ist ja alles in bester Ordnung!«, rief Mutter Pfannroth zufrieden.

»Nur – ich muss dann noch mein Sportzeug holen. Das Trikot und so weiter«, sagte der Sheriff. Er sah jetzt zu Peter hinüber. Sein Kopf war immer noch so rot, als ob er jemandem die Brieftasche gestohlen hätte und dabei erwischt worden wäre.

»Du kannst ja auf meinem Gepäckträger sitzen, dann fahren wir zusammen«, schlug Peter vor. Und wenn man genau hinsah, glühte er jetzt genauso. Zumindest glühten seine beiden Ohren.

»Dann guten Appetit!«, sagte Mutter Pfannroth und stellte

die Platte mit den winkelmannschen Koteletts auf den Tisch. »Und wenn ihr nichts dagegen habt, komm ich heute zum ersten Male mit!«

»Zum – zum Boxen?«, fragten Peter und der Sheriff gleichzeitig wie aus der Pistole geschossen.

»Warum nicht?«, lachte Mutter Pfannroth und ging noch mal zur Küche, um die Kartoffeln und den Blumenkohl zu holen.

Draußen vor den Fenstern schien jetzt die Sonne.

## Alle brüllen: »Hepp! Hepp! Hepp!«

So ziemlich die ganze Bewohnerschaft der Warburgstraße lag in den Fenstern und schaute zur Hofeinfahrt von Nummer zwölf hinüber. Dort versammelten sich nämlich schon seit einer guten halben Stunde immer mehr Menschen, in der Hauptsache Jungen.

»Bestimmt irgendeine neue politische Partei«, meinte jemand im vierten Stock gegenüber.

»Vielleicht ist's auch nur eine Sonntagsschule?«, vermutete eine ältere Frau. Weil ihr die Fensterbank auf die Dauer zu hart wurde, legte sie sich eben ein Sofakissen unter die Ellbogen.

Genau fünf Minuten nach zwei donnerte von der Lombardbrücke her ein schwerer Diesellastwagen mit einem Anhänger in die Straße. Die eigentlichen Aufschriften an den Seiten der Wagen waren mit langen Packpapierbahnen überklebt. Auf ihnen stand, mit roter und schwarzer Farbe gemalt: ASTORIA 1912. Auf der Rückseite des Anhängers konnte man allerdings an einer Stelle auch noch lesen: »Großschlächterei Winkelmann«.

Direkt vor der Toreinfahrt zur Warburgstraße Nummer zwölf blieb der Lastzug stehen. Seine Luftdruckbremsen pfiffen und zischten wie bei einer Schnellzuglokomotive.

Fleischermeister Winkelmann saß selbst am Steuer. Er stellte jetzt den Motor ab und kletterte ins Freie: »Schönen Sonntag zusammen! Alle Mann an Bord?«

»Astoria 1912 vollzählig zur Stelle!«, meldete Vater Kuhlenkamp lachend.

Herr Winkelmann zwirbelte links und rechts seine Schnurrbartspitzen hoch. »Dann also los! Ich bitte Platz zu nehmen.«

Die Astorianer enterten den Wagen.

»Alles verstaut?«, fragte Herr Winkelmann und startete bereits wieder den Motor.

»Alles klar«, antwortete Vater Kuhlenkamp.

Herr Winkelmann löste die Bremsen, hupte dreimal und brummte los.

Die Ausscheidungskämpfe zwischen »Astoria« und »Rot-Weiß« sollten in der Turnhalle des Friedrichgymnasiums ausgetragen werden, das in der Nähe des Stadtparks um einen großen Schulhof herum lag.

Mitten in diesen Kieselsteinschulhof hinein steuerte Herr Winkelmann fünf Minuten später seinen Lastzug. Zum linken Flügelgebäude des Gymnasiums war eine regelrechte Völkerwanderung im Gange.

»Die Kämpfer zu mir!«, rief Vater Kuhlenkamp.

»Die Zuschauer zu mir!«, rief Meister Winkelmann. Dann ging es auf den allgemeinen Besucherstrom zu.

»Bravo, Astoria!«, brüllten ein paar kleine Jungen; sie hatten die Aufschrift an den Lastwagenseiten gelesen. Aber irgendjemand sagte jetzt auch: »Ihr solltet euch fotografieren lassen, solange eure Nasen noch gerade sind!«

»Wer war das?«, fragte Herr Winkelmann und sah ziemlich böse um sich.

»Ich, Herr Studienrat!«, grinste ein stämmiger Bursche mit ganz kurzen und rabenschwarzen Haaren. Er spuckte jetzt einen Kaugummi aus und ging weiter.

»Ruhig bleiben, Herr Winkelmann!«, sagte der Fleischermeister zu sich selbst. Da er es ziemlich laut sagte, hörten es die Astorianer und lachten schallend los.

»Na also!«, meinte Vater Kuhlenkamp und ging mit seiner Jugendmannschaft jetzt zum Seiteneingang.

»Hals- und Beinbruch!«, rief die Gruppe der Zuschauer noch und hielt ihre Fäuste in die Luft, die Daumen in der Innenseite natürlich.

Die große Turnhalle war jetzt schon gerammelt voll. Aber das war kein Wunder. Jeder wusste ja, dass dieser heutige Vereinskampf »Astoria« gegen »Rot-Weiß« *das* Knallbonbon aller Ausscheidungskämpfe war.

Herr Winkelmann besetzte mit seinen Astorianern die für sie reservierten Plätze.

Aus einem Lautsprecher, der neben den Tiefstrahlern mitten über dem Ring hing, kam Schallplattenmusik. Ein Akkordeonorchester spielte »Wenn abends die Heide träumt«.

»Entschuldigung, dann bin ich wohl falsch?«, fragte in diesem Augenblick Frau Pfannroth am Eingang der Halle den Mann, der die Eintrittskarten kontrollierte. »Das hier ist offenbar ein Konzert? Ich suche einen Boxkampf. Können Sie mir sagen, wo ich den finde?«

»Stimmt schon. Da sind Sie richtig. Wir spielen nur vorher ein paar Schallplatten, damit Stimmung in die Bude kommt«, erklärte der Kontrolleur.

»Ach so«, sagte Mutter Pfannroth.

»Haben Sie eine Eintrittskarte?«

»Leider nein. Aber ich soll nur sagen, dass ich zu Herrn Winkelmann möchte. Sie wissen es vielleicht nicht, aber er ist –«

»– Vereinsvorsitzender von Astoria«, unterbrach der Kontrolleur und winkte einem Platzanweiser. »Bring die Dame zu Herrn Winkelmann.«

»Wenn ich bitten darf«, sagte der Platzanweiser und ging los.

Der Lautsprecher spielte jetzt den Toreromarsch aus Carmen. »Auf in den Kampf«, brummte der Sheriff. »Sehr witzig!«

Da die Umkleideräume mit der Halle durch eine Tür verbunden waren, hörte man von draußen so ziemlich alles mit.

Die zehn Jungen der Astoriamannschaft waren schon fix und fertig. Sie steckten bereits in ihren schwarzen Trikots mit dem roten A auf der Brust, saßen auf Tischen und Stühlen oder lagen auf den drei Massagepritschen. Da sie auch schon bandagiert waren, sah es so aus, als hätten sie sich allesamt in die Finger geschnitten und deshalb weiße Mullbinden an ihren Händen.

»Achtung! Achtung!«, war jetzt von draußen der Lautsprecher zu hören.

»Ich glaube, es ist so weit«, sagte Vater Kuhlenkamp. Die Jungen in ihren schwarzen Trikots und mit ihren weißen Bandagen an den Händen standen auf.

In diesem Augenblick kam Herr Winkelmann durch die Tür. »Wie steht's? Alles in Ordnung?«, pustete er etwas außer Atem.

Die Jungen nickten stumm.

»Ich wollte euch nur sagen«, Herr Winkelmann trat etwas verlegen von einem Bein auf das andere und fingerte an seinem Schnurrbart herum, »seit vier Jahren sind wir immer Zweiter geworden, jedes Mal saßen uns die Rot-Weißen vor der Nase. Wenn es in diesem Jahr mal umgekehrt käme –!« Herr Winkelmann sah die Jungen der Reihe nach an. Dann sah er auf seine Schuhspitzen.

»Versteht mich nicht falsch. Auch wenn's wieder schief geht – Winkelmann bleibt für euch Winkelmann. Mit oder ohne Pauken und Trompeten!«

»Die Mannschaften in den Ring!«, kam es über den Lautsprecher.

Die Jungen stellten sich hintereinander und dann machte Herr Winkelmann die Tür auf.

»Avanti!«, rief Vater Kuhlenkamp.

Herr Winkelmann blieb neben der Tür stehen. Und als die Jungen jetzt einer nach dem anderen an ihm vorbeigingen, klopfte er jedem noch einmal auf die Schulter. Peter kam so ziemlich zum Schluss. »Deine Mutter ist versorgt. Sie sitzt bei mir in der ersten Reihe.«

»Schönen Dank, Herr Winkelmann. Und wenn Sie so freundlich wären und ein wenig auf sie aufpassen? Sie sieht so etwas zum ersten Mal.«

»Ist gemacht«, sagte Herr Winkelmann und legte jetzt dem »Kindergesicht« seine Hand auf die Schulter. Als Schwergewichtler war er sozusagen das Schlusslicht der Mannschaft.

Die ganze Turnhalle war jetzt außer Rand und Band.

»Astoria! Astoria!«, rief es von allen Seiten, als die Jungen mit ihren schwarzen Trikots in den Ring stiegen.

»Hepp! Hepp! Hepp!«, brüllte es links und rechts von Mutter Pfannroth. Sie hielt sich unwillkürlich die Ohren zu und sah hilflos zu Herrn Winkelmann, der sich gerade wieder zu ihr setzte. »Ist etwas passiert?«, rief sie.

»Im Gegenteil! Es fängt erst an!«, rief Herr Winkelmann zurück.

Als die Mannschaft von Rot-Weiß durch die Seile kletterte, steigerte sich das allgemeine Rufen noch.

»Ra! Ra! Ra!«, brüllten die Rot-Weiß-Leute im Chor und warfen ihre Hände in die Luft, einschließlich des Herrn mit dem karierten Sportsakko.

Im Ring standen sich jetzt die beiden Mannschaften gegenüber, und zwar in der Reihenfolge der Gewichtsklassen. Jeder Junge hatte also seinen Gegner auf der anderen Seite wie sein eigenes Spiegelbild vor sich.

Peter sah auf. Der Junge, der ihm im weißen Trikot und in kurzer weißer Hose gegenüberstand, war nicht größer als er selbst. Er hatte hellblondes Haar und ein gutes, offenes Gesicht.

»Ich eröffne hiermit den ersten Ausscheidungskampf zur diesjährigen Jugendmeisterschaft«, sprach eine Stimme über den Lautsprecher.

»Das – das ist –«, Herr Winkelmann richtete sich auf und nahm den Rot-Weißen aufs Korn, der als Schwergewichtler am äußersten Ende der Mannschaft stand. »Das ist doch der Bursche von vorhin am Eingang. Von wegen fotografieren lassen.«

»Stimmt!«, bestätigten die Astorianer, die um Herrn Winkelmann herum saßen.

»Im Papiergewicht stehen sich gegenüber Paul Falk, Astoria«, gab der Lautsprecher bekannt.

Ein kleiner Junge mit hellem, lockigem Engelshaar ging zur Ringmitte, »– und Fritz Imhoff, Rot-Weiß.«

Jetzt kam auch der kleinste Junge der anderen Mannschaft ein paar Schritte nach vorn.

Die beiden Papiergewichtler gaben sich ihre weiß bandagierten Hände und grinsten sich an.

Die ganze Turnhalle applaudierte.

Als der Lautsprecher zum Halbschwergewicht kam, erfuhr Peter endlich, wie der Junge hieß, der ihm nun schon gute zehn Minuten gegenüber stand.

»Im Halbschwergewicht Peter Pfannroth, Astoria –«, jetzt ging Peter zur Ringmitte, »– und Conny Kampendonk, Rot-Weiß.«

Der hellblonde Junge kam auf Peter zu und gab ihm die Hand. Dabei lächelte er ein ganz klein wenig und Peter lächelte zurück.

»Bis jetzt gefällt's mir«, stellte Mutter Pfannroth fest. »Die Jungen sind doch eigentlich sehr freundlich zueinander. Ich hatte Schlimmeres befürchtet!«

»Das ändert sich schon noch etwas«, gab Herr Winkelmann zu bedenken.

Als der rot-weiße Schwergewichtler in die Ringmitte trat, fing es auf der Gegenseite an zu brüllen. »Ra! Ra! Ra!«

Der Kerl mit seinen kurzen schwarzen Locken tänzelte wie ein Zirkuspferd hin und her, hob seine Arme zur Höhe und grüßte grinsend um sich.

Im Übrigen war es jetzt so weit.

Die Mannschaften kletterten wieder aus dem Ring und gingen in ihre Umkleidekabinen zurück. Nur die beiden kleinen Papiergewichtler blieben zwischen den Seilen und bekamen in ihren Ecken jetzt Boxhandschuhe an die Fäuste.

»Ring frei zur ersten Runde.«

Dann erklang der Gong.

»Ra! Ra! Ra!«, brüllten die Rot-Weiß-Leute los.

»Hepp! Hepp! Hepp!«, brüllten die Astorianer dagegen.

»Jetzt läuft's ab wie beim Hausfrauennachmittag«, stellte im Umkleideraum der Sheriff fest und legte sich wieder auf seine Massagepritsche, »eine Nummer nach der anderen.«

»Und die nächste Nummer bin ich«, sagte »Fliege«. Er hieß so, weil er im Fliegengewicht antrat.

Von draußen hörte man das Rufen und Schreien. Es sank, stieg wieder an und fiel wieder zurück. Wie wenn man bei einem Radioapparat am Knopf für die Lautstärke spielt.

»Wie steht's?«, fragte Peter. Auch er lag auf einer Massagebank.

Das »Kindergesicht« stand in der halb offenen Tür und sah in die Halle zu dem angestrahlten Ring. »Unser Kleiner wird eingedeckt«, stellte er sachlich fest.

»Fängt ja gut an!«, knurrte der Sheriff.

Es war wie verhext.

Das Engelshaar verlor als Erster. Der Junge wehrte sich wie ein Löwe. Aber der andere war leider stärker. Und so ging es weiter. Die Astoriaecke musste eine Niederlage nach der anderen einstecken.

»Rot-Weiß führt mit acht Punkten«, gab der Lautsprecher nach den ersten vier Kämpfen bekannt.

Das »Ra! Ra! Ra!« von drüben klang bereits übermütig und die ganze Halle brüllte es schon mit.

»Sie müssten etwas gegen ihre Nerven tun«, sagte Mutter Pfannroth und sah Herrn Winkelmann ernstlich besorgt an.

»Keiner schlägt Aufwärtshaken!«, jammerte Herr Winkelmann.

»Was ist das, wenn ich fragen darf?«, erkundigte sich Mutter Pfannroth höflich.

Herr Winkelmann deutete mit seiner rechten Faust an, was er meinte.

»Dagegen gibt's keine Pillen. So ein Schlag macht k. o., so sicher wie das Finanzamt.«

»Was Sie nicht sagen«, staunte Mutter Pfannroth und schlug jetzt auch mit ihrer Faust durch die Luft. »Sie meinen, so?«

»Goldrichtig!«, lobte Herr Winkelmann.

Im fünften Kampf siegte endlich auch einmal der Junge im schwarzen Trikot.

»Hepp! Hepp! Hepp!«, brüllten die Astorianer und fassten wieder Mut.

Und tatsächlich marschierte das Glück jetzt von der rotweißen Ecke heraus ins Astorialager hinein.

Auch im Halbwelter- und Weltergewicht siegten die Jungen mit ihrem roten A auf der Brust.

Die ganze Turnhalle machte eine radikale Kehrtschwenkung und brüllte jetzt nur noch: »Hepp! Hepp! Hepp!«

»Das Gesamtergebnis steht jetzt acht zu sechs für Rot-Weiß«, meldete der Lautsprecher.

Schon der nächste Kampf konnte den Ausgleich bringen. Jetzt war das Mittelgewicht an der Reihe.

Der Sheriff stieg, ein wenig bleich und nervös, durch die Seile.

»Ganz ruhig und nur tief Luft holen, ganz tief und ganz langsam«, redete Vater Kuhlenkamp in der Ringecke auf den Jungen ein.

Da kam der Gong.

Der Sheriff machte schmale Augen, nahm seine Fäuste hoch und ging zur Ringmitte.

»Was ist?«, fragte Peter von seiner Massagebank herunter. Er war mit dem »Kindergesicht« jetzt nur noch allein im Umkleideraum. Die anderen Jungen hatten sich nach ihren Kämpfen so schnell wie möglich eine Jacke, einen Bademantel oder Pullover übergezogen und dann zwischen die Astorianer an den Ring gesetzt.

»Er ist noch nervös und trifft nicht«, stellte das »Kindergesicht« fest. Er hatte seinen Beobachtungsposten an der Tür noch nicht aufgegeben.

Vom Saal her kam jetzt ganz plötzlich ein einziger lauter Aufschrei. Das »Kindergesicht« sprang hoch.

»Sheriff liegt am Boden«, japste er.

Peter hörte gar nicht zu. Er versuchte wenigstens nicht hinzuhören. Er dachte nur an sich selbst, ganz fest. An seinen Magen zum Beispiel oder an seine Brust. Wie sie sich hoben und senkten, wenn er jetzt ganz ruhig und regelmäßig Atem holte.

Von draußen kam neues Geschrei.

»Er ist wieder hoch. Und jetzt greift er sogar an!«

Das »Kindergesicht« kletterte auf einen Hocker, um besser sehen zu können.

»Das ist nicht mit anzusehen!«, schimpfte Mutter Pfannroth in der Pause zur zweiten Runde. »Die Jungen müssten Luftballons um die Fäuste haben, damit es nicht so wehtut. Und wenn schon einer umfallen muss, dann bitte nicht der Falsche. Ausgerechnet der Sheriff hat das nämlich gar nicht verdient.«

Und dann kam es, völlig überraschend für alle: Der Sheriff traf seinen Gegner genau am Kinn.

»Endlich!«, jubelte Herr Winkelmann. »Ein Aufwärtshaken, so geht's doch –«

»Fabelhaft«, gab Mutter Pfannroth zu. Der Sheriff wurde nämlich gerade zum Sieger erklärt.

»Acht zu acht!«, stellte Herr Winkelmann fest und rieb sich vergnügt die Hände. »Jetzt kommt's allein auf Ihren Sohn an, Frau Pfannroth! Wenn er auch gewinnt, kann uns nichts mehr einfrieren.«

»Und ich gehe jetzt«, sagte Mutter Pfannroth. »Ich kann mir das einfach nicht mit ansehen, wenn jetzt auch noch mein eigener Junge da oben –«

»Sie dürfen sich umdrehen, wenn's zu schlimm wird«, schlug Herr Winkelmann vor.

»Gut. Aber ich drehe mich wirklich um!«

»Hepp! Hepp! Hepp!«, brüllte es aus der Halle.

Der Sheriff grüßte nämlich gerade nach allen Seiten und kletterte dann aus dem Ring.

## »Achtung! Achtung! Sieger nach Punkten –«

»Jetzt bist du dran«, sagte das »Kindergesicht« im Umkleideraum. Peter stand auf und warf sich seinen ziemlich alten Bademantel über die Schultern.

An der Tür stieß er beinahe mit dem Sheriff zusammen. »Gratuliere«, sagte Peter.

»Acht zu acht!«, strahlte der Sheriff. »Astorias ganze Hoffnungen liegen auf Ihren Schultern, Herr Pfannroth.«

»Ra! Ra! Ra!«, brüllten die Rot-Weißen, als ihr Mann in den Ring stieg.

»Hepp! Hepp! Hepp!«, riefen die Astorianer, als Vater Kuhlenkamp jetzt das Ringseil hochhob und Peter in seine Ecke klettern ließ.

»Ring frei zur ersten Runde«, sagte die Lautsprecherstimme. Und gleich darauf kam der Gong.

»Conny! Conny!«, riefen die Rot-Weiß-Leute.

Und tatsächlich ging der hellblonde Junge sofort zum Angriff über.

Peter wich mit dem ganzen Oberkörper zur Seite. Gerade noch rechtzeitig, um einem blitzschnellen rechten Haken auszuweichen.

Die beiden Jungen im Ring waren beinahe bis auf den Zentimeter gleich groß und auch ihre Körper glichen sich wie ein Ei dem anderen.

Der Hellblonde schien im Augenblick noch etwas beweglicher zu sein, vor allem mit den Beinen. Wenn Peter zu einem Schlag ansetzte, steppte er blitzschnell und leicht wie ein Tänzer zur Seite, aber fast im gleichen Augenblick schlug er dann wieder zurück.

Als der Gong kam, gingen beide Jungen, tief Luft holend, in ihre Ecke zurück.

»Sie können Ihre Augen wieder aufmachen«, sagte Herr Winkelmann eben zu Mutter Pfannroth. »Wir haben Pause.«

Frau Pfannroth hatte sich doch nicht verkehrt herum auf ihre Bank gesetzt. Das hätte bestimmt dumm ausgesehen. Sie hatte beim Gong zur ersten Runde ganz einfach ihre Augen geschlossen.

»Er pumpt nach Luft wie ein Maikäfer«, stellte Mutter Pfannroth fest.

Im gleichen Augenblick gongte es wieder.

»Es ist wirklich nicht so schlimm, wie Sie es vielleicht annehmen«, sagte Herr Winkelmann.

»Schön, ich probier's mal«, gab sich Mutter Pfannroth einen Ruck und ließ ihre Augen jetzt vorerst offen.

»Ra! Ra! Ra!«, brüllten die Rot-Weißen.

Der Hellblonde war nämlich schon wieder im Angriff. Noch schneller und noch beweglicher als in der ersten Runde. Er pendelte und tauchte mit seinem Oberkörper, als wäre er aus Gummi. Dabei ließ er immer wieder seine Fäuste fliegen.

»Conny, Conny!«, brüllten die Leute von Rot-Weiß und die ganze Halle brüllte mit.

»Hepp! Hepp! Hepp!«, riefen die Astorianer und nur Herr Winkelmann brüllte »Peter! Peter!« dazwischen, bis er plötzlich regelrecht erstarrte. Dicht neben ihm rief nämlich Mutter Pfannroth auf einmal: »Aufwärtshaken! Aufwärtshaken!«

Und tatsächlich, der bestellte Aufwärtshaken kam.

Aber leider schlug ihn der Hellblonde und Peter taumelte.

Für eine Sekunde fiel er sogar in die Seile. Jetzt war die Hölle los. »Conny! Conny!«, feuerte die ganze Halle den Hellblonden an.

Es sah so aus, als sei Peter wirklich geschlagen.

Offenbar glaubte das auch der Junge von Rot-Weiß. Von dem allgemeinen Geschrei angetrieben, stürzte er sich ohne jede Vorsicht auf seinen Gegner in dem schwarzen Trikot und landete einen ganzen Hagel von Schlägen. Aber jetzt schlug Peter blitzartig und völlig unerwartet zurück.

Der Rot-Weiße riss sofort seine Fäuste in die Deckung. Aber es war den Bruchteil einer Sekunde zu spät. Peter traf ihn mit der linken Faust hart und direkt am Kinn. Jetzt war es der Hellblonde, der taumelnd ein paar Schritte zurückging. Er griff nach dem Seil, um sich festzuhalten. Aber da stand Peter schon wieder vor ihm.

In diesem Augenblick zeigte es sich, dass der Hellblonde genauso zäh war wie noch kurz zuvor sein Gegner.

Er stellte sich sofort wieder zum Kampf. Dabei musste er zuerst allerdings eine ganze Serie von Schlägen einstecken. Aber als ihm Peter nur einen winzigen Augenblick Zeit ließ, nahm er sofort seine Fäuste wieder vom Gesicht und ging seinerseits zum Angriff über.

Die Halle tobte vor Begeisterung.

»Das ist bisher der tollste Kampf!«, stellte Herr Winkelmann fest.

»Es ist gräulich«, widersprach Mutter Pfannroth. »Aber ich verstehe jetzt ein kleines bisschen, weshalb es Peter Freude macht.«

Die Halle beruhigte sich dieses Mal auch während der Pause nicht.

»Ring frei zur dritten und letzten Runde!«, sagte der Lautsprecher.

Kurz darauf kam der Gong.

Die beiden Jungen prallten in der Ringmitte hart aufeinander.

Zuerst standen sie jetzt Fuß an Fuß und ließen ihre Fäuste fliegen.

Da sprang Peter ganz plötzlich zur Seite. Nicht um auszuweichen, nur, um sofort wieder neu anzugreifen. Dabei musste der Hellblonde nur einen oder zwei Schritte zurück. Und das genügte. Das hatte Peter erreichen wollen. Sofort ging er dem Rot-Weißen nach. Er ließ seinen Gegner jetzt gar nicht mehr zum Stehen kommen. Schritt für Schritt trieb er ihn vor sich her, dabei pausenlos schlagend.

Links – links – rechts.

Links – links – rechts.

Peter ließ seine Fäuste fliegen wie im Trainingssaal gegen den kuhlenkampschen Sandsack. Dabei ging er, nach vorn gebeugt, hinter seinem Schläger her.

»Peter! Peter!«, riefen die Astorianer.

»Hepp! Hepp! Hepp!«, fiel die Halle ein.

»Conny! Conny!«, brüllten die Rot-Weißen dazwischen.

Peter hatte den Hellblonden vor sich in der neutralen Ecke. Jetzt gab es kein Ausweichen mehr. Er nagelte ihn richtig fest. Der Rot-Weiße zog die Deckung hoch. Da bearbeitete Peter seinen Körper.

Verzweifelt stürzte sich der Hellblonde nach vorn, mitten in Peters Schläge hinein. Er musste wieder Luft bekommen, wieder aus dieser Ecke heraus.

Und dieser Ausbruch brachte die Entscheidung.

In dem Augenblick, als der Hellblonde seine Fäuste vom Gesicht nahm, saß Peters linke Faust. Der Rot-Weiße sah ganz erstaunt mit großen Augen um sich. Dann setzte er sich auf die Bretter, ganz langsam, wie wenn er sich in einen Klubsessel setzten würde.

»Hepp! Hepp! Hepp!«, tobte alles in der Halle.

Peter ging in seine Ecke zurück.

»– zwei – drei – vier –«, zählte der Ringrichter.

»Conny! Conny!«, riefen die Rot-Weißen verzweifelt. Der Hellblonde kam langsam wieder zu sich. Aber er sah noch um sich, als ob eben erst morgens in seinem Bett aufwachen würde.

»– sechs – sieben –«

»Conny! Conny! Conny!«

Erst in diesem Augenblick schien der hellblonde Junge zu begreifen, was passiert war und was auf dem Spiele stand.

»– acht –«

Der Rot-Weiße war plötzlich wie elektrisiert. Er sprang auf, riss seine Fäuste vor die Brust und jetzt geschah, was niemand für möglich gehalten hätte.

Bevor Peter wieder richtig aus seiner Ecke gekommen war, stürzte der Hellblonde schon über ihn her. Er wollte retten, was noch zu retten war, schlug aus allen Lagen und dachte überhaupt nicht mehr an seine Sicherheit.

»Er bringt ihn um!«, japste Mutter Pfannroth und schloss jetzt doch wieder die Augen.

Die Halle explodierte geradezu.

»Conny! Conny! Conny!«

»Ra! Ra! Ra!«

»Hepp! Hepp! Hepp!«

Mitten in diesen Hexenkessel hinein schlug der Gong. Die beiden kämpfenden Jungen hörten ihn genauso wenig wie die tobenden Zuschauer.

»Zeit!«, rief der Ringrichter und jetzt erst ließen die zwei Jungen ihre Fäuste hängen. Tief atmend standen sie sich eine ganze Weile gegenüber und sahen sich an. Jeder spürte den Atem des anderen im Gesicht.

Plötzlich lächelte der Hellblonde, aber nur ein ganz klein wenig. Eigentlich nur so, dass seine Lippen dieses Lächeln andeuteten. Dabei legte er dem Astorianer seine rechte Faust mit dem Boxhandschuh auf die Schulter. Dann ging er etwas müde in seine Ecke zurück. »Achtung! Achtung! Sieger nach Punkten: Peter Pfannroth, Astoria«, gab der Lautsprecher bekannt.

Alles klatschte in die Hände.

Peter verbeugte sich, ging in seine Ecke zurück und zog seinen Bademantel über. Dann wandte er sich zu den Bankreihen seines Vereins. Beim letzten Kampf wollte er auch zuschauen. Inzwischen hatte sich bereits der nächste Rot-Weiße auf den Holzschemel im Ring gesetzt. Es war der Kerl mit den kurzen, rabenschwarzen Locken.

»Hepp! Hepp! Hepp!«, begrüßten ihn die Astorianer.

»Verlieren können wir nicht mehr«, rief Herr Winkelmann.

»Und wenn dieser schwarze Lockenkopf gewinnt?«, wollte Mutter Pfannroth wissen.

»Dann gibt's leider ein Unentschieden«, erklärte Peter.

»Also gewinnt er nicht!«, entschied Mutter Pfannroth, verschränkte die Arme und saß plötzlich ganz aufrecht.

»Du hast mit deiner Mutter ein enormes Glück gehabt«, bemerkte Herr Winkelmann leise.

»Weiß ich«, flüsterte Peter zurück.

Im gleichen Augenblick schlug der Gong.

Für die Rot-Weißen war dieser letzte Kampf plötzlich zum wichtigsten des ganzen Tages geworden. Sie brüllten also schon von der ersten Sekunde an los. »Ra! Ra! Ra!«

Entweder sie verloren jetzt endgültig oder sie blieben durch ein Unentschieden doch noch im Rennen um die Meisterschaft.

»Joe Louis!«

»Joe Louis!«

»Das hört sich an wie Indianergebrüll«, stellte Mutter Pfannroth fest. »Ouui! Ouui! Was ist das nun wieder?«

»Das soll ›Joe Louis‹ bedeuten«, antwortete einer der Astorianer. »So heißt er nämlich bei den Rot-Weißen.«

»Und Joe Louis, das war ein schwarzer Boxer. Jahrelang Weltmeister«, erklärte Herr Winkelmann.

»Joe Louis, der braune Bomber«, grinste Peter.

»Danke. Ich bin jetzt im Bilde«, sagte Mutter Pfannroth. »Trotzdem, der junge Mann gefällt mir nicht.«

Und das war kein Wunder.

Der Kerl mit den kurzen, schwarzen Locken fiel nämlich, wie man so sagt, völlig aus dem Rahmen, von Anfang an.

Der Kerl stampfte durch den Ring wie eine Lokomotive. Den Kopf tief zwischen den hochgezogenen Schultern, schnaubte er dazu noch wie ein Pferd durch die Nase. Wenn er schlug, war es ihm völlig gleichgültig, ob er traf und was er traf. Er schlug einfach.

Die Astorianer sahen sich an und wussten nicht, was sie zu diesem Burschen sagen sollten.

Selbst der Ringrichter machte einen ziemlich hilflosen Eindruck. Dieser Kerl boxte wie auf einem Jahrmarkt oder Rummelplatz.

»Joe Louis!«, brüllten die Rot-Weißen trotzdem weiter. Der Bursche mit seinen kurz geschorenen schwarzen Locken schob seinen Gegner, das »Kindergesicht«, mit dem ganzen Gewicht seines Körpers vor sich her. Dabei war ihm jedes Mittel recht. Er stieß mit dem Kopf, hielt dem Astorianer die Fäuste fest, wenn es der Ringrichter gerade nicht sehen konnte, und schlug im Übrigen wie blind durch die Gegend.

Plötzlich knickte das »Kindergesicht« zusammen.

Die Rot-Weißen sprangen von ihren Bänken hoch und tobten schon vor Begeisterung.

Der Kerl mit den kurzen schwarzen Locken warf seine Fäuste in die Luft und tanzte in seine Ecke.

»Foul!«, kamen jetzt die ersten Zwischenrufe.

»Tiefschlag!«, riefen die Astorianer im Chor.

»Ganz klar. Ein glatter Tiefschlag!«, entrüstete sich auch Herr Winkelmann und sprang auf.

Das »Kindergesicht« lag immer noch auf dem Boden und zog die Knie an die Brust. Vater Kuhlenkamp und der kleine Horst Buschke kletterten zu ihm in den Ring.

Die Halle tobte wieder einmal wie ein Hexenkessel.

»Auszählen! Auszählen!«, forderten die Rot-Weißen.

Aber der Ringrichter schüttelte energisch den Kopf und beugte sich über die Seile zum Kampfgericht.

Im gleichen Augenblick kam der Gong.

»Joe Louis!«, riefen die Rot-Weißen wieder.

»Foul!«, kam es jetzt immer häufiger aus allen Richtungen.

»Achtung! Achtung!«

Es dauerte eine ganze Weile, bis sich der Lautsprecher durchsetzen konnte.

»Achtung! Achtung! Die Kampfleitung gibt bekannt, dass der Ringrichter Rot-Weiß wegen Tiefschlags eine Verwarnung erteilt.«

Jetzt brach die ganze Halle in Beifall aus.

Der Kerl mit seinen kurzen schwarzen Locken stand in seiner Ecke, an die Seile gelehnt, und grinste.

»Achtung! Achtung! Wenn sich der Kämpfer von Astoria bis zum Beginn der zweiten Runde nicht erholt hat, wird der Kampf abgebrochen.«

Im Saal war es jetzt plötzlich ganz still wie in einer Kirche. Alles sah voll Spannung zum Ring, und zwar in die Ecke von Astoria. Wenn dort der lange Junge mit seinem Kindergesicht nicht wieder von seinem Holzschemel aufstand, war der Kampf für ihn zu Ende und sein Verein hatte gewonnen.

Joe Louis war nun doch etwas nervös. Er schlug immer wieder seine großen Lederhandschuhe gegeneinander und tänzelte aufgeregt hin und her.

Peng! Das war der Gong.

Herr Winkelmann kniff Peter in den Arm vor Aufregung. Und in diesem Augenblick war es mit der Kirchenstille vorbei. Das »Kindergesicht« war nämlich aufgestanden und ging zur Ringmitte. Noch ziemlich bleich um die Nase. Aber die Fäuste in Kampfstellung vor der Brust.

»Hepp! Hepp! Hepp!«

Die ganze Halle brannte vor Begeisterung.

»Wieso – das hat er doch gar nicht nötig?«, wunderte sich Mutter Pfannroth.

»Gerade darum!«, rief Herr Winkelmann und klatschte, dass es knallte wie beim Teppichklopfen.

Das »Kindergesicht« war wie ausgewechselt.

Vielleicht, weil der lange Junge ehrlich und regelrecht wütend war. Vielleicht auch, weil er jetzt das Gebrüll der ganzen Halle auf seiner Seite hatte.

Jedenfalls kam der schwarzlockige Rot-Weiße überhaupt nicht mehr an ihn heran. Er fing alle Angriffe mit seinen langen Armen ab. Und dabei trafen dann die Fäuste an diesen langen Armen jedes Mal in das herankommende Gesicht. Meistens mitten auf die Nase.

Der Kerl mit den kurzen schwarzen Locken zitterte und kochte vor Wut wie ein Dampfkessel kurz vor der Explosion.

Und da geschah es auch: Der Rot-Weiße wusste sich offenbar nicht mehr anders zu helfen. Er nahm seinen Kopf zwischen die Schultern und rannte dem »Kindergesicht« damit wie ein Stier vor die Brust. Dabei schlug er wild um sich. Ganz gleichgültig, wohin seine Fäuste trafen.

Das »Kindergesicht« taumelte zurück.

»Pfui! Pfui!«, brüllte die ganze Halle. Man sprang auf die Bänke und war außer sich.

»Aufhören! Aufhören!«, rief Herr Winkelmann und stieß die Arme in die Luft.

Im Ring sah es jetzt aus wie bei einer Keilerei irgendwo in einer Hafenkneipe. Der Ringrichter versuchte die beiden Kämpfer zu trennen, aber der Kerl mit den kurz geschorenen Locken schlug weiter um sich. Bis jetzt sein eigener Trainer in den Ring kletterte und ihn regelrecht festhielt.

»Das ist unerhört!«, protestierte Herr Winkelmann. Aber er war kaum zu verstehen in dem Pfeifkonzert.

Die Leute von Rot-Weiß saßen ziemlich still auf ihren Bänken und ließen die Köpfe hängen.

»Achtung! Achtung!«, bat der Lautsprecher noch einmal um Gehör. »Rot-Weiß verliert den Kampf im Schwergewicht durch Disqualifikation!«

Die Halle klatschte Beifall und rief »Bravo!«.

»Hiermit gewinnt Astoria 1912 den heutigen Ausscheidungskampf zu den diesjährigen Jugendmeisterschaften mit zwölf zu acht Punkten!«

»Hepp! Hepp! Hepp!«, jubelten die Astorianer und die ganze Halle jubelte wieder mit.

Die Jugendmannschaft von Astoria musste in ihren schwarzen Trikots jetzt noch einmal in den Ring und sich nebeneinander aufstellen. Die ganze Halle applaudierte, jeder der Jungen bekam eine Urkunde und der Lautsprecher spielte wieder den Toreromarsch aus Carmen. Dazu blitzte der Fotograf, den Herr Winkelmann extra bestellt hatte, mit seinem Blitzlicht.

»Der Anfang und der Schluss waren am schönsten!«, stellte Mutter Pfannroth fest.

Herr Winkelmann wartete mit seinen Astorianern und allen Schuhputzerjungen vor dem Unkleideraum.

Als die Jugendmannschaft wieder in ihren Sonntagsanzügen steckte, zwirbelte der Fleischermeister vergnügt seine Schnurrbartspitzen hoch und sagte: »Also auf zur ›Siebten Runde‹, meine Herren!«

Man setzte sich in Bewegung.

»Und ich gondle jetzt nach Haus«, gab Mutter Pfannroth bekannt, »meine Nähmaschine wartet.«

»Daraus wird nichts!«, widersprach Herr Winkelmann.

»Sie kommen selbstverständlich mit.« Er bot Frau Pfannroth den Arm und sagte höflich: »Bitte, bedienen Sie sich.«

»Da muss ich erst meinen Jungen fragen«, protestierte Frau Pfannroth.

»Papperlapapp!«, lachte Peter und hakte sich auf der anderen Seite bei seiner Mutter unter.

So marschierten sie vergnügt los.

## Von einer Kegelbahn, einem Parlament und Eisbeinen

Die Wirtschaft »Zur siebten Runde« lag ziemlich versteckt in einer Hafengasse bei den Landungsbrücken. Dort ließen es sich die Astorianer erst einmal so richtig gut gehen. Herr Winkelmann hatte für alle Kartoffeln, Sauerkraut und Eisbein bestellt. Die Eisbeine stammten natürlich aus der winkelmannschen Großschlächterei.

»Ah!« und »Oh!« riefen die Astorianer. Dabei klatschten sie in die Hände.

»So viel, wie Sie verschenken, kann kein Mensch verdienen«, sagte Mutter Pfannroth, aber Herr Winkelmann lachte nur gut gelaunt und orderte für alle Apfelsaft und Bier.

Als alle gegessen hatten und es draußen allmählich immer dunkler wurde, schlichen die Schuhputzerjungen einer nach dem anderen aus dem Vereinszimmer der Wirtschaft.

»Treffpunkt Kegelbahn.«

Da tagte die Generalversammlung.

Man saß im Halbkreis auf dem glatten Fußboden, über den sonst schwere Holzkugeln rollten.

Der Sheriff hatte, sozusagen als Geschäftsführer, die Sitzung eröffnet.

Zuerst waren nur rein geschäftliche Dinge zur Sprache gekommen: der gemeinsame Einkauf von Schuhcreme, von Bürsten und Poliertüchern. Der Sheriff hatte eine Firma ausfindig gemacht, die den Jungen Großhandelspreise berechnen wollte. Die Bestellungen mussten jeweils bis zum Mittwoch aufgegeben sein.

»Und jetzt erteile ich Peter das Wort«, sagte der Sheriff abschließend und setzte sich.

»Bravo, Sheriff!«, riefen die Jungen und klatschten.

Peter biss sich auf die Unterlippe und sah vor sich auf den Fußboden.

»Ihr wisst, dass ich mit dem Schuheputzen aufhöre. Wer bei uns ausscheidet, tut es ja nur, um einen ordentlichen Beruf zu erlernen, worauf er sehnlichst wartet. Ich gehe in den Hotelberuf.«

Peter sah jetzt vom Fußboden weg und den Jungen in die Augen.

»Trotzdem ist es so, als ob man irgendwo in den Ferien war und wieder in den Zug klettern muss. Man freut sich auf zu Hause und doch ist's einem fast zum Heulen. Weil man eben von dort, wo es schön war, nicht gern wegfährt. Ich freue mich natürlich aufs ATLANTIC, aber –« Peter biss sich auf die Unterlippe und sah über die Jungen, die treue Kameradschaft mit ihm gehalten hatten, hinweg. Das dauerte eine Weile, dann sagte er nur noch kurz: »So ist das und ihr wisst bestimmt, was ich meine. Dann ist da noch die Sache mit den hundert Mark«, fuhr Peter nach einer Weile fort: »Dazu kann ich euch nur versprechen, dass ich genauso, wie ihr alle heute

Morgen mitgemacht habt, dabei bin, wenn einer von euch in die gleiche Lage kommt. Und das ist vielleicht überhaupt das Schönste dabei, dass jetzt jeder von uns weiß, er ist nicht allein, die anderen helfen ihm, so gut sie können, wenn es ihm mal dreckig geht. Und das ist eine ganze Menge, genau vierundzwanzigmal mehr, als jeder von uns allein fertig bringt. Im Übrigen müsst ihr jetzt einen neuen Chef wählen. Ich bitte um Vorschläge.«

Die Jungen klatschten in die Hände und trampelten mit den Füßen.

Als sich der Beifall gelegt hatte, sagte Peter: »Danke schön. Aber jetzt, bitte, die Vorschläge.«

»Der Sheriff!«, riefen mehrere Jungen auf einmal.

»Ich stelle fest: erster Vorschlag, der Sheriff! Weiter!«

»Horst Buschke!«, rief es.

»Ich stelle fest: zweiter Vorschlag –« Peter stockte.

Der kleine Horst Buschke hatte nämlich einen knallroten Kopf und bibberte vor Vergnügen.

Er hatte seinen eigenen Namen zum Vorschlag gebracht. »Der zweite Vorschlag ist ungültig«, erklärte Peter jetzt, »man kann sich natürlich nicht selber vorschlagen. Weiter.« Peter sah sich um und wartete. Eine ganze Weile. Dann sagte er: »Ich stelle fest, der Sheriff liegt ohne Konkurrenz im Rennen. Also Abstimmung. Wer dafür ist, dass der Sheriff der neue Chef wird, hebt die rechte Hand hoch.«

Alle Jungen hoben den Arm, auch Horst Buschke. Er rief als alter Spaßmacher noch: »Ich beuge mich der Mehrheit.«

»Ich stelle fest«, sagte Peter wieder, »der Sheriff ist einstimmig gewählt.«

Jetzt tobten die Jungen wie vorher.

Der Sheriff sprang auf, stellte sich neben Peter in die Mitte und die beiden gaben sich die Hand. Es sah so aus, als gratuliere in Amerika der scheidende Präsident seinem Nachfolger.

»Ich übergebe hiermit das Präsidium an den neuen Chef!«

Damit setzte sich Peter unter die Jungen.

»Ruhe!«, rief der Sheriff.

Es dauerte noch eine ganze Weile, bis die Jungen mit ihrem Klatschen und Rufen aufhörten.

»Ich bin tief gerührt«, gab der Sheriff bekannt und grinste über das ganze Gesicht. »Wirklich.«

Die Versammlung lachte und kicherte, aber sie blieb jetzt ruhig.

»Wenn ihr einverstanden seid, nehme ich an Stelle von Peter jetzt Horst Buschke zu mir an den Bahnhofseingang. Er ist zwar eine Knalltüte, aber zugleich ist er auch am längsten bei uns. Hat jemand etwas dagegen einzuwenden?«

Niemand meldete sich.

Da rief der kleine Horst Buschke: »Ich protestiere gegen die Bezeichnung Knalltüte!«

»Einspruch abgelehnt«, stellte der Sheriff fest und winkte den Jungen mit den großen schwarzen Augen zu sich.

»Das ist Carlos.«

Der junge Portugiese stand etwas verlegen neben dem Sheriff unter der Lampe vor all den Jungen.

»Vielleicht habt ihr etwas von den ›Fünf Romanos‹ gehört, die im vorigen Monat hier im Zirkus aufgetreten sind? Das ist eine Trapeztruppe, die ohne Netz arbeitet, und der jüngste von ihnen ist Carlos. Er musste wegen seines Blinddarms ins Krankenhaus. Die anderen konnten nicht warten, bis er wieder gesund war, weil sie schon mit einem Zirkus in Amerika abgeschlossen hatten. Dort arbeiten sie jetzt ohne ihn. Sie würden ihn gern wieder bei sich haben, aber da sein Ausreisepass abgelaufen ist und sie ständig in der Welt umherfahren, ist das schwer zu machen. Erst im Winter kommen die Romanos wieder hierher zurück. Bis dahin möchte Carlos gerne bei uns arbeiten. Ich frage also, ob ihr damit einverstanden seid, dass er für Horst Buschke am U-Bahn-Eingang Mönckebergstraße anfängt?« Niemand hatte etwas dagegen einzuwenden.

»Gracias«, sagte der junge Portugiese und seine großen schwarzen Augen strahlten jetzt wie frisch polierte Billardkugeln.

Eine Viertelstunde später brachte Meister Winkelmann die beiden Pfannroths in seinem Lastzug bis vor die Haustür. Dort half er Mutter Pfannroth beim Aussteigen und zog seinen Hut. »Es hat mich wirklich gefreut, Sie kennen zu lernen.«

»Ganz meinerseits. Es war ein schöner Sonntag!«, lächelte Mutter Pfannroth. »Danke schön!«

»8-Uhr-Blatt! Die neueste Montagsausgabe jetzt schon zu haben! 8-Uhr-Blatt!«, rief ein Zeitungshändler, der von Lokal zu Lokal ging und gerade über die Straße kam.

»Hallo!«, winkte ihm Herr Winkelmann. Dann sagte er zu den beiden Pfannroths: »Vielleicht steht schon etwas von uns drin.«

»Die Sportnachrichten kommen immer auf der dritten Seite«, meinte Peter.

Herr Winkelmann wollte die Zeitung schon auseinander klappen, da pfiff er plötzlich erstaunt durch die Zähne. »Donnerwetter!«

»Ist was passiert?«, fragten die zwei Pfannroths gleichzeitig und guckten Herrn Winkelmann über die Schultern. Da sahen sie es selbst.

»Bankräuber verhaftet!«, stand als Schlagzeile dick und groß über die ganze Seite der Zeitung gedruckt.

»Das ging aber fix!«, stellte Mutter Pfannroth fest.

»Es gelang in den heutigen Nachmittagsstunden, das Nest der Verbrecher auszuheben. Sie haben alle gestanden, an dem Bankraub beteiligt gewesen zu sein«, las Herr Winkelmann aus der Zeitung vor. »Der Anführer der Bande ist ein international gesuchter Betrüger, der in den Kreisen der Verbrecherwelt unter dem Namen »Schwarze Rose« bekannt ist.

»Na, ich danke«, sagte Mutter Pfannroth.

»Umso bedauerlicher, dass sich dieser Bandenchef ›Schwarze Rose‹ zusammen mit seinen Hauptkomplizen«, las jetzt Peter weiter, »dem Zugriff der Polizei entziehen konnte.«

»Und das Geld? Hat man wenigstens das Geld gefunden oder war es schon verpulvert?«, fragte Mutter Pfannroth.

»Die Verhaftung war möglich«, las Herr Winkelmann jetzt wieder vor, »weil sich die Gangster offenbar untereinander um die Beute betrogen haben. Um sich zu rächen, erstattete einer der Betrüger Anzeige. Es steht fest, dass die Verhafteten von dem geraubten Geld bisher noch keinen Pfennig gesehen haben. Es sei denn, bei dem Überfall selbst. Seitdem müssen die einhundertzweiundvierzigtausend Mark im Besitz der ›Schwarzen Rose‹ sein. Die Polizei ist ihm und seinem Komplizen auf der Spur. Sie hat für die Ergreifung der beiden eine Belohnung von 1000 Mark ausgesetzt. Zweckdienliche Mitteilungen werden erbeten an Kriminalkommissar Lukkas,

Kriminalpolizei am Sternplatz, Seitenflügel A, zweiter Stock, Zimmer 247.«

Herr Winkelmann und die beiden Pfannroths sahen sich an.

»Wieso steht dann in der Schlagzeile: ›Bankräuber verhaftet‹? Das stimmt doch gar nicht«, stellte Peter entrüstet fest.

»Schlagzeilen sind Glückssache. Manchmal stimmen sie auch wieder«, lachte Herr Winkelmann und beguckte sich jetzt die Fotos der verhafteten Herren.

»Gesichter direkt zum Anbeißen!«, stellte Mutter Pfannroth fest.

Peter tippte mit dem Zeigefinger auf das zweite Bild von links: »Das war der Kerl mit der Kamelhaarjacke und dem dem knalligen Wollschal.«

Alle drei hatten ganz vergessen, nach den Sportnachrichten zu sehen.

## Ein ziemlich wichtiger Tag

Mutter Pfannroth winkte vom vierten Stock zu ihrem Jungen hinunter, bis die Straßenbahn mit ihm davonrasselte. Fünf Minuten vor sieben stand Peter vor dem Hotel ATLANTIC. Wagenmeister Krause kam gerade aus der Drehtür über die vier oder fünf Stufen und pfiff auf einer Trillerpfeife nach einer Taxe.

»Guten Morgen, Herr Krause«, sagte Peter und stellte seinen pfannrothschen Ferienkoffer neben sich auf den Bürgersteig.

»Auch einer von den Pagen?«, fragte der Wagenmeister und pfiff noch einmal. Er winkte jetzt mit beiden Armen die

Straße hinauf zum Halteplatz der Mietwagen; es sah aus, als mache er Freiübungen.

»Sie sind beschäftigt, wie ich sehe«, sagte Peter und nahm seinen Koffer wieder auf. »Außerdem muss ich pünktlich um sieben zum Dienst da sein.« Er spazierte auf die gläserne Drehtür zu.

»Untersteh dich!«, rief da Wagenmeister Krause. »Für Personal und Lieferanten gefälligst um die Ecke!«

»Schönen Dank für die freundliche Auskunft«, sagte Peter etwas gekränkt und trabte los.

Aber das hatte Herr Krause gar nicht mehr gehört. In diesem Augenblick kam endlich die Taxe vorgefahren und bremste.

Inzwischen hatte Peter seinen Ferienkoffer bis zum Eingang für Personal und Lieferanten um die Ecke geschleppt.

Dort standen schon neun Jungen und warteten. »Aha! Nummer zehn!«, riefen sie.

»Dann wären wir ja vollzählig«, stellte ein kleiner Junge fest. Er hatte knallrote Haare. »Gehen wir!«

»Einer fehlt noch«, bemerkte Peter. »Ich bin nämlich nicht Nummer zehn, sondern Nummer elf.«

»Versteh ich nicht«, sagte der Rothaarige.

Im gleichen Augenblick hielt ein ziemlich neuer Fiat 1100 und ein hellblonder Junge stieg aus. Er gab dem Herrn, der am Steuer saß, die Hand und nahm einen kleinen schwarzen Lederkoffer. Der Wagen fuhr wieder an und der Junge sah ihm nach, dann drehte er sich um.

Peter stellte wieder einmal den pfannrothschen Ferienkoffer auf den Bürgersteig, nahm die Fäuste in die Hüften und sagte: »Ich glaube, wir kennen uns.«

Der Hellblonde lächelte und kam auf Peter zu. »Das finde ich enorm«, sagte er und hielt seine Hand hin.

»Conny Kampendonk, wie du weißt.«

»Peter Pfannroth«, grinste Peter.

»Otto Lehmann«, trompetete jetzt der kleine Rothaarige und verbeugte sich nach allen Seiten. »Wenn die Herren nichts dagegen haben, marschiert die Fußballmannschaft jetzt aufs Spielfeld!«

Die elf Jungen mit ihren Koffern und Pappkartons unter den Armen hätten tatsächlich eine Fußballmannschaft sein können. Sie gingen jetzt die Treppe für »Lieferanten und Personal« hinunter. Dort passierten sie zwei breite Flügeltüren und dann standen sie in einem kellerartigen Vorraum.

»Immer reinspaziert!«, rief ein älterer Mann, der ziemlich klein war und durch eine Brille guckte. Er kam hinter einem Glasverschlag hervor, der dem Eingang gegenüberlag.

»Ich heiße Pfefferkorn und bin hier Personalportier. Was das ist, werdet ihr schnell spitzkriegen. Also aufgepasst!« Herr Pfefferkorn stellte sich vor die Jungen und erklärte ihnen, wie die Stechuhr funktionierte.

»Was mich betrifft«, fuhr er dann fort, »so sitze ich hier in meinem Glaskasten und passe auf, was hier rein- und rausgeht. Wenn ihr Aktenmappen oder sonst was bei euch habt, müsst ihr mir sie vorzeigen, und wenn's mir passt, gucke ich auch in eure Hosentaschen. Die Hoteldirektion legt nämlich keinen Wert darauf, dass ihre silbernen Kaffeelöffel Beine kriegen und spazieren gehen. Ist das klar?«

»Jawohl, Herr Pfefferkorn!«, riefen die Jungen wieder. »Euer Vorgesetzter, dem ihr direkt untersteht, ist übrigens der Chefportier Krüger. So – und jetzt rechts um und mir nach!«, kommandierte Herr Pfefferkorn.

Es ging durch einen niedrigen Kellergang, der aber glatte Wände hatte und weiß gestrichen war. Links und rechts waren immer wieder Türen. Es war fast so, als ginge man unter Deck eines großen Ozeandampfers.

Im Vorbeigehen konnten die Jungen die Aufschriften an den Türen lesen. »Schlosserei«, »Heizungsingenieur«, »Technisches Büro«, »Wäscherei«, »Schneiderei«, »Weinkeller«, »Bierkeller«, »Magazin«.

»Hier ist euer Umkleideraum«, sagte schließlich Personalportier Pfefferkorn und machte eine Tür auf. »Jeweils zwei Mann bekommen zusammen einen Schrank, da rechts sind die Duschen.«

»Wollen wir zusammen –?«, fragte Conny Kampendonk. Peter nickte.

Als Peter und Conny ihre Sachen ausgezogen hatten, grinsten sie sich fast gleichzeitig an. Jeder trug nämlich als Unterhose die Sporthose seines Vereins. Peter schwarz und Conny weiß.

»Guten Morgen, Astoria!«, sagte Conny.

»Guten Morgen, Rot-Weiß!«, antwortete Peter.

Dann stiegen sie in ihre nagelneuen Pagenuniformen. Fünf Minuten später spazierte Herr Pfefferkorn an der Spitze seiner uniformierten Fußballmannschaft über die Treppe ins Erdgeschoss und dann in die große Halle.

Vor der Portierloge machte Herr Pfefferkorn Halt und meldete: »Elf neue Pagen angetreten!«

»Unsere Ablösung«, grinsten die Jungen, die auf der Pagenbank saßen und sich die Neuen sehr interessiert ansahen.

»Das ist Chefportier Krüger. Im Übrigen muss ich jetzt wieder in meinen Glaskasten«, sagte Herr Pfefferkorn und rannte los.

»Page!«, rief der Chefportier und schnalzte mit Daumen und Zeigefinger. Die Neuen sahen sich an. Aber da stand schon einer der alten Pagen, der Junge mit abstehenden Ohren, vor der Portierloge. »Sage Herrn Direktor Adler und Personalchef Thomas Bescheid!«

Der Junge wiederholte. »Direktor Adler und Herrn Thomas Bescheid sagen!« Dann flitzte er los.

Ein paar Minuten später kam der Junge mit den abstehenden Ohren wieder zurück. »Die Neuen sollen ins Direktionsbüro kommen«, meldete er.

»Also bitte!« Herr Krüger spazierte los. Die elf Jungen hinterher.

»Sie können gleich durchgehen«, sagte Frau Wiesengrund im Vorzimmer und machte die lederbepolsterten Türen auf. Sie hatte wieder ein ganz buntes Sommerkleid an und zwinkerte Peter vergnügt zu, als er an ihr vorbeiging.

Der »Regenschirm« – Verzeihung – Direktor Adler kam hinter seinem Schreibtisch hervor.

»Guten Morgen, Jungen!«

»Guten Morgen«, sagte auch Personalchef Thomas, der an einem Fenster stand.

»Guten Morgen, Herr Direktor«, antworteten die Jungen.

»Das ist ein ziemlich wichtiger Tag für euch«, erklärte Direktor Adler, »und wichtige Tage soll man nicht zerreden. Ich will euch nur das Eine sagen und daran müsst ihr immer denken, wenn ihr unter diesem Dach arbeitet: Alles, was wir hier tun, das tun wir für unsere Gäste. Nichts in diesem Haus ist wichtiger als *ihr* Wohl und *ihre* Bequemlichkeit. Deshalb ist so ein Hotel wie eine kleine Stadt. Alles, was eine Stadt im Großen hat, haben wir im Kleinen. Aber diese kleine Stadt funktioniert nur, wenn jeder, der zu ihr gehört, Freude an der Geschichte hat und deshalb auch gern seine Pflicht tut. Darauf kommt's mir nämlich an: Ich will nicht nur, dass alles klappt wie am Schnürchen, ich will auch noch vergnügte Gesichter dazu. – So, das wär's! Und jetzt überlasse ich euch Herrn Krüger.«

»Eure Verträge könnt ihr euch im Personalbüro abholen«, sagte Herr Thomas noch. Dabei versuchte er zu lächeln. Immerhin hatte Direktor Adler gerade von »vergnügten Gesichtern« gesprochen.

Die Jungen spazierten in die Halle zurück.

Herr Krüger stellte sich wieder in seine Portierloge und sprach jetzt wie von einem Rednerpult herunter: »Also, meine Herren«, er fasste mit der linken Hand an seine Brille, »wenn ihr eure Augen und Ohren aufmacht, wisst ihr schon nach zwei Tagen, wie der Hase läuft. Solange halte ich die bisherigen Pagen noch zurück. Eigentlich sollten sie heute schon bei den Etagenkellnern anfangen – aber schön, zwei Tage bleiben sie noch hier und in diesen zwei Tagen geht ihr den Burschen nicht von den Socken, lasst euch alles zeigen und macht alles mit. Ab Donnerstag schwimmt ihr dann allein.«

Chefportier Krüger holte Atem und sah die Jungen an, wieder einen nach dem anderen. Dann fuhr er fort: »Wir arbeiten in zwei Schichten. Von sieben Uhr früh bis nachmittags um drei und von drei bis nachts um elf. Das wechselt von Woche zu Woche. Fangen wir gleich an damit! Die sechs, die links stehen, sind in dieser Woche Frühschicht, die fünf anderen Nachtschicht. Auf Wiedersehen, meine Herren. Sie können sich sofort wieder schlafen legen.«

Die fünf Nachtschichtler ließen die Köpfe hängen.

»Pünktlich um drei wieder hier«, meinte Herr Krüger und fügte noch hinzu: »Mit vergnügten Gesichtern, möchte ich mir ausbitten!«

Die fünf gingen durch die Halle zurück wie Kinder, denen man ihre Spielsachen weggenommen hat.

Conny und Peter hatten glücklicherweise links gestanden und gehörten dadurch zur Frühschicht.

»Ihr setzt euch gleich mit auf die Pagenbank«, sagte Herr Krüger.

Da klingelte das Telefon in der Portierloge.

»Portier. Guten Morgen, Frau Baronin – Sehr wohl, Frau Baronin – Sofort, Frau Baronin –!«

Chefportier Krüger legte wieder auf. Dabei schnalzte er auch schon: »Page! Zimmer 404.«

»Zimmer 404«, wiederholte der Junge mit den abstehenden Ohren und flitzte los.

»Na und?«, fragte Herr Krüger und sah zu den Neuen. Die wussten nicht sofort, was gemeint war.

Bei Peter fiel der Groschen zuerst.

»Zimmer 404«, wiederholte er ganz schnell und rannte los, wie die Feuerwehr hinter dem Jungen mit den abstehenden Ohren her. Er ging über die breite Treppe mit dem dicken Teppichbelag.

## Peter erfährt, dass abstehende Ohren auch ihr Gutes haben

»An der Zimmernummer siehst du immer gleich, was für ein Stockwerk es ist«, erklärte der Page mit den abstehenden Ohren. »Die Zweihunderter liegen im zweiten, die Dreihunderter im dritten und so fort.«

»Also 404 im vierten Stockwerk«, stellte Peter fest. »Warum nehmen wir dann nicht den Fahrstuhl?«

»Man merkt, du hast noch keinen blassen Schimmer! In den Fahrstuhl darfst du nur rein, wenn ein Gast bei dir ist! So, und jetzt pass auf.«

Die beiden hatten die vierte Etage erreicht.

Nach links und rechts gingen breite Korridore.

»Es ist in allen Stockwerken das Gleiche. Nach links laufen die Zimmernummern 0 bis 50 und nach rechts 50 bis 100. Im Ganzen gibt's vier Etagen, also rund vierhundert Zimmer. – Nach links oder rechts?«

»Nach links«, antwortete Peter und die beiden trotteten los. Auch hier lagen wieder diese dicken Teppiche. Und dann die Unmengen weißer Türen auf beiden Seiten! Oben an diesen Türen waren aus Messing die Zimmernummern angebracht und unten am Boden standen meistens Schuhe. Es war ja noch früh am Morgen.

»Wenn die Spitzen zum Zimmer zeigen, sind sie geputzt«, erklärte der Page. »Aber das Schuheputzen ist Sache der Hausdiener.«

Peter hätte sich ganz gern ein Paar der geputzten Schuhe näher angeschaut. Aber da kam jetzt gerade ein ziemlich junger Etagenkellner um die Kurve. »Hallo, Friedrich!«, rief er und schob einen kleinen Servierwagen über den Teppich. »Guten Morgen, Herr Baumbach«, erwiderte der Page mit den abstehenden Ohren.

Aber das hörte der Etagenkellner wohl schon nicht mehr. Er hatte nämlich inzwischen eine der weißen Türen aufgemacht und sagte gerade: »Das Frühstück, mein Herr.« Dabei schob er seinen Servierwagen mit der Kaffeekanne und den gekochten Eiern ins Zimmer.

»Du heißt also Friedrich?«, fragte Peter und stellte sich nun seinerseits vor. »Ich heiße Peter Pfannroth.«

»Sehr angenehm«, sagte der andere. »Wir sind da.«

Richtig, sie standen jetzt vor 404. »Jedes Zimmer hat zwei Türen. Aber man weiß ja nie, ob die Tür drinnen auch zugemacht ist. Also klopft man erst einmal draußen.«

Der Junge, der Friedrich hieß, trat einen Schritt nach vorne und klopfte. Dann horchte er.

Nichts rührte sich.

Da drückte er auf die Messingklinke und machte auf.

Die zweite Tür war geschlossen. »Aha«, flüsterte Friedrich und klopfte wieder.

»Herein!«, rief eine Stimme von drinnen.

Der Junge sah Peter noch einmal kurz an und zischte: »Sofort hinter dir zumachen!« Dann trat er ein. Peter blieb ihm ganz dicht auf den Fersen.

»Guten Morgen, Frau Baronin«, sagte der Page Friedrich. Dabei schloss Peter ganz schnell die Türen. Dann drehte er sich um.

Im gleichen Augenblick wurde er käsebleich vor Schreck. Rund um ihn herum fauchte und knurrte es nämlich auf einmal. »Schschsch!« machte es und irgendein Tier mit bösen gelben Augen sauste an ihm vorbei. Gleich hinterher machte es noch einmal »Schschsch« und ein zweites Tier sprang durch die Gegend, über seine rechte Schulter hinweg.

»Katja!«, rief eine energische Frauenstimme, »Mohammed! Wollt ihr wohl vernünftig sein! Zurück! Platz! Schön Platz!«

Die beiden Tiere fauchten und knurrten noch, aber sie zogen sich zurück, und zwar auf einen Ledersessel, der etwas an der Seite stand. Dieser Sessel war völlig zerkratzt und aufgerissen. Aus den Löchern seines Lederbezuges guckten Spiralfedern und Rosshaar.

»Ja – so ist es schön! So seid ihr lieb«, sagte die Frauenstimme jetzt. Plötzlich ganz ruhig und zärtlich. Peter sah auf.

Dicht am Fenster, durch das man die Alster sehen konnte, stand eine ältere, kleine Dame mit ganz weißen Haaren. Sie puderte sich gerade ihr Gesicht. Als sie damit fertig war, sagte sie: »In zwei Stunden bin ich wieder zurück.« Dann setzte sie einen Hut auf und nahm ihre Handtasche.

Die Baronin sah noch einmal in den Spiegel und kam auf die Jungen zu. »Wieso seid ihr heute zu zweit?«

»Er gehört zu den Neuen und wir zeigen ihnen die ersten Tage alles«, antwortete der Junge, der Friedrich hieß.

»Schön«, sagte die Baronin. »Bis in zwei Stunden, wie gesagt.«

Der Page Friedrich machte die Tür auf. »Und dass mir nichts passiert«, sagte die Baronin noch. Dann waren die beiden Jungen mit den Tieren allein.

Der Junge mit den abstehenden Ohren zog jetzt seine Schuhe aus, als sei das die selbstverständlichste Sache der

Welt. Dann kletterte er auf einen der Klubsessel und setzte sich auf die Rückenlehne. »Es empfiehlt sich nicht, die Beine auf dem Boden zu lassen. Einem von uns haben die Biester schon die Hosen zerrissen.«

»Du musst es ja wissen«, meinte Peter, zog ebenfalls die Schuhe aus und setzte sich genauso auf eine Klubsessellehne.

»Das ist also Zimmer 404«, meinte Peter.

»Hier auf der vierten Etage ist es so ziemlich am ruhigsten«, erzählte Friedrich, »deshalb sind hier die Dauergäste. Zu denen gehört zum Beispiel auch die Baronin. Ein Teil der Bilder und Möbel gehört ihr selbst, natürlich auch dieser alte Ledersessel. Im Sommer gondelt sie mit ihren Katzen an die Riviera oder sonst wohin. Dann bringt man ihre Sachen solange unters Dach auf den Hängeboden, bis sie im Winter zurückkommt.«

»Und wir sitzen jetzt nur hier, um aufzupassen?«

»Sehr richtig. Um aufzupassen, dass die Tiger oder Leoparden nicht die Tapeten hochklettern oder sich gegenseitig die Augen auskratzen.«

»Und sonst passt die Baronin selber auf sie auf? Wird ihr das auf die Dauer nicht langweilig?«, wollte Peter wissen.

»Wer weiß, vielleicht spielen sie ›Blindekuh‹ miteinander, wenn sie allein sind?« Der Page Friedrich öffnete den obersten Knopf seiner Uniform. »Für einen Hotelangestellten machst du dir reichlich viel Gedanken. Das musst du dir abgewöhnen.«

»Ich will's versuchen«, versprach Peter.

»Im Übrigen ist es natürlich verboten, sich in einem Zimmer hinzusetzen. Auch wenn dir ein Gast das anbietet. Sitzen darfst du überhaupt nur auf der Pagenbank. Dazu kommst du am Tag zusammengerechnet aber höchstens eine Viertelstunde. Die übrige Zeit rennst du die Treppen rauf und runter oder stehst an der Drehtür. Und immer wenn du stehst, hast du gerade zu stehen und die Arme hängen zu lassen. Vor allem, wenn dich ein Gast anspricht. Lass dich ja nicht dabei erwischen, dass du dich mal irgendwo anlehnst!«

»Das ist ja wie beim Militär«, stellte Peter fest.

»So ähnlich«, grinste der Page Friedrich. Dann sagte er plötzlich: »Kremple deine Hosentaschen um!«

»Wieso?«, fragte Peter, aber er machte es.

»Dachte ich mir«, stellte der Page Friedrich fest. Peter konnte sich beim besten Willen nicht denken, was es da zu beanstanden gab. Die hesselbeinschen Hosentaschen waren noch blütenweiß. »Sie sind leer. Das ist es –«, erklärte der Junge, »ein Page muss immer drei Dinge bei sich haben: eine Schachtel Streichhölzer, ein Taschenmesser und einen Bleistift mit Notizblock. Die Streichhölzer sind dabei am wichtigsten. Und wohlgemerkt kein Feuerzeug. Zigarrenraucher lassen sich nur mit einem Streichholz Feuer geben. Den Bleistift mit Notizblock brauchst du, wenn du irgendetwas aufschreiben musst oder wenn ein Gast eine Notiz machen will und gerade nichts zum Schreiben bei sich hat. Wozu du das Taschenmesser brauchst, ist klar: Mal musst du ein Paket aufmachen, Blumenstängel kürzen oder ein Stück Papier auseinander schneiden. Aber die Streichhölzer sind am wichtigsten. Dadurch kannst du mit Gästen zusammenkommen, mit denen du sonst vielleicht gar nichts zu tun hättest. Du fällst auf und sie finden, dass du besonders freundlich und zuvorkommend bist. Und darauf kommt's an!«

»Versteh ich nicht ganz«, gab Peter ehrlich zu.

»Das brauchst du dir nur vorzustellen«, meinte der Junge mit den abstehenden Ohren. »Da steht zum Beispiel Generaldirektor Pumpelmus von Zimmer 207 in der Halle und steckt sich eben, ohne an irgendetwas zu denken, eine Zigarette ins Gesicht. Schwupp, springe ich, der Page Friedrich, auf, zücke mein Streichholz und sage: ›Bitte sehr, Herr Generaldirektor.‹«

Friedrich beugte sich vor und tat, als würde er jemandem ein Zündholz hinhalten.

»Die Sache ist nämlich die«, fuhr er fort, »wenn *ich* zum Beispiel dieser Generaldirektor Pumpelmus von Nr. 207 bin, dann sehe ich mir den Pagen beim Anzünden meiner Zigarette näher an und denke mir: Sieh mal, er hat es sofort gesehen, dass du Feuer brauchst, ein fixer und aufmerksamer Bengel! Ein paar Stunden später oder am nächsten Tag passiert das Gleiche noch einmal. Ich, der Generaldirektor von 207, stelle fest, das ist ja wieder dieser fixe und aufmerksame Page mit seinen netten, abstehenden Ohren. Und in diesem Augenblick hat es gefunkt! Wenn Herr Pumpelmus jetzt ein Telegramm besorgt haben will oder etwas anderes, dann bittet er am Telefon den Chefportier nicht um irgendeinen Pagen, sondern er verlangt einen ganz bestimmten, ebendiesen Jungen mit den abstehenden Ohren. Und damit schlägt der Page Friedrich gleich zwei Fliegen mit einer Klappe: Herr Chefportier Krüger reibt sich sein Kinn und stellt fest, dass mich die Gäste offenbar bevorzugen und Herr Generaldirektor Pumpelmus von 207 will künftig nur noch von mir bedient sein. Alle pumpelmusschen Trinkgelder wandern also in meine Tasche.«

Der Page Friedrich grinste und bohrte vergnügt seine

Hände in die Taschen. »Du siehst, abstehende Ohren haben auch ihr Gutes. Man verschwindet einfach nicht so in der Masse.«

»Diese Trinkgelder«, fragte Peter vorsichtig, »ich – ich habe geglaubt – und meine Mutter sagte mir, dass man als Page in so einem Hotel gar nichts annehmen darf –«

Der Junge Friedrich war völlig verblüfft. Dann wollte er sich plötzlich ausschütten vor Lachen.

»Entschuldige«, sagte der Page Friedrich und wischte sich mit dem Handrücken über seine Augen, die noch ganz nass waren vor lauter Lachen. »Aber wenn ich mir das vorstelle! Irgendein Gast drückt dir in der Halle eine Mark in die Hand – und du läufst knallrot an, sagst: ›Nein danke, so etwas nehme ich nicht!‹, und gibst das Geld wieder zurück – ich glaube, das ganze Hotel würde sich totlachen. Mensch! Hast du eine Ahnung!«

»Na schön«, meinte Peter etwas verlegen. »Aber so viel kommt da ja gar nicht zusammen. Zugegeben, auch ein Groschen kommt zum anderen –«

»Nun pass mal auf«, sagte der Page Friedrich, beugte sich nach vorn und stützte sein Kinn auf die Fäuste. »Groschen gibt hier im Haus nur einer. Und das ist Herr Meyer von Zimmer 477. Auch ein Dauergast übrigens. Sonst ist das Wenigste ein Fünfzigpfennigstück und meistens ist es eine Mark. Aber viele Gäste geben auch mehr. Bei den Abreisen sind fünf oder zehn Mark gar keine so große Seltenheit. Mein Rekord war einmal eine Fünfdollarnote von einem Amerikaner.«

»Das ist ja toll!«, gab Peter zu.

Page Friedrich sah auf seine Armbanduhr. »Es ist so weit!« Er streckte seinen rechten Arm aus und drückte an der Wand auf einen der weißen Knöpfe. Daraufhin schlug er seine Beine übereinander und wartete. Nach zwei oder drei Minuten klopfte es. Peter sprang von seinem Sessel und wollte in seine Schuhe fahren. Der Page Friedrich blieb die Ruhe selbst, ließ seine Beine übereinander geschlagen und rief: »Herein!«

Die Tür öffnete sich.

»Sie haben gerufen, Frau Ba–«, der Etagenkellner hielt mitten im Wort den Atem an.

»Fünfmal Frühstück wie immer«, sagte der Page Friedrich gelangweilt. »Die Milch nicht zu heiß und das Weißbrot von gestern, wenn ich bitten darf.«

»Döskopf!«, sagte der Etagenkellner nur und verschwand wieder.

»Keine Lebensart«, stellte der Junge mit den abstehenden Ohren fest.

Im Übrigen fauchte und knurrte es jetzt aus allen Ecken. Die Katzen hatten wohl etwas von Milch und Weißbrot gehört.

Draußen vor dem Fenster schwammen die ersten Segelboote auf der Alster.

Kurz vor der Ablösung durch die Jungen vom Nachtdienst bekam Peter sein erstes Trinkgeld.

Als sich Peter und Friedrich eben wieder bei Chefportier Krüger in der Halle zurückmelden wollten, kam plötzlich ein kleines Mädchen auf sie zugehüpft. Es machte zwei Knickse und sagte zweimal in gebrochenem Deutsch und mit einem ganz hohen Stimmchen: »Danke schön und auf Wiedersehn!«

Jedes Mal gab sie dabei einem der Jungen ihre kleine Hand und ein nagelneues Markstück. So als ob sie ihren Freundinnen Sahnebonbons schenken würde.

Dann lachte das Kind, klatschte vor lauter Vergnügen und verschwand durch die Drehtür, wo seine Eltern auf es warteten.

»Bei den Abreisen fängt man die dicksten Fische! Wenn du da Glück hast und gerade an der Drehtür stehst!«, meinte der Junge mit den abstehenden Ohren und zog die Unterlippe hoch. »Dein erstes Trinkgeld musst du übrigens aufheben. Das bringt Glück.«

»Wird gemacht!«, versprach Peter.

Aber dann kam er auf dem Weg nach Hause an einem Blumenstand vorbei.

»Veilchen! Die ersten Veilchen!«, rief ein alter Mann und musste zwischendurch immer wieder husten.

»Für eine Mark«, sagte Peter und bekam eine ganze Hand voll, in ein Stück Zeitungspapier eingewickelt.

»Die eine Hälfte stelle ich auf die Nähmaschine und die andere bekommt Frau Pfannroth auf den Gasherd«, überlegte Peter vergnügt und tigerte weiter in Richtung Rangierbahnhof.

## Die »Schwarze Rose« und weiße Nelken

Es gab keinen Zweifel mehr, über Nacht war der Frühling ausgebrochen.

Im Stadtpark blühten die Forsythienbüsche, auf den Wochenmärkten tauchte der erste Spargel auf und überall in den Blumenkästen vor den Fenstern war es blau und weiß und rot vor lauter Primeln, Geranien und Hyazinthen.

Die Sonne schien wie im Sommer und der Himmel war

rundherum so blau wie sonst nur auf farbigen Ansichtspostkarten von Neapel und Florida.

Es war Donnerstag früh neun Uhr zweiunddreißig.

Im Seitenflügel A der Kriminalpolizei, zweiter Stock, Zimmer 247, hob Kriminalkommissar Lukkas seine linke Hand in die Luft. Aber nur, um sie sofort wieder wie eine Fliegenklappe auf seinen Schreibtisch fallen zu lassen. Es knallte und er brüllte dabei: »Jetzt reißt mir aber die Geduld!«

»Bitte«, sagte seelenruhig der Mann, der in einer Kamelhaarjacke und mit einem sehr bunten Wollschal um den Hals vor ihm saß.

»Schön«, sagte Kriminalkommissar Lukkas und beruhigte sich wieder.

»Wir fassen ihn trotzdem! Auch wenn ihr alle zusammenhaltet wie die Sardinen in der Büchse. Spätestens morgen habe ich von der Pariser Fahndungsstelle sein Foto. Dann kommt er nicht mehr weit. Dann geht sein Bild durch alle Zeitungen und sein Steckbrief klebt an allen Hausecken.«

»Er wird sich einen Bart ankleben und eine andere Nase ins Gesicht operieren lassen«, meinte der Kerl in der Kamelhaarjacke. »Mit mehr als hunderttausend Mark in der Brieftasche ist das kein Problem.«

»Und wenn er sich zehnmal die Nase operieren lässt und dazu noch in eine Kanalröhre kriecht, wir schnappen ihn doch!«, stellte Kriminalkommissar Lukkas fest. »Abführen!«

Ein Polizist kam auf den Mann in der Kamelhaarjacke zu und tippte ihm auf die Schulter.

So eine Art Röntgenapparat müsste man haben, dachte Kriminalkommissar Lukkas. Man steckt oben ganz einfach den Namen rein, drückt auf einen Knopf und dann sieht man sofort, wo der Kerl gerade sitzt, steht oder liegt –

Hätte Kriminalkommissar Lukkas wirklich einen solchen Apparat gehabt und in diesem Augenblick auf den Knopf gedrückt, er wäre bestimmt enttäuscht gewesen.

Der Mann, hinter dem Lukkas mit all seinen Beamten nun schon seit einer guten Woche her war, dachte nämlich gar nicht daran, sich seine Nase operieren zu lassen oder in irgendeine Kanalröhre zu kriechen.

Er stand gerade in einem billigen Pensionszimmer vor der Glastür vor seinem Spiegel und rasierte sich. Der Spiegel hatte in der Mitte einen Sprung und das Zimmer, das so schmal war wie ein Handtuch, lag nach dem Hinterhof hinaus. Irgendwo gegenüber sang eine Stimme aus dem Radio »Pack die Badehose ein –«. Der Mann mit dem Seifenschaum im Gesicht pfiff mit. Beide, die Stimme im Radio und er, waren ganz offenbar bester Stimmung. Sein Komplize hatte eine lederne Motorradjacke an und lag auf dem Bett. Er rauchte eine Zigarette nach der anderen und las die Zeitung.

»Wie ist die Presse?«, fragte es jetzt vom Spiegel her.

»Du stehst überall wieder auf der ersten Seite«, antwortete der Kerl in der Lederjacke. »Von mir ist immer nur im Nebensatz die Rede.« Er blätterte etwas enttäuscht um und interessierte sich jetzt für die Seite mit den Ankündigungen der neuesten Filme.

»Da – ›Der Schuss im Nebel‹ – wollen wir nicht wenigstens mal ins Kino heute Abend?«, fragte er.

Der andere war mit dem Rasieren fertig und hatte seinen Kopf unter der Wasserleitung. »Du vergisst, dass du mich erst vor einer Stunde um zwei Mark für Zigaretten angepumpt hast!«

Der Kerl in der Lederjacke sprang auf und zischte: »Wir werden doch noch zwei Kinokarten bezahlen können! Wo ist denn das ganze Geld überhaupt? Ich mache das einfach nicht mehr –«

Schwupp! Ein klitschnasses Handtuch flog vom Spiegel her durchs Zimmer und dem Kerl mit der Lederjacke ins Gesicht, genau auf den Mund.

Der Sheriff hatte Carlos, den jungen Portugiesen, zuerst einmal zu sich an den Bahnhofseingang geholt. Um ihn sozusagen anzulernen. In einer Woche etwa würde er dann so weit sein, dass er mit dem kleinen Horst Buschke tauschen und allein am U-Bahn-Eingang Mönckebergstraße anfangen konnte.

Im Augenblick saß der neue Chef der Schuhputzerjungen in seinem Stuhl und sah auf seine Schuhe. Diese Schuhe wurden nämlich gerade geputzt, und zwar von dem jungen Portugiesen.

»Viel weniger Schuhcreme«, korrigierte der Sheriff. »Nur hauchdünn! Umso schneller bekommst du sie nachher beim Polieren auf Hochglanz.«

Carlos nickte. »Capito – verstehen.«

»Hallo, Sheriff!«, rief in diesem Augenblick eine Stimme. Der Sheriff gab seinem Drehstuhl einen Schubs und sah sich um.

Hinter ihm stand Peter in seiner Pagenuniform. Die Mütze mit der Aufschrift ATLANTIC schief über dem linken Ohr. Diese Mütze musste außerhalb des Hotels zur Uniform getragen werden.

»Guten Morgen, General!«, grinste der Sheriff und gab Peter die Hand. »Bist du wieder auf deinem Nelkenbummel!«

»Wie jeden Morgen für Nummer 477.« Peter warf ein Fünfmarkstück in die Luft und fing es auf.

»Buenos dias, Carlos«, grüßte er jetzt den jungen Portugiesen. »Wie geht's, wie steht's?«

Der Junge mit den großen schwarzen Augen strahlte über sein ganzes Gesicht. »Danke gutt, serr gutt.«

»Dann ist ja alles in bester Ordnung«, stellte Peter fest und tippte mit der Hand an sein Mützenschild.

»Tschüss«, sagte er noch und spazierte zur Halle hinüber.

Der Sheriff sah ihm eine ganze Weile nach. Bis er drüben hinter der schimmelpfengschen Ladentür verschwand. »Er sieht aus wie ein junger Lord«, meinte er dann und gab seinem Drehstuhl wieder einen Schubs zurück. »Das heißt, wenn junge Lords so aussehen und wenn sie goldene Knöpfe an ihren Anzügen haben.«

Drüben im Blumenladen suchte Herr Schimmelpfeng inzwischen eine möglichst schöne weiße Nelke aus.

»Nett, dass du zu mir kommst.«

»Ehrensache, Herr Schimmelpfeng«, meinte Peter. »Vom Hotel zum Bahnhof ist es nur ein Sprung.«

»Es wäre sehr freundlich von dir«, lächelte Herr Schimmelpfeng, »wenn du diese Tatsache im ATLANTIC verbreiten könntest. Ein solches Hotel braucht doch bestimmt eine Menge Blumen.«

»Ich werde mich bemühen«, sagte Peter und legte das Fünfmarkstück auf die Kasse.

»Das ist heute ein Geschenk. Sozusagen zur Förderung

unserer Geschäftsverbindung. Und in Zukunft alles zu Sonderpreisen«, lächelte Herr Schimmelpfeng wieder.

»Das ist sehr freundlich. Aber Sie müssen mir die fünf Mark dann schon wechseln. Sonst kann ich nachher nicht –«

»Natürlich, ich verstehe«, meinte Herr Schimmelpfeng und rasselte mit seiner Kasse.

»Also auf gute Geschäftsverbindung«, grinste Peter. Er nahm die gewechselten fünf Mark, seine weiße Nelke, gab Herrn Schimmelpfeng die Hand und türmte wieder los, zum Hotel zurück.

## Mister Overseas kreuzt auf

Conny hatte gerade Dienst an der Drehtür.

»Sehr freundlich«, bedankte sich Peter, als ihn der hellblonde Junge höflich anlächelte und wie einen Gast einließ.

»Bitte sehr, mein Herr«, antwortete Conny Kampendonk.

Aber er sagte es nur sehr leise und schielte dabei zur Loge des Chefportiers hinüber.

Doch Herr Krüger wurde gerade von einem sehr schlanken und baumlangen Schwarzen in Anspruch genommen. Dieser Schwarze steckte in einer dunkelblauen Chauffeuruniform und sprach nur englisch. Er wollte wissen, ob ein Mister Overseas schon angekommen sei.

Mister Overseas habe sich für heute angemeldet. Aber es sei nicht bekannt, wann man ihn erwarten dürfe, antwortete Chefportier Krüger.

»Allright«, meinte der Schwarze. Dann wolle er eben warten. Er ging zum Zeitungskiosk links in der Halle und kaufte sich für alle Fälle erst einmal einen dieser amerikanischen Kriminalromane im Taschenformat. Peter kletterte inzwischen über die Treppen und die dicken Teppiche zum vierten Stock.

»Herein!«, rief es hinter der Tür von Zimmer 477, als Peter geklopft hatte. Er trat ein und sagte höflich: »Ihre Nelke, Herr Meyer.«

Dauergast Meyer stand am Fenster und hatte ganz offenbar gewartet. »Na endlich«, knurrte er, nahm die Nelke und steckte sie ins Knopfloch seines linken Rockaufschlages.

»Vier Mark und vierzig zurück«, stellte Peter sehr sachlich fest und legte das Geld auf den Tisch.

Herr Meyer hätte Beamter beim Finanzamt oder auch Vertreter einer Versicherungsfirma sein können. Er war durchschnittlich groß, durchschnittlich dick und hatte auch ein durchaus durchschnittliches Gesicht. Er nahm jetzt das Geld Stück für Stück von der Tischplatte, zählte es nach und steckte es in seine Westentasche. Bis auf einen Groschen. Den bekam der Page.

»Schönen Dank, Herr Meyer«, sagte Peter und wollte wieder verschwinden.

Aber da fragte Herr Meyer noch wie ein Reviervorsteher: »Dein Name?«

»Peter Pfannroth.«

»Gut. Das wäre alles«, stellte jetzt der Herr von 477 fest, ging zum Fenster und machte es zu.

Peter lief zurück ins Erdgeschoss und setzte sich auf die Pagenbank.

Die Pagenbank hatte ihre genauen Spielregeln.

Wenn Chefportier Krüger einen Pagen zu sich rief, weil er einen Auftrag für ihn hatte, galt das jeweils für den Jungen, der gerade an der Drehtür stand. An seine Stelle kam jetzt der Page, der am weitesten links saß. Die Bank rückte ganz einfach nach.

Das Stehen an der Drehtür war am wenigsten beliebt, bis auf die Vormittagsstunden mit den häufigen Abreisen und den dicken Trinkgeldern.

Aber das war ja gerade der Vorteil dieser Sitzordnung auf der Pagenbank: Keiner der Jungen wurde bevorzugt oder benachteiligt. Ob man an der Drehtür stand oder einen Hund spazieren führte, das war jeweils reine Glückssache. Je nachdem, wie man gerade nachrückte. Peter hatte zum Beispiel heute ausgesprochenes Pech.

Zuerst sah es allerdings so aus, als bekäme er schon sehr früh wieder etwas zu tun.

Die Pagen, die vor ihm saßen, gingen weg wie frisch gebackene Brötchen. Immer wieder klingelte bei Chefportier Krüger das Telefon und dann schnalzte er auch schon mit Daumen und Zeigefinger und rief: »Page!«

Zimmer 128 wollte Briefpapier, für Zimmer 312 mussten Theaterkarten besorgt werden, Zimmer 478 rief nach Spalt-Tabletten.

»Page!«

Conny Kampendonk flitzte zu Herrn Krüger.

»Zimmer 404.«

»Zimmer 404«, wiederholte der hellblonde Junge.

Die ganze Pagenbank grinste und wusste Bescheid.

»Ich hoffe, du hast Katzen gern?«, fragte Chefportier Krüger und hatte jetzt plötzlich auch ganz lustige Augen hinter seiner Brille.

»Sehr gern!«, versicherte Conny und trabte los.

Und von diesem Augenblick an war das Telefon von Chefportier Krüger kein Telefon mehr, sondern nur noch ein toter schwarzer Kasten. Es war, als hätte jemand die Leitung durchgeschnitten.

Die Pagen auf ihrer Bank fingen an sich zu langweilen und Peter spürte allmählich, dass er Füße hatte.

Das ganze Hotel schien sich zum Mittagsschlaf aufs Ohr gelegt zu haben.

Drüben gähnte die Garderobenfrau.

Der Fahrstuhlführer saß in seinem Aufzug und las die Zeitung. Der junge Angestellte in der Empfangsloge füllte seinen Totozettel aus. Im Übrigen war die Halle so ziemlich leer. Nur ganz hinten saß eine Gruppe von fünf oder sechs Herren, die schon seit heute früh Zigaretten rauchten, Kaffee tranken und den ganzen Tisch voller Schriftstücke hatten.

Und dann war da noch dieser schlanke und baumlange Schwarze in der dunkelblauen Chauffeuruniform mit den silbernen Knöpfen. Er hatte die langen Beine übereinander geschlagen und saß in einem der tiefen Ledersessel, allerdings etwas seitlich und hinter einer Marmorsäule; aber doch so, dass er immer den Blick zum Eingang frei hatte. Im Übrigen war er noch ziemlich jung und hatte sich schon die dritte Kriminalstory vom Zeitungskiosk geholt. Es hatte sich natürlich schon herumgesprochen, dass er mit seinem Wagen erst in der vergangenen Nacht in Bremen an Land gegangen und sofort hierher gerollt war, sozusagen nonstop von New York direkt bis zum ATLANTIC.

Dieser Wagen war übrigens eine Sensation für sich, natürlich ein Cadillac, und zwar das neueste Modell.

Wenn Peter durch die Drehtür ins Freie sah, konnte er das

Monstrum sehen. Es stand drüben auf dem Parkplatz. Unter den anderen Autos wirkte es wie ein Flugzeugmutterschiff. Seine Vorderfront blitzte nur so vor Chrom und Glas. Seine Lackierung war ganz hell.

In diesem Augenblick fuhr draußen eine Taxe vor und quietschte mit ihrer Bremse. So ziemlich in der gleichen Sekunde schrillte im Raum für die Hausdiener und in der Portierloge die Klingel. Das war Wagenmeister Krause.

»Page!«, rief Chefportier Krüger und schnalzte wieder mit Daumen und Zeigefinger. »Ankunft!«

»Ankunft«, wiederholte Peter und stürzte auch schon durch die Drehtür ins Freie.

Fast gleichzeitig sprang auch der schwarze Chauffeur aus seinem Ledersessel hoch. Er warf die Kriminalstory einfach auf den Teppich und rannte los, mit zwei, drei schlaksigen Sprüngen war er am Eingang.

»Mister Overseas!«, rief er noch zu Chefportier Krüger und dann war er auch schon draußen.

»Page!«, rief Herr Krüger noch einmal. »Direktor Adler Bescheid sagen. Aber dalli!«

Plötzlich war die ganze Halle wieder hellwach.

Die Garderobenfrau bekam von einer Sekunde zur anderen blanke Augen, der Fahrstuhlführer ließ blitzschnell seine Zeitung verschwinden und der junge Angestellte hinter der Empfangsloge feuerte seinen Totozettel in eine Schublade.

Direktor Adler wollte seinem Gast eigentlich entgegengehen, aber da kam Mister Overseas schon durch die Drehtür. »Hallo!«, rief er laut und stieß eine dicke, weiße Wolke Zigarrenrauch in die Luft. Dann gab er Direktor Adler und Chefportier Krüger die Hand.

»Herzlich willkommen!«, sagte Direktor Adler und Herr Krüger schloss sich wie ein Echo an: »Herzlich willkommen!«

Mister Overseas war ziemlich groß und breit. Er trug einen hellen Sommerhut mit einem sehr breiten Rand.

»Und das ist Francis, Overseas junior«, lachte er jetzt. Dabei holte er einen etwa vierzehn Jahre alten Jungen hinter sich hervor. Dieser Junge kaute an einem Kaugummi und hatte eine Jockeymütze auf dem Kopf, deren Schild senkrecht in die Luft guckte. Diese Mütze nahm er jetzt ab. Dabei zeigte es sich, dass Mister Overseas junior ganz kurze schwarze Haare hatte. Wie eine Schuhbürste, dachte Peter und sah sich die Haare genauer an.

»Hi!«, sagte Overseas junior und hob seine Hand so halb in die Höhe.

»Sehr erfreut«, erwiderten Direktor Adler und Chefportier Krüger. Dabei verbeugten sich die Herren und lächelten.

Dann ging es in den Fahrstuhl.

Direktor Adler hatte sich die Zimmerschlüssel geben lassen und marschierte persönlich voraus. Dann folgten die beiden Overseas und der Chauffeur, der den Koffer trug. Den Abschluss bildete der Page Peter Pfannroth mit zwei Staubmänteln über dem Arm, einer Aktenmappe und einer größeren Reisetasche aus hellbraunem Leder.

»Das übrige Gepäck bringt der Hausdiener«, versicherte Chefportier Krüger noch an der Aufzugstür.

Aber Mister Overseas schüttelte den Kopf. »Das ist für den Augenblick alles. Wir haben nur noch einen Schrankkoffer bei der Gepäckaufbewahrung am Bahnhof gelassen. Aber den holt Jimmy, wenn wir ihn brauchen.«

Der schwarze Chauffeur lachte, dass seine Zähne blitzten, und Chefportier Krüger sagte: »Sehr wohl, Mister Overseas!«

Zwischen dem ersten und zweiten Stockwerk erklärte Mister Overseas, dass sein Junge in Berlin geboren sei. Er habe ihn aber schon als Baby mit nach den Staaten genommen.

»Dann ist er jetzt eigentlich zum ersten Mal in Deutschland«, stellte Direktor Adler fest. Er wandte sich lächelnd dem Jungen mit den kurzen schwarzen Haaren zu und sagte: »I hope, yo like to be here!«

»Thank you«, antwortete Overseas junior, sah zu dem Hoteldirektor und dann an die Decke der Fahrstuhlkabine.

»Sie können deutsch mit ihm reden. Er kann es ziemlich gut«, meinte Mister Overseas und zog an seiner Zigarre. »Zu Hause sprechen wir nur deutsch. Sogar Jimmy hat schon ein paar Worte gelernt. Nicht wahr, Jimmy?«

»O yes, ick sprechen very good German«, grinste der Neger. Er machte jetzt die Augen zu, bekam quer über die Stirn vor Anstrengung zwei tiefe Falten und legte los: »Gute Tage! – Gute Morge! – How geht es Sie? – Dankischeen! – Ich sein so frei – Bitterscheen – Was kosten das? – Is mich viel zu teier.«

Das hörte sich sehr komisch an und sah auch genauso komisch aus. Direktor Adler lachte. Er lachte so herzhaft, dass auch Mister Overseas nicht mehr an sich halten konnte und mitlachte.

Auch Peter hätte am liebsten mitgelacht. Aber er wusste, dass sich das für einen Pagen nicht gehörte. Er biss also die Zähne zusammen und presste die Lippen aufeinander.

Francis lachte nicht. Im Gegenteil, er ärgerte sich offenbar sogar. Er beobachtete die beiden lachenden Erwachsenen aus ganz schmalen Augen, und als er jetzt sah, dass auch der Page beinahe losplatzen wollte, stieß er den Schwarzen mit seinem rechten Ellbogen in die Rippen. Dabei sah er ziemlich böse zu Peter. Jimmy verstummte ruckartig, wie ein Grammofon, das plötzlich Kurzschluss bekommt.

Im gleichen Augenblick stoppte der Aufzug und der Fahrstuhlführer riss die Tür auf. Francis blickte noch einmal streng zu Peter hinüber, dann redete er leise und auf Englisch mit Jimmy.

»Wenn ich bitten darf, die Zimmer 310 bis 312«, sagte jetzt Direktor Adler und schloss eine Tür auf. »Die Räume haben durchgehende Türen. Hier, das erste Zimmer mit anschließendem Bad dachte ich für Ihren Sohn. Nebenan der Salon mit dem gewünschten großen Balkon zur Alster und dahinter dann Ihr Schlafzimmer mit Bad, Mister Overseas. Gestatten Sie, dass ich vorausgehe.« Direktor Adler trat jetzt ein, öffnete in dem ersten Zimmer eine breite Tür und ging weiter.

»Very nice«, stellte Mister Overseas fest und sah sich um.

»Das ist also für dich«, sagte er zu seinem Jungen und folgte dann dem Hoteldirektor. Jimmy mit dem Koffer folgte wiederum Mister Overseas.

Peter, der zuletzt eingetreten war, schloss die Tür zum Korridor hinter sich und wollte jetzt ebenfalls hinter den anderen hergehen. Da wurde er plötzlich angerufen.

»Hallo!« Peter blieb stehen und drehte sich um.

»Die Sachen bleiben hier«, sagte der junge Overseas und fing an sich in seinem Zimmer breit zu machen.

»Sehr wohl, Mister Overseas«, antwortete Peter mit todernstem Gesicht, stellte die Aktenmappe aufs Sofa und die Ledertasche auf den kleinen, niedrigen Tisch, der für das Gepäck der Gäste bestimmt war.

Francis hatte sich inzwischen seine Jacke ausgezogen und über einen Sessel geworfen. Er wollte seinen zitronengelben Pullover zeigen. Mitten auf der Brust dieses Pullovers hatte er nämlich einen Cowboy, und zwar einen sehr bunten Cowboy. Der wirbelte gerade sein Lasso durch die Luft und sein Pferd stieg mit den Vorderbeinen steil in die Höhe. Das Ganze war ein richtiges Gemälde.

Unwillkürlich blieb Peter eine Sekunde stehen und riss die Augen auf. Aber als er merkte, dass ihn der junge Overseas beobachtete, nahm er schnell die beiden Staubmäntel und suchte nach Kleiderbügeln.

Francis setzte sich jetzt in einen Sessel und schlug die Beine übereinander. Dabei rutschten seine blauen Leinenhosen, die er ohnehin fast bis zu den Waden hochgekrempelt trug, noch höher und seine Strümpfe waren in ihrer ganzen Länge freigelegt, sie leuchteten in ziemlich allen Regenbogenfarben.

Der junge Overseas ließ Peter nicht aus den Augen, dabei kaute er unentwegt auf seinem Kaugummi herum.

Peter spürte die Blicke natürlich, sie machten ihn unsicher. Er beeilte sich also, die beiden Mäntel aufzuhängen, und drehte sich um. »Auf Wiedersehen, Mister Overseas«, sagte er und wollte gehen.

»Ist Radio im Zimmer?«, fragte der Junge mit dem Cowboy auf der Brust. Dabei klang das »Radio« so, als sei es gerade von einer Straßenbahn überfahren worden.

»Hier neben dem Bett«, sagte Peter höflich.

»Please!« Der junge Overseas drehte jetzt auffordernd mit seiner rechten Hand in der Luft herum, wie an einem Lichtschalter.

»Sehr wohl«, sagte Peter, das hatte er jetzt schon mehrmals bei Chefportier Krüger gehört. Er ging zum Bett und setzte das Radio in Betrieb. Zuerst summte es nur, aber nach etwa zehn Sekunden war der Empfang glasklar. Leider sprach gerade jemand über die neue Steuerreform.

Peter sah zu dem jungen Overseas und der sah zu Peter. Sozusagen Auge in Auge hörten sie eine ganze Weile zu. Das heißt, sie hörten natürlich nicht zu, sie sahen sich nur an.

Eigentlich gefällt er mir ganz gut, dachte der junge Overseas, als Page ist er jedenfalls ein Musterexemplar. Aber vielleicht bekomme ich ihn doch noch so weit, dass er aus der Rolle fällt und wütend wird.

Er hat tatsächlich Haare wie eine Schuhbürste, überlegte Peter, und angezogen ist er wie ein Zirkusclown. Vermutlich hat er noch keinen Pfennig selber verdienen –

»Stopp!«, sagte in diesem Augenblick der junge Overseas und drehte wieder mit der Hand durch die Luft, dieses Mal allerdings rückwärts.

»Sehr wohl«, sagte Peter und schaltete das Radio ab.

»Sonst noch Wünsche, Mister Overseas?«

An Stelle einer Antwort ging Francis in seinem Sessel einfach in den Kopfstand. Er hielt sich ziemlich senkrecht und streckte jetzt sogar die Arme aus, auch ziemlich gerade.

Zwei bis drei, dachte Peter und ging zur Tür.

»Kannst du das auch?«, fragte Overseas junior aus seinem Sessel. Die Stimme klang etwas gequetscht.

»Ich bin leider im Dienst«, bemerkte Peter und verbeugte

sich jetzt. »Auf Wiedersehen, Mister Overseas«, sagte er dabei wieder einmal.

»Mach das bitte noch einmal!«, rief es aus dem Sessel. »Das sieht so komisch aus. Ich meine, wenn du, von mir aus gesehen, auf dem Kopf stehst und eine Verbeugung machst.«

»Wie Sie wünschen, mein Herr«, sagte Peter. Er holte tief Luft und verbeugte sich noch einmal.

»Wonderful!«, rief Overseas junior und strampelte jetzt vor lauter Vergnügen mit seinen Regenbogensocken in der Luft herum. Aber dann musste er plötzlich husten, vermutlich war ihm sein Kaugummi in die Luftröhre gerutscht.

Diese Gelegenheit war äußerst günstig, und da Peter im gleichen Augenblick von nebenan auch wieder die Stimmen von Direktor Adler und Mister Overseas zurückkommen hörte, sagte er jetzt endgültig: »Auf Wiedersehen!«, und verschwand.

Als er sich in der Halle wieder auf die Pagenbank setzte, explodierte der kleine Rothaarige beinahe vor Neugier.

»So ein Glück!«, japste er und fragte gleich: »Wie viel?«

»Keine Ahnung!«, bedauerte Peter.

»Wieso?« Der Kleine saß plötzlich ganz aufrecht und machte große Augen.

»Er hat sich meine Postschecknummer aufgeschrieben und will's mir überweisen.«

»Du bist einfach gemein!«, zischte der Rothaarige.

Chefportier Krüger war aufmerksam geworden und sah schräg von oben durch seine Brillengläser. »Ich bitte mir Ruhe aus, meine Herren!«

Zehn Minuten später kam die Ablösung.

Und fünfzehn Minuten später seiften sich Peter und

Conny Kampendonk im Duschraum schon gegenseitig den Rücken ein.

Etwa im gleichen Augenblick fragte Overseas junior ein Stockwerk höher in der Halle nach dem Pagen, der ihm bei der Ankunft sein Gepäck aufs Zimmer gebracht hatte.

»Die Jungen sind gerade abgelöst worden«, bedauerte Chefportier Krüger. »Haben Sie irgendwelche Wünsche?«

»Wann – I mean, when does he come back?«

»Wieder ab morgen früh sieben Uhr?«

»Thank you«, sagte Overseas junior und schlenderte zum Fahrstuhl zurück, die Hände in den Hosentaschen und den Cowboy auf der Brust.

## Der Page Pfannroth spielt Kindermädchen

Als Zimmer 218 am nächsten Morgen nach einem Pagen telefonierte, stand Peter gerade vor der Drehtür. »Zweiundachtzig!«, rief der Chefportier Krüger. »Das ist Frau Baldewein. Die Dame wünscht aber, dass man sie mit ›Frau Opernsängerin‹ anredet. Merk dir das! Sie gibt hier augenblicklich einige Konzerte.«

»Jawohl, Frau Opernsängerin«, wiederholte Peter und stürmte los. Chefportier Krüger zog die Augenbrauen hoch und sah dem Jungen nach.

Kurz vor dem zweiten Stockwerk kamen gerade die beiden Overseas über die Treppe. Sie waren auf dem Weg zum Frühstücksraum.

»Das ist der Page von gestern, Daddy«, flüsterte Francis und zog seinen Vater am Rock. Dann sagte er laut: »Hallo!«

»Guten Morgen«, erwiderte Peter und trat etwas zur Seite. Mister Overseas griff in seine Rocktasche. »Du hast dich gestern ja so schnell dünnegemacht«, meinte er und gab Peter ein nagelneues Fünfmarkstück.

»Schönen Dank«, sagte Peter, ohne das Geld anzusehen, und blickte dafür Mister Overseas ins Gesicht. Der erwiderte diesen Blick eine ganze Weile. Dann sagte er: »Allright!«, und ging weiter. Francis folgte ihm. Aber er zwinkerte im Weitergehen so mit dem rechten Auge hinter sich. Peter zwinkerte zurück, dann warf er das nagelneue Fünfmarkstück in die Luft, fing es wieder auf und steckte es in die Hosentasche. Vielleicht ist er doch gar nicht so übel, dachte Peter, und sein Vater hat nur zu viel Geld. Aber dafür kann er ja schließlich nichts. Im Übrigen fängt dieser Tag nicht gerade schlecht an.

Die Opernsängerin auf 218 war eine ziemlich stattliche Dame mit flachsblonden Haaren. Sie hatte ein Notenblatt in der Hand und spazierte zwischen dem Fenster und dem Schreibtisch hin und her. Dabei trillerte sie vor sich hin, immer die Tonleiter rauf und runter, bis sie schließlich mit ihrer Stimme wie ein Flugzeug in die Höhe stieg. Als sie ganz hoch oben war, zog sie noch ein paar elegante Schleifen. Dann schaltete sie plötzlich ab. »Entschuldigung«, sagte sie und räusperte sich etwas, »morgens muss ich mich immer erst freisingen. Und das hier ist Bienchen.«

Jetzt erst entdeckte Peter einen kleinen, etwa vier Jahre alten Jungen in einem Matrosenanzug. Er saß auf dem Sofa ganz in der Ecke und sah ziemlich lustig aus.

Die Opernsängerin ging jetzt vor dem Kleinen in die Hocke und nahm ihm den Finger aus der Nase. Dabei sah sie zu Peter. »Wie heißen Sie?«

»Peter Pfannroth.«

Die stattliche Dame mit den flachsblonden Haaren nickte und sprach jetzt mit ihrem Jungen, als ob sie selbst gerade ihren fünften Geburtstag gefeiert hätte. »Siehst du, Bienchen, das ist Onkel Peter. Onkel Peter ist ein sehr lieber Onkel, er fährt jetzt mit dir in den Zoo, du weißt doch, wo die Elefantilein sind.«

»Fantilein!«, rief jetzt der kleine Matrose und klatschte vergnügt mit den Händchen. Peter bekam zehn Mark und einen ganzen Sack voll guter Ratschläge.

»Zur Fahrt nehmen Sie eine Taxe. Mit meiner Probe im Theater bin ich etwa um ein Uhr fertig. Um diese Zeit erwarte ich Sie mit dem Kleinen wieder zurück. Und kein Eis! Bienchen erkältet sich so leicht den Magen. Schokolade könnt ihr essen, solange das Geld reicht. Und passen Sie mir gut auf!«

Das Gleiche sagte auch Herr Krüger, als sich Peter seine Mütze aus der Portiersloge holte.

»Aufpassen, Herr Krüger«, wiederholte Peter und spazierte mit seinem kleinen Matrosen zur Drehtür.

Der Chefportier zog schon wieder die Augenbrauen hoch und sah dem Jungen nach.

Die ganze Pagenbank grinste.

»Guten Morgen, Herr Krause«, grüßte Peter draußen auf der Straße. »Für ein Kindermädchen und die Marine eine Taxe, wenn ich bitten darf.«

Der Wagenmeister pfiff auf der Trillerpfeife, dann nahm er die Hände auf den Rücken und fragte belustigt: »Wohin stechen die Herren denn in See?«

»Zum zoologischen Garten!«

»Na, dann guten Wind!«, lachte der Wagenmeister Krause

und schlug die Autotür der inzwischen vorgefahrenen Taxe zu.

Am zoologischen Garten ließ sich Peter von dem Fahrer eine Quittung geben, bezahlte und stieg aus. »Siehst du, Bienchen, da sind wir schon.« Er löste an der Kasse eine ganze und eine halbe Eintrittskarte und dann waren sie auch schon mittendrin.

Die Luft flimmerte nur so vor lauter Sonne, Kinderstimmen und Drehorgelmusik. Man konnte an allen Ecken Luftballons kaufen, Schokolade, Eiswaffeln und Lakritzstangen. Drüben beim Bärenkäfig drehte sich ein Karussell und rund um den Schwanenteich herum fuhr eine Kinderbahn, die von vier kleinen Ponys gezogen wurde. Ein Tierwärter kam mit einem Zebra an der Leine den Kiesweg entlang und dem Nilpferd wurden gerade mit dem Schrubber die Zähne geputzt. Auf dem Weg zur Reptilienschau gab Bienchen den ersten Laut von sich, und zwar vor einem Luftballonverkäufer. Der kleine Matrose blieb stehen, patschte in die Händchen und rief einfach nur: »Aben!«

Das soll wohl ›haben‹ heißen, dachte Peter, überschlug kurz die bisherigen Ausgaben und war einverstanden. »Was kosten die Dinger?«, fragte er.

»Fünfzig Pfennig, mein Herr.«

Peter zählte dem Händler fünf Groschen in die Hand und hob Bienchen in die Höhe. »Na, welchen willst du denn?«

Der Kleine entschied sich für einen ganz gelben Ballon mit einem aufgemalten Gesicht.

»Die mit den Gesichtern drauf kosten allerdings das Doppelte«, bemerkte der Händler.

»Dann eben ohne Gesicht«, bestimmte Peter.

Aber der kleine Matrose sah in verständnislos an. Im Übrigen signalisierten seine Lippen bereits, dass er augenblicklich losheulen würde, wenn sein Wunsch nicht erfüllt wurde. Da beeilte sich Peter, den Handel abzuschließen. Allerdings band er das Ende der Luftballonschnur an Bienchens Handgelenk, und zwar mit einem doppelten Knoten.

Für ganze fünf Minuten war Bienchen jetzt wieder das artigste Kind der Welt, bis er plötzlich und wie aus heiterem Himmel »Fantilein!« sagte. Das war ausgerechnet bei den Krokodilen.

»Immer hübsch der Reihe nach«, gab Peter zur Antwort und nahm die Sache auf die leichte Schulter.

Bienchen brütete vor sich hin und schwieg bis zum Käfig mit den Eisbären, dann sagte der Kleine noch einmal: »Fantilein!« Das klang schon ziemlich wie eine Forderung.

»Kommt ja noch«, versuchte Peter das Kind zu beruhigen und spazierte auf das Bassin mit den Seehunden zu. Da war es mit Bienchens Geduld vorbei. Der Kleine blieb stehen und sah den zinnoberroten Hotelpagen böse an.

»Hast du Bauchschmerzen?«, fragte Peter höflich.

Aber der kleine Matrose gab keine Antwort. Er stampfte mit den Füßen auf den Kiesweg und rief nichts als: »Fantilein!«. Dabei schob er die Lippen vor und zog seine Mundwinkel herunter. In spätestens fünf Sekunden würde er losheulen.

Vor dieser Drohung kapitulierte Peter wieder.

»Also Fantilein! Ganz wie du willst«, sagte er und marschierte los. Bienchen verschob seine Mundwinkel wieder nach oben und marschierte mit.

Die Elefanten waren zu dritt, Vater und Mutter und Kind,

also eine komplette Elefantenfamilie. Rund um sie herum lief ein tiefer Wassergraben, der gerade so breit war, dass sie sich mit ihren Rüsseln vom Publikum auf der anderen Seite noch Zucker und Bananen angeln konnten.

Der Kleine hielt sich an dem Geländer fest wie an einer Reckstange und hatte sein Kinn auf den kleinen Fäusten liegen. So staunte er mit offenem Mund und ganz großen Augen über den Wassergraben zu den drei Dickhäutern hinüber.

Er hat die Elefantenkrankheit, dachte Peter, dagegen ist nichts zu machen. Er setzte sich gegenüber auf eine Bank, lehnte sich zurück und schlug die Beine mit den roten Uniformhosen übereinander.

»Täglich elf Uhr Fütterung!«, stand auf einer Holztafel.

Das wollen wir noch abwarten, überlegte Peter und sah sich um. Neben ihm und auch überall auf den anderen Bänken saßen jüngere und ältere Frauen, die in Büchern lasen oder ihre Handarbeiten bei sich hatten. Sie sahen immer wieder einmal hoch, als ob sie in ziemlich regelmäßigen Abständen von einer Stecknadel gepikt würden. Aber natürlich sah das nur so aus, in Wirklichkeit suchten sie von Zeit zu Zeit nach den Kindern, mit denen sie gekommen waren und auf die sie aufpassen mussten.

»Wenn du dich langweilst«, sagte plötzlich eine alte Dame zu Peter, »hier liegt die heutige Morgenzeitung.« Peter bedankte sich und faltete die Zeitung auseinander, da sprang ihm aus der rechten unteren Ecke des ersten Blattes eine fett gedruckte Überschrift ins Auge: »5000 Mark Belohnung!« Peter pfiff durch die Zähne.

So ziemlich im gleichen Augenblick pfiff es noch einmal. Dabei fiel von rückwärts ein Schatten über die Morgenzeitung. »Hey!«, sagte der Schatten und war plötzlich wieder verschwunden. Aber dafür sah Peter jetzt einen zitronengelben Pullover vor sich, mit einem sehr farbigen Clown mitten auf der Brust.

Dieser Pullover machte ein paar Schritte und setzte sich neben Peter auf die Bank.

»Guten Morgen!«, sagte Peter überrascht und wollte aufstehen.

Aber der zitronengelbe Pullover hielt ihn zurück und grinste: »Was macht dein Baby?«

Peter zeigte mit dem Kopf zu den Elefanten hinüber.

»Du bist ein perfektes Kindermädchen. Gratuliere!«

»Danke, Mister Overseas«, sagte Peter und blinzelte in die Sonne. »Pech muss man haben.«

»Es war gar nicht so einfach, dich hier zu finden.« Overseas junior lehnte sich zurück und verschränkte die Arme vor der Brust. »Ich war bis bei den kanadischen Silberfüchsen und den Schildkröten.«

»Und warum haben Sie nach mir gesucht?«, fragte Peter.

»Eigentlich wollte ich, dass du mir die Stadt zeigst. Daddy sitzt bis Mittag in einer Konferenz. Ich habe Jimmy und den Wagen bei mir. Der Portier hat mir gesagt, dass du hier im Zoo bist.« Der junge Overseas kramte in seiner Hosentasche.

Dabei fragte er jetzt plötzlich. »Du glaubst bestimmt, dass ich ziemlich eingebildet bin, wie?«

Peter biss sich auf die Unterlippe und sagte nichts.

Der junge Overseas suchte weiter in allen möglichen Taschen.

»Aber das stimmt nicht. Gestern Abend wollte ich bloß, dass du dich ärgerst.«

»Wieso?« Peter drehte beinahe ruckartig den Kopf herum.

Aber Overseas junior war völlig mit seinen Taschen beschäftigt, er tat wenigstens so. Offenbar brachte er jetzt in seine Suchaktion System. Er legte alles, was er bei sich trug, auf die Bank. Ein Taschenmesser, zwei kleine Rollen Bindfaden, Flaschenkorken, Geldmünzen, eine italienische Kinokarte, einen Schlüsselbund, ein Stück Kreide.

»Du hast mir eigentlich gleich gefallen«, meinte Overseas junior so nebenbei, »bis auf die Geschichte mit Jimmy. Jimmy ist nämlich ein feiner Kerl und ich kann es einfach nicht ausstehen, wenn man ihn für dumm hält und auslacht, so wie gestern im Aufzug. Und da hättest du am liebsten mitgelacht. Deshalb hab ich dann – Hey! Da sind sie!«

Overseas junior warf seine Packung Kaugummi in die Luft und fing sie auf, dann kramte er seine Sachen wieder in die Hosentaschen zurück. »Tell me – hast du etwas gegen Schwarze?«

Peter dache einen Augenblick nach und sagte: »Ich bin zufällig weiß und ein anderer ist zufällig schwarz. Das ist alles. Aber das mit Jimmy –«

»What?«, fragte Overseas junior und zog die Augenbrauen hoch.

»– ich meine, dass du Jimmy in Schutz nimmst – Entschuldigung, dass *Sie* Jimmy so in Schutz nehmen – das – das finde ich ziemlich enorm.«

»I am sorry«, sagte Overseas junior und hielt jetzt seine Kaugummipackung hin.

»Was heißt das: ›Ai äm sorri‹?«, fragte Peter und griff zu.

»So viel wie ›Entschuldigung‹, oder so etwas Ähnliches.«

»Aha«, meinte Peter.

Die beiden Jungen kauten jetzt eine ganze Weile an ihrem Kaugummi.

»Sind deine Eltern sehr streng?«, wollte Francis schließlich wissen.

»Ich habe nur noch eine Mutter«, sagte Peter, »und wir verstehen uns prima!«

»Daddy und ich, wir haben uns eigentlich auch ganz gern. Nur haben wir wenig Zeit dazu. Immer wenn wir irgendwo ankommen, warten schon eine Menge Leute und Konferenzen. Da suche ich mir dann in den Hotels immer einen Pagen aus, der mir besonders gut gefällt und der mir alles zeigt. Wenn ich dann weiterfahre oder wieder in Amerika bin, schreiben wir uns. Du musst mir auch deine Adresse geben und natürlich sagen wir jetzt du zueinander.«

Peter pfiff wieder einmal durch die Zähne. »Ich weiß nicht«, überlegte er, »wenn das Herr Krüger hört, schaut er bestimmt ziemlich erstaunt durch seine Brillengläser.«

»Dann jedenfalls, wenn wir allein sind.«

»Das ist sehr freundlich, Mister Overseas!«

»Francis!«, korrigierte der Junge mit dem Cowboy auf der Brust und hielt seine Hand hin.

»Francis!«, wiederholte Peter lächelnd und schlug ein. Dann nahm er wieder die Zeitung und las laut vor: »– hat sich die Handels- und Creditbank entschlossen, die für die Ergreifung der Täter und Wiedererlangung des geraubten Geldes ausgesetzte Belohnung von bisher 1000 Mark auf 5000 Mark zu erhöhen. Nach wie vor sind alle Mitteilungen und Beobachtungen in dieser Sache an Kriminalkommissar Lukkas zu richten, Kriminalpolizei am Sternplatz, Seitenflügel A, Zimmer 247. Alle Angaben werden vertraulich behandelt.«

Peter legte die Zeitung wieder auf seine Knie und dachte nach. Und da er sehr gründlich nachdachte, machte er die Augen zu und legte seinen Zeigefinger an die Nase.

Francis sah sich den nachdenklichen Pagen eine ganze Weile interessiert an, wie eine seltene Briefmarke oder so etwas Ähnliches, dann sagte er: »Es ist wirklich sehr aufregend, sich mit dir zu unterhalten.«

Im Augenblick meinte das der junge Overseas natürlich ironisch, aber schon fünf Minuten später war es seine ehrliche Überzeugung. Peter machte nämlich jetzt seine Augen wieder auf, sah für etwa drei Sekunden zu den Elefanten hinüber und sagte dann: »Pass mal genau auf!«

»O. k.«, meinte Francis, spuckte seinen Kaugummi auf den Kiesweg und hörte zu.

Peter erzählte hintereinander weg die ganze Bankraubgeschichte. Er fing damit an, wie er mit dem Sheriff am Bahnhofseingang saß –

Drüben hinter dem Wassergraben war inzwischen die Fütterung der drei Elefanten in vollem Gange. Als sie ihr Frühstück so ziemlich verschlungen hatten, war Peter auf seiner Bank gerade bei der »Schwarzen Rose« und ihren Komplizen angelangt.

»Die Polizei reißt sich die Beine aus und alle Zeitungen sind voll davon. Aber bestimmt sind die beiden mit all dem Geld längst über die Grenze und baden jetzt im Roten Meer oder begucken sich die Niagarafälle.«

»May be«, überlegte Francis. »Aber vielleicht sind sie auch drüben am Bärenkäfig und fahren gerade Karussell.« Er schob die Unterlippe vor und nahm jetzt die Zeitung von Peters Knien.

Eine ganze Weile geschah nichts. Dann fragte Francis plötzlich: »Kriminalpolizei am Sternplatz – ist das weit?«

»Mit dem Wagen zehn Minuten. Wieso?«

»Well – wann musst du wieder im Hotel sein?«

»So um eins. Aber was soll das alles?«

»Ganz einfach«, sagte Overseas junior und stand jetzt auf. »Wir fahren sofort zu diesem Kommissar Lukkas. Ihr hättet die Sache mit dem Mann in der Pfeffer-und-Salz-Mütze und dem Ledermantel natürlich längst melden müssen. Ich kenne das. Manchmal kommt es auf jede Minute an. Vielleicht –« Francis tippte jetzt mit dem Zeigefinger auf die Schlagzeile der Zeitung.

»Und wenn das Ganze nur ein Zufall war, und der Ledermantel hat mit dem Überfall gar nichts zu tun«, überlegte Peter plötzlich.

»Das soll die Polizei feststellen. Dazu ist sie da und dafür wird sie bezahlt«, meinte Francis sehr sachlich. »Gehen wir!«

»O. k. Allerdings wird das gar nicht leicht sein.« Peter sah zu den Elefanten und den Kindern hinüber. Dabei schob er sein rotes Käppi von hinten nach vorn in die Stirn.

Aber die Sache mit Bienchen ging überraschend einfach, und zwar durch Francis, genauer gesagt, durch den farbigen Cowboy auf seinem Pullover. Bienchen war restlos begeistert. Der Kleine riss die Augen auf, klatschte wieder einmal in die Händchen und vergaß für den Augenblick sogar die drei Elefanten. Das genügte vorerst.

Am Hauptbahnhof gab es einen kurzen Aufenthalt. Der Sheriff hatte nämlich gerade einen Kunden und dann dauerte es natürlich eine ganze Weile, bis er alles begriffen hatte. Aber dann warf er sein Poliertuch in die Bürstenkiste, drückte die Brust raus und sagte: »Bitte, ich stehe zur Verfügung.«

Das hörte sich an, als habe man ihm gerade so nebenbei den Oberbefehl über die Pazifikflotte angeboten.

Er stieg in den overseasschen Cadillac, als sei das die selbstverständlichste Sache der Welt. »Emil Schlotterbeck ist mein Name«, gab er bekannt und machte einen Diener. Dabei bumste er mit dem Kopf gegen die Decke.

»Francis«, grinste Overseas junior und dann gab Jimmy auch schon Gas.

»Man hört überhaupt keinen Motor!«, stellte der Sheriff mit einiger Anerkennung fest und lehnte sich zurück.

»Aber er hat einen«, versicherte Peter und tippte jetzt Francis auf die Schulter. »An der nächsten Kreuzung rechts.«

»Next street to the right«, übersetzte der junge Overseas für Jimmy.

Der Chauffer grinste und ließ das Flugzeugmutterschiff in die Kurve gehen.

Am Sternplatz sagten Peter und der Sheriff so ziemlich gleichzeitig: »Stopp!«, dann dirigierten sie das Auto direkt vor den Haupteingang der Kriminalpolizei. Sie fragten nach dem Seitenflügel A und tigerten los, einschließlich Bienchen und Luftballon.

Leider kamen sie im ungünstigsten Augenblick.

Da hatte nämlich der Eilbote vor einer halben Stunde endlich einen dicken Briefumschlag ins Zimmer 247 gebracht, mit französischem Poststempel drauf.

»Vom Fahndungsdienst aus Paris, Herr Kommissar!«, hatte Kriminalassistent Kühnast aufgeregt gerufen.

»Aufmachen! Dalli, aufmachen!«

Kriminalkommissar Lukkas war wie elektrisiert aufgesprungen. Das mussten endlich die Fotos sein! Die Druckerei, die den Steckbrief bereits im Satz fertig hatte, wartete darauf.

Die ganze Presse ebenso.

Sämtliche Fotos, die der Kriminalassistent aus dem Briefumschlag der Pariser Fahndungsstelle nahm, zeigten eine Frau, eine dunkelhaarige Person mit Ohrringen so groß wie Taubeneier. »So eine Pleite!«

Kriminalkommissar Lukkas setzte sich hinter seinen Schreibtisch und sagte nur: »Lesen Sie vor.«

Der Kriminalassistent sprach einigermaßen Französisch und überflog den Bericht, der den Fotos beigefügt war. »– und übersenden Ihnen in der Anlage fünf der gewünschten Fotos. Die Gesuchte tritt augenblicklich hier in verschiedenen Nachtklubs als Sängerin auf unter den Namen ›La rose noire‹, das heißt auf Deutsch ›Schwarze Rose‹ –«

»Danke, so viel Französisch verstehe ich auch noch«, knurrte Kriminalkommissar Lukkas. Dann sprang er auf und knallte seine flache Hand auf den Schreibtisch. Die Fotos der »rose noire« hüpften durch die Luft wie Papierschnitzel.

»Paris! Melden Sie sofort ein Blitzgespräch an!«

Assistent Kühnast rannte zum Telefon und ließ sich mit dem Fernamt verbinden.

In diesem Augenblick klopfte es, eigentlich schon zum dritten Mal. Aber Kriminalkommissar Lukkas hatte die beiden ersten Male überhört.

»Herein!«, rief er gereizt und sah auf. Die Tür öffnete sich ganz vorsichtig und dann kam lediglich ein gelber Luftballon ins Zimmer. Dieser Luftballon hatte ein Gesicht, ein Gesicht, das lachte.

»Was ist denn jetzt wieder kaputt?«, rief Kriminalkommissar Lukkas und sprang auf.

»Wir wollen eine Meldung machen«, antwortete eine Stimme und dann wurden so nacheinander sichtbar: ein zinnoberroter Hotelpage, ein kleiner Matrose und zwei weitere Jungen. Einer von ihnen hatte einen sehr farbigen Cowboy mitten auf der Brust.

»Es ist wegen des Banküberfalls!«, erklärte der Hotelpage.

»Was du nicht sagst!«, knurrte Kriminalkommissar Lukkas und steckte sich eine ganz schwarze Brasilzigarre ins Gesicht.

»Gestatten Sie«, meinte Peter höflich und zückte seine Streichhölzer.

Der Kriminalkommissar bediente sich. Dann sagte er kurz: »Danke«, pustete das Streichholz aus und paffte die erste Rauchwolke ins Zimmer. »Und jetzt schießt los! Ich habe meine Zeit nämlich nicht gestohlen.«

»Hey!«, sagte da Overseas junior. »Wir können ja auch wieder gehen. Dann dürfen Sie aber nicht in die Zeitung schreiben, dass Sie Hinweise aus der Bevölkerung erwarten.«

Peter und der Sheriff sahen Francis an, als habe er Chinesisch gesprochen.

Kriminalkommissar Lukkas paffte nur eine besonders große Rauchwolke ins Zimmer und knurrte: »Quatsch dir keine Fransen!« Dann lehnte er sich mit seinem breiten Rücken gegen einen Aktenschrank. »Los, fangt schon an, ich warte.«

Die drei Jungen guckten sich noch einmal gegenseitig in die Gesichter, dann erzählten sie der Reihe nach, was sie wussten.

Als sie zu dem Mann mit den Schlangenlederschuhen kamen, versuchten sie sich an jede Einzelheit zu erinnern, bis zu dem Augenblick, als die Pfeffer-und-Salz-Mütze in der Taxe verschwunden war.

»Die Nummer von der Taxe wissen wir allerdings nicht«, sagte der Sheriff zum Schluss.

»Na und?«, fragte Kriminalkommissar Lukkas und paffte wieder eine Rauchwolke in die Luft. »Wo bleibt der Witz?«

»But listen!«, rief Overseas junior. »Bestimmt gehörte der Mann zu der Bande, vielleicht war er sogar der Boss!«

»Unsinn!«, stellte Kriminalkommissar Lukkas fest. »Der Mann war an der ganzen Geschichte genauso wenig beteiligt wie ihr oder ich. Natürlich hat ihn diese Filmerei interessiert und er hat zugeschaut. Und als es dann vorbei war, merkte er, dass er sich verspätet hatte. Da nahm er seine Beine in die Hand und rannte los. Weiter nichts. Hier«, der Kriminalkommissar zeigte auf einen ganzen Stapel von Briefen und Postkarten, »das sind alles die gleichen Geschichten. Alle wollen jemanden gesehen haben, der sich verdächtig gemacht hat. Unsinn, wie gesagt. Ihr solltet weniger Kriminalgeschichten lesen und die Nase lieber in eure Schulbücher stecken! Tschüss, meine Herren! Ich habe hier keinen Kindergarten. Was macht Paris, Kühnast?«

»Sofort, Herr Kommissar«, antwortete der Assistent und sah auf das Telefon, als wolle er es hypnotisieren, »es muss jeden Augenblick klingeln.«

»›La rose noire‹«, knurrte Kriminalkommissar Lukkas vor sich hin und wischte mit der Hand durch die Luft. Sein Zigarrenrauch stand nämlich schon wie eine Nebelwand im Zimmer.

Inzwischen kurvte Mister Overseas' Cadillac auf dem Sternplatz rund um den Verkehrsschupo herum und rollte dann wieder zum Zentrum zurück.

Bienchen klebte an der Windschutzscheibe und guckte mit weit aufgerissenen Augen zu den vielen Menschen, den anderen Autos und den Straßenbahnen. Der Kleine sagte nicht einmal pieps. Umso lauter ging es zwischen den drei Jungen zu.

»Nicht die Bohne Fingerspitzengefühl!«, stellte der Sheriff gerade fest. »Der Kerl ist eine glatte, runde Null!«

»Wenigstens ein Protokoll hätte er aufnehmen müssen!«, meinte Overseas junior. »In jedem richtigen Kriminalfilm ist das so. Zuerst nimmt die Polizei immer ein Protokoll auf.«

»Sehr richtig!«, pflichtete der Sheriff bei. »Dieser Kerl hat von Tuten und Blasen keine Ahnung! So was als Kriminalkommissar ist wirklich für jeden Verbrecher ein Weihnachtsgeschenk! Es ist eine Affenschande!«

## Eine interessante Unterhaltung hinter zwei Zeitungen

Im Park, der dem roten Backsteingebäude der Kriminalpolizei gegenüberlag, saßen zwei Männer auf einer Bank für Spaziergänger. Der eine war eigentlich fast noch ein Junge. Die beiden hatten Zeitungen vor sich, das »Abendblatt« und das »Echo«.

»Ein Wetter zum Eierlegen«, sagte der hinter dem »Abendblatt«.

»Trotzdem ist es Wahnsinn«, knurrte es hinter dem »Echo«.

»Was ist ein Wahnsinn, wenn ich fragen darf?«

»Dass wir ausgerechnet gerade hier vor der Kripo sitzen.«

»Irrtum!«, sagte das »Abendblatt« und die Hosenbeine, die unterhalb der Zeitung zu sehen waren, legten sich jetzt übereinander. »Je dichter wir der Polente aufs Fell rücken, umso sicherer sind wir.«

»Theorie!«, knurrte das »Echo« wieder.

»Erfahrung!«, antwortete das »Abendblatt«. »Aber um das zu kapieren, bist du noch viel zu jung und zu grün hinter den Ohren.

»Jedenfalls wäre es besser gewesen, sofort nach der Geschichte abzuhauen!«

»Was du nicht sagst!«

»Wir könnten jetzt schon in der Schweiz sitzen oder in Italien oder –«

»– im Knast«, meinte seelenruhig die Stimme hinter dem »Abendblatt«.

»Wieso?«

»Weil du Gift darauf nehmen kannst, dass die Kripo sofort alle Grenzen alarmiert hat. Kurz danach war alles hinter uns her, der letzte Streifenwagen und jeder Dorfpolizist. Dagegen hilft nur eins.«

»Das wäre?«

»Abwarten und Tee trinken.«

»Das ist mir zu hoch.«

»Ganz einfach! Wenn genug *neue* Dinger gedreht sind, sucht man wieder andere und das Interesse an uns lässt nach. Das siehst du schon an den Zeitungen! Am Anfang Schlagzeilen über die ganze erste Seite weg und jetzt sind wir schon klein und in irgendeine Ecke gerutscht, zwischen einen Verkehrsunfall und die Wettermeldung.«

»Dann ist es wohl bald so weit?«

»Morgen ist Freitag. Ich hab freitags immer Glück gehabt«, überlegte das »Abendblatt«.

»Soll das heißen«, der Kerl hinter dem »Echo« war plötzlich so aufgeregt, dass seine Hände mit der Zeitung zitterten wie bei einem Erdbeben, »dass wir morgen abhauen?«

»Wir hauen nicht ab, du Anfänger. Wir haben ein Schlafwagenabteil erster Klasse, und wenn du nicht willst, dass wir platzen, legst du dir andere Ausdrücke zu, verstanden?«

»Und – das Geld?«

»Bringt uns der Gepäckträger an die Bahn! Mach dir keine Sorgen!«, antwortete es hinter dem »Abendblatt« und gleich darauf gähnte es auch hinter dem »Abendblatt«.

»Du machst mich noch verrückt, wie die anderen!« Das hörte sich an, als säße auf der Bank für Spaziergänger plötzlich eine Bulldogge, und zwar hinter dem »Echo«.

## Mister Overseas bekommt ein Telegramm

Etwa um die gleiche Zeit saß der junge Overseas in der Halle des ATLANTIC in einem tiefen Klubsessel. Er hatte die Beine übereinander geschlagen und seine rechte Hand spielte mit dem Zimmerschlüssel von 310.

Drüben an der Türklinke zum »Blauen Salon« hing noch das Schild mit der Aufschrift »Nicht stören«.

Peter stand wieder einmal vorn an der Drehtür. Im Augenblick hatte er alle Hände voll zu tun. Von der Straße her kam eben eine dänische Reisegesellschaft, die sich das Glockenspiel im Rathausturm angehört hatte. Der große Uhrzeiger über der Portierloge sprang jetzt auf halb. Drüben an der Tür zum »Blauen Salon« rührte sich noch immer nichts.

Da warf Francis seinen Zimmerschlüssel in die Luft und fing ihn wieder auf, dann drückte er sich aus dem Klubsessel hoch, grinste zu Peter hinüber und spazierte zum Speisesaal.

In diesem Augenblick ereigneten sich zwei Dinge.

Ein Telegrammbote erschien in der Tür und fragte nach Mister Overseas. Und am »Blauen Salon« wurde die Flügeltür aufgestoßen. Da zuerst nichts als Qualm und Dunst ins Freie kam, sah es so aus, als sei drinnen ein Zimmerbrand ausgebrochen. Dann aber tauchte Mister Overseas mit seinen Konferenzteilnehmern auf und alle rauchten dicke Zigarren oder kurze Pfeifen.

»Hallo!«, rief Mister Overseas und ging direkt auf die Portierloge zu. »Stellen Sie sofort die nächste Flugverbindung nach London fest!« Er hatte ein Telegramm in der Hand und paffte eine dicke, weiße Rauchwolke in die Luft. »Wo ist mein Sohn?«

»Drüben im Speisesaal«, antwortete Chefportier Krüger und griff gleichzeitig nach dem Telefon. »Wegen London erkundige ich mich sofort.«

»Danke«, sagte Mister Overseas und marschierte los. Als er drüben die Tür zum Speisesaal erreicht hatte, markierten quer durch die Halle lauter kleine weiße Rauchwölkchen seinen Weg. Sie standen in der Luft, als ob sie an einer unsichtbaren Wäscheleine zum Trocknen aufgehängt wären.

»Hallo, Daddy!«, winkte Francis.

Mister Overseas steuerte auf seinen Jungen zu und setzte sich zu ihm.

Francis entschuldigte sich, weil er nicht länger gewartet hatte. »– aber mein Hunger war wirklich enorm!«

Mister Overseas nickte nur und paffte an seiner Zigarre. Dann sagte er plötzlich: »Das ist eine verdammte Geschichte!«, und legte das Telegramm auf den Tisch. »Ich muss sofort nach London. Möglich, es dauert vier oder fünf Tage. Kann ich dich solange hier lassen oder willst du mitkommen?«

»O Daddy –«, meinte Francis und sah vor sich auf die blütenweiße Tischdecke.

»I am sorry«, knurrte Mister Overseas. »Aber das verspreche ich dir, wenn ich dieses Mal den Vertrag in der Tasche habe, können mir alle Sitzungen und Konferenzen für mindestens zwei Monate gestohlen bleiben. Dann machen wir Urlaub!«

»Na, was machen wir?«, fragte Mister Overseas vollkommen verblüfft.

»Hier ist Jimmy mit dem Wagen«, überlegte Francis, »und bei dir in London ist es bestimmt genauso wie hier.«

»Du bleibst also?«, fragte Mister Overseas.

»Das heißt – ich hätte eine Bitte, wenn du mit dem Hoteldirektor sprechen könntest –«

»Und weshalb?«

Francis erklärte es ihm.

Inzwischen war es drei Uhr und Peter ging in den Umkleideraum, um zu duschen und sich umzuziehen. Für heute war Feierabend für ihn. Da steckte Personalportier Pfefferkorn seinen Kopf durch die Tür des Umkleideraums: »Peter Pfannroth sofort zu Direktor Adler!«

Peter angelte nach seiner Pagenuniform, die schon über einem Kleiderbügel im Schrank hing.

Aber da sagte Herr Pfefferkorn: »Du sollst kommen, so wie du bist!«

Vor Eile verhaspelte sich Peter, als er seinen blauen Pullover mit dem Rollkragen überzog. Dann rannte er los.

Als Peter in die Halle kam, stieg Jimmy, der schwarze Chauffeur, soeben mit einem zitronengelben Lederkoffer aus dem Aufzug.

Drüben vor der Portierloge stand Direktor Adler, neben ihm die beiden Overseas und Herr Krüger.

Alle vier sahen jetzt dem Jungen im blauen Rollkragenpullover entgegen und es hatte tatsächlich den Anschein, als habe man nur auf ihn gewartet.

»Herr Direktor«, meldete sich Peter und stand kerzengerade wie früher in der Turnstunde vor einer Reckübung.

»Pass mal auf«, sagte Direktor Adler und das klang eigentlich sehr freundlich. »Mister Overseas muss für ein paar Tage nach London. Sein Sohn bleibt hier und möchte gern – und Mister Overseas möchte es auch –, dass du während dieser Zeit nur ihm zur Verfügung stehst, also dem Sohn von Mister Overseas. Bist du damit einverstanden?«

Peter nickte zweimal hintereinander mit dem Kopf. Dann erst sagte er: »Sehr gern, Herr Direktor.« Er musste nämlich erst die Luft anhalten, weil er noch ganz außer Atem war.

»Du kannst deine Uniform anziehen oder auch nicht«, wie es Mister Overseas junior wünscht«, meinte Direktor Adler noch und dann wandte er sich zu dem Chefportier: »Sie wissen also Bescheid, Herr Krüger.«

»O. k.«, sagte in diesem Augenblick Mister Overseas. »Schönen Dank und jetzt los! Mein Flugzeug wartet nicht!«

Er zog an seiner Pfeife und paffte Peter den Rauch vors Gesicht. »Am besten, du kommst gleich mit.«

»Jawohl, Mister Overseas«, verbeugte sich Peter. Gleich darauf verzog er sein Gesicht, Francis hatte ihm nämlich seinen Ellbogen in die Seite geboxt.

Nachdem Jimmy, Francis und Peter Mr. Overseas zum Flughafen gebracht hatten, fuhren sie kreuz und quer durch die Stadt zum Hafen, tigerten durch das Völkerkundemuseum und schließlich gab es im Alsterpavillon Kaffee und Kuchen.

Inzwischen fing es an, immer dunkler zu werden, und da heute Donnerstag war, wurde es Zeit für den kuhlenkampschen Trainingsabend.

Natürlich gab es ein ziemliches Aufsehen und alle Jungen kamen ins Freie, als der Cadillac in den Hinterhof der Warburgstraße 12 gerollt kam.

»Das ist Francis«, gab Peter bekannt, »und das ist Jimmy!«

Der junge Overseas stieg aus und schüttelte eine Menge Hände. Jimmy blieb sitzen. Aber er hob seine Arme in die Luft und lachte.

»Hallo, Sheriff!«, rief Francis plötzlich. Er hatte Emil Schlotterbeck entdeckt und legte ihm seine Hand auf die Schulter.

»Hallo!«, antwortete der Sheriff und strahlte.

»Und das ist der Admiral!«, bemerkte jetzt Peter. Fanny Kuhlenkamp hatte sich nämlich inzwischen nach vorn gedrängelt.

»I am very glad to see you«, piepste sie. Schließlich hatte sie schon das zweite Jahr Englisch.

»Hey!«, sagte Francis und machte vor Fanny eine regelrechte Verbeugung.

Dann ging's in den Umkleideraum.

Peter hatte für Francis noch eine zweite schwarze Sporthose und Vater Kuhlenkamp fand noch ein Paar passende Turnschuhe.

Beim Seilspringen und am Sandsack fiel es eigentlich nicht so sehr auf, dass der junge Overseas noch nie richtig geboxt hatte. Aber als er dann mit Peter in den Ring kletterte, zeigte es sich doch, dass er zu wenig Erfahrung und keine Übung hatte.

Trotzdem griff er immer wieder an und man sah sofort, dass er bestimmt einen anderen Sport betrieb und trainiert war.

»Wer ist denn das?«, fragte Herr Winkelmann, der in diesem Augenblick leise die Tür hinter sich geschlossen hatte und jetzt zwischen den Jungen auf einer Bank Platz nahm.

»Ein Mister Overseas«, erklärte der Sheriff und erzählte kurz, was er von Francis wusste.

Währenddessen gingen die beiden Jungen im Ring in die dritte Runde.

»Jedenfalls hat er Mut«, meinte Herr Winkelmann.

Tatsächlich griff Francis eben wieder an. Er tauchte regelrecht unter Peters Deckung vorbei und schlug mit beiden Fäusten um sich. Allerdings nicht lange. Sofort wurde er wieder abgestoppt und zurückgetrieben. Dabei sah man deutlich, dass sich Peter alle Mühe gab, den jungen Amerikaner nicht hart zu treffen.

»Zeit!«, rief jetzt Vater Kuhlkenkamp, ging auf Francis zu und half ihm die Handschuhe ausziehen. »Nicht schlecht!«, sagte er dabei. »Ein halbes Jahr Training und die Richtung stimmt!«

»Danke«, sagte Francis und stieg aus dem Ring.

Und da stand auch schon Herr Winkelmann vor ihm.

»Es freut mich, dass du zu uns gekommen bist! Wenn du willst, kannst du uns besuchen, sooft du Lust hast.« Dann wandte sich Herr Winkelmann an die übrigen Jungen:

»Am Samstag steigt also der Endkampf! Und wenn wir auch ziemlich sicher sind, dass wir gegen Viktoria 93 haushoch gewinnen – die Meisterschaft haben wir doch erst in der Tasche, wenn hier an der Wand der Siegerkranz hängt! Im Übrigen kommt zu so einem Endkampf immer die ganze Presse und sogar der Rundfunk. Also blamiert uns nicht!« Herr Winkelmann rieb sich jetzt vergnügt die Hände und sah sich um.

»Nicht blamieren«, wiederholte Peter, als ob Chefportier Krüger vom ATLANTIC vor ihm stünde. Und dann sagte er: »Also bis übermorgen!« Dann rannte er mit Sheriff zusammen los.

Draußen drückte nämlich Jimmy schon zum zweiten Mal auf die Hupe.

»Bye-bye!«, winkte der Admiral noch und dann rollte Mister Overseas' Cadillac wieder aus dem Hinterhof zur Straße. Zuerst wurde der Sheriff nach Hause gebracht und dann ging's in Richtung Rangierbahnhof. »Zu welcher Zeit wünscht der Herr morgen früh geweckt zu werden?«, fragte Peter.

»Ich denke um acht«, meinte Francis und lehnte sich zurück wie ein Generaldirektor.

»Sehr wohl«, verneigte sich Peter und dann tippte er Jimmy auf die Schulter. »Nächste Straße rechts, wenn ich bitten darf!«

Und jetzt verneigte sich Jimmy, zeigte seine schneeweißen Zähne und sagte ebenfalls: »Sehr wohl!«

## Peter wird seiner Uniform zuliebe vernünftig

Am anderen Morgen stand Peter pünktlich um acht Uhr vor Zimmer 310. Er hatte das neueste »8-Uhr-Blatt« unter dem Arm und einen Stadtplan.

Vor der Tür standen Francis' Schuhe. Peter hob sie auf, zog seine zinnoberrote Pagenjacke zurecht und klopfte. Zuerst außen, wie er es von dem Jungen mit den abstehenden Ohren gelernt hatte.

Nichts rührte sich. Da öffnete Peter und stand jetzt vor der inneren Zimmertür. Er klopfte wieder.

»Come in!«, rief es jetzt.

Peter trat ein, schloss die Tür hinter sich und blieb stehen.

»Guten Morgen, Mister Overseas! Ich hoffe, Sie haben eine gute Nacht hinter sich? Wenn Sie gestatten, hier Ihre Schuhe und hier die neueste Morgenzeitung. Haben Sie sonst noch Wünsche?«

»Dass du möglichst schnell vernünftig wirst, du Knalltüte!«, knurrte Francis.

Er saß im Pyjama wie ein indischer Fakir mit gekreuzten Beinen auf seiner Bettdecke und kaute bereits an einer Orange.

»Der Sheriff ist kein Umgang für einen Overseas junior. Den Ausdruck ›Knalltüte‹ haben Sie nur von ihm«, bemerkte Peter und stellte die Schuhe neben die Badezimmertür.

Da flog ein Kissen durch die Luft und dann noch eins. Gleich hinterdrein kam Francis persönlich, beinahe im gleichen Augenblick lag Peter der Länge nach auf dem dicken Teppich und Francis kniete über ihm.

»Meine Uniform!«, gab Peter zu bedenken.

»Bist du jetzt vernünftig?«, fragte Francis und drehte Peters Handgelenke nach innen.

»Wir sind angewiesen, immer freundlich zu sein und uns von den Gästen so ziemlich alles gefallen zu lassen«, stöhnte Peter. »Aber das geht entschieden zu weit, Mister Overseas!«

»Du brauchst nur zu sagen, dass du vernünftig wirst!«, stellte Francis seelenruhig fest. Dabei setzte er sich dem Pagen mitten auf den Bauch und drehte weiter an dessen Handgelenken.

»Meine Uniform!«, erinnerte Peter wieder.

»Schön«, schlug Francis vor, »dann werde wenigstens deiner Uniform zuliebe vernünftig!«

»Einverstanden«, zischte Peter, »aber nur wegen der Uniform.«

»O. k.«, rief Francis und sprang auf. Er hielt Peter seine Hand hin und zog ihn hoch.

»Guten Morgen«, sagte er dabei.

»Guten Morgen, Francis«, grinste Peter.

Sie setzten sich nebeneinander auf den Bettrand und taten jetzt gemeinsam, was Francis bisher nur allein getan hatte: Sie kauten Orangen.

»Gestern Abend beim Boxen«, meinte Francis plötzlich wie aus heiterem Himmel, »hättest du mich natürlich k.o. schlagen können, wenn du gewollt hättest.«

»Vielleicht«, gab Peter zu. »Hoffentlich hast du trotzdem ruhig geschlafen?«

»Die Wahrheit ist nämlich, dass ich überhaupt nie geboxt habe«, gestand Francis und sah vor sich auf eines der giftgrünen Pyjamaknie mit den großen roten Punkten. »Und eigentlich interessiert mich Boxen auch gar nicht.«

»Na also«, stellte Peter beruhigt fest. »Dann kann es dir ja auch ganz egal sein.«

Aber so ganz egal war es Francis doch nicht. Nach einer Weile fragte er nämlich: »Hast du eine Ahnung von Kricket?«

»Nicht die Bohne!«, gab Peter zu und angelte nach einer neuen Orange.

»In unserem Gepäck auf dem Bahnhof sind meine Schläger«, sagte Francis und sah auf. »Hättest du Lust?«

»Ich fürchte nur, dass es ziemlich langweilig für dich wird«, gab Peter zu bedenken.

»Also abgemacht! Wir spielen Kricket!«, rief Francis und sprang auf. Er war plötzlich wie ausgewechselt.

»Ach so«, begriff Peter jetzt, »du bist im Kricket wohl eine ziemliche Kanone?«

»Allerdings«, gab Francis zu, »hast du jetzt keine Lust mehr?«

»Wenn es dein Selbstbewusstsein wieder ins Gleichgewicht bringt«, meinte Peter, »bitte, ich stehe zur Verfügung!«

»Ich boxe dann auch wieder mit dir«, versprach Francis und kramte in der Schreibtischschublade. »Hier ist der Gepäckschein. Ich schreibe jetzt schnell an Daddy und währenddessen holst du mit Jimmy das Gepäck. Anschließend frühstücken wir zusammen und dann geht's los. Einverstanden?«

»Einverstanden«, antwortete Peter.

»Sechshundertsechsundsechzig – komisch, wie das aussieht, drei Sechsen hintereinander!«

An der Tür blieb Peter noch einmal stehen, verbeugte sich und sagte: »Ich werde mich beeilen, Mister Overseas.«

Schwupp, flog ein Kissen in seine Richtung.

Aber Peter war bereits auf dem Korridor.

## Gepäckschein 666

Peter stand vor dem Hoteleingang und sah sich um. »Suchst du was Bestimmtes?«, fragte Wagenmeister Krause.

»Den Cadillac von Mister Overseas.«

»Der ist in der Garage und wird gewaschen. Man soll dort anrufen, wenn er gebraucht wird. Sonst sei er in einer halben Stunde wieder zurück.«

»Schönen Dank, Herr Krause«, sagte Peter. Er überlegte kurz und dann ließ er sich von dem Hausdiener eine Gepäckkarre geben.

Am Bahnhofseingang hatten der Sheriff und Carlos gerade Hochbetrieb, sie sahen Peter gar nicht, als er an ihnen vorbeischob.

Um diese Zeit kamen die ersten Fernzüge an.

Auch drüben vor der Gepäckaufbewahrung standen mehrere Gruppen von Reisenden. Allerdings hauptsächlich vor dem Annahmeschalter.

Bei der Ausgabe ging es noch.

»Was ist es?«, fragte der Beamte und nahm den Gepäckschein.

»Ein Koffer«, antwortete Peter.

»Wir haben hier zweiunddreißig Regale und von oben bis unten nichts als Koffer!«, knurrte der Mann hinter der Ausgaberampe. »Weißt du wenigstens, wann er aufgegeben worden ist?«

»Vielleicht vor vier oder fünf Tagen.«

»Vielleicht! Was soll ich damit anfangen?«, knurrte der Beamte wieder und verschwand jetzt hinter einem von den zweiunddreißig Regalen. Es dauerte eine ganze Weile, bis er wiederkam.

»Genau neun Tage steht er hier! Pro Tag zwanzig Pfennig, macht eins achtzig. Dazu noch eine Mark Versicherung. Und beim nächsten Mal lässt du dir wenigstens sagen, was du abholen sollst«, meinte der Beamte noch. Dann hob er einen Koffer auf die Rampe. Dieser Koffer war ziemlich groß, aber beileibe kein Schrankkoffer. Im Übrigen war er aus grobem Segeltuch und rundherum mit einer regelrechten Wäscheleine verschnürt wie ein Paket. »Was ist es?«, fragte der Beamte jetzt bereits wieder den Nächsten.

Peter sah zu, dass er mit seinem Koffer aus dem Gedränge kam, und schob seine Karre zum ATLANTIC zurück.

Francis war nebenan im Bad, als Peter ins Zimmer 310 zurückkam. Auf dem Tisch lag der Brief an Mister Overseas, verschlossen und mit der Londoner Adresse.

»Soll ich den Brief inzwischen aufgeben?«, fragte Peter und stellte den Koffer auf die Gepäckbank.

»Das machen wir nachher, wenn wir losfahren!«, rief Francis durch die angelehnte Badezimmertür. »Aber du kannst schon auspacken. Die Kofferschlüssel liegen in der Schreibtischschublade. – Hast du sie?«

»Ja, ich hab sie«, rief Peter nach einer Weile zurück.

»Zum Frühstück gibt es Kakao! Hoffentlich magst du Kakao?«

»Und ob!«, gab Peter zu.

»Dann ist ja alles in bester Ordnung!«, rief Francis noch. Gleich darauf hörte es sich an, als sei er in seiner Badewanne überraschend mit einem Haifisch ins Handgemenge geraten.

Peter beschäftigte sich inzwischen mit der Wäscheleine. Sie ging dreimal rund um den ganzen Koffer herum und war genau achtundzwanzigmal geknotet.

»Ich bin gleich so weit!«, ließ sich Francis wieder hören. Er hatte den Kampf mit dem Haifisch offenbar gut überstanden, jedenfalls lebte er noch und drehte gerade an der Dusche.

»Eigentlich hatte ich mir Kricketschläger länger vorgestellt!«, meinte Peter und machte sich jetzt mit dem Schlüsselbund zu schaffen. »Sie können ja höchstens so lang sein wie der Koffer hier.«

»Das genügt!«, rief Francis. »Nachher beim Spiel wäre es dir bestimmt lieber, wenn sie kürzer wären!« Vermutlich hatte Francis seine Dusche jetzt auf kalt gestellt. Er sang nämlich plötzlich in den höchsten Tönen. Nebenan schnappten währenddessen zwei Kofferschlösser, zuerst das eine, dann das andere. Peter hatte eine ganze Weile vergeblich versucht, sie mit den overseasschen Schlüssel zu öffnen, aber diese Schlüssel passten nicht.

Und jetzt zeigte es sich, dass die Schlösser gar nicht verschlossen waren. Ein Druck mit dem Daumen hatte genügt.

Deshalb also das Wäscheseil mit seinen achtundzwanzig Knoten!, dachte Peter und schlug den Kofferdeckel hoch. Eine halbe Minute später blieb ihm die Luft weg.

»Das – das ist ja –!«, stammelte er und dann sprang er auch schon hoch, stürzte zum Bad und riss die Tür auf.

Francis hatte mit Singen aufgehört und drehte gerade seine Dusche ab. »Was gibt's?«, fragte er und lachte. Aber dann sah er Peters Gesicht. Dieses Gesicht war weiß wie ein Handtuch.

»He, was hast du?«

»Der – der Koffer!«, japste Peter.

Das genügte.

Klitschnass und nackt, wie er war, sprang Francis aus seiner Badewanne. Nach fünf oder sechs ziemlich deutlichen Fußabdrücken auf dem Zimmerteppich stand er vor dem Koffer.

»Ist er das?«, fragte Peter.

Francis schüttelte den Kopf. »Noch nie gesehen!«

In dem Koffer lag nichts als alte Wäsche. So sah es wenigstens aus. Aber als Peter einen Teil dieser alten Wäsche zur Seite schob, wurde Zeitungspapier sichtbar. Und als Peter jetzt auch dieses Zeitungspapier auseinander schlug – lag da eine Menge Banknotenpakete, sauber gebündelt und nebeneinander wie die Bücher in einer Bibliothek. Ein paar Hundertmarkscheine lagen lose obenauf.

Wenn man von den paar alten Wäschestücken und dem Zeitungspapier absah, nichts als Geld!

Der ganze Koffer war voller Geldscheine.

Francis verschränkte seine Arme vor der Brust und pfiff durch die Zähne.

Peter war noch völlig fassungslos, alles drehte sich plötzlich um ihn.

»Ich hab einen Kopf wie ein Karussell. Ich glaube, dass ich mich gleich übergeben muss«, gestand er. »Wie – wie ist so etwas überhaupt möglich?«

»Ganz einfach!«, grinste Francis. Er tippte mit seinem nassen großen Zeh links auf die Querseite des Koffers, da klebte noch eine Nummer, und zwar war es die Nummer 999.

»Der Mann bei der Gepäckaufbewahrung hat entweder den Gepäckschein auf den Kopf gestellt oder dieser Koffer da hat umgekehrt im Regal gestanden. Jedenfalls hat man dir an Stelle des Gepäckstücks 666 das Gepäckstück 999 ausgehändigt!« Francis holte tief Luft.

»Je mehr ich darüber nachdenke, umso toller wird die Geschichte!«

In diesem Augenblick klopfte es.

Die Jungen sahen sich an und dann schlug auch schon der Kofferdeckel zu. Peter feuerte die Wäscheleine unters Bett und Francis türmte zum Bad zurück. Dabei rief er: »Herein!« Die Tür öffnete sich und der Etagenkellner kam mit dem Frühstück.

Peter konnte gerade noch einen Sessel über die Stelle schieben, auf der Francis gestanden hatte. Dort war nämlich auf dem Teppich jetzt ein großer nasser Fleck.

»Guten Morgen!«, sagte Peter. »Mister Overseas ist nebenan!«

Der Etagenkellner trat also an die Badezimmertür und klopfte:

»Das Frühstück, mein Herr!«

»Danke schön!«, sagte Francis und zeigte sich jetzt in einem kornblumenblauen Bademantel, der ihm bis an die Fußknöchel ging.

»Ich hoffe, ich habe nichts vergessen!«, meinte der Etagenkellner noch und wollte sich entfernen. Da erregte irgendetwas auf dem Teppich seine Aufmerksamkeit.

»Gestatten Sie!«, sagte er, hob einen nagelneuen Hundertmarkschein auf und legte ihn auf den Tisch. Dann entfernte er sich.

»Der – der muss beim Zuschlagen des Kofferdeckels –«

»Ob – ob der Kellner was bemerkt hat?«

Die beiden Jungen hatten knallrote Köpfe und sprachen plötzlich abgehackt wie Morseapparate.

»Am besten, wir geben den Koffer gleich zurück!«, schlug Peter vor. »Oder wir rufen wenigstens die Polizei an!«

Francis sagte nichts. Er ging zu dem Koffer und klappte den Deckel hoch. Dann legte er den Hundertmarkschein zurück. Gleichzeitig nahm er eines der Banknotenbündel und las die Aufschrift.

»Also *ein* Bündel fünftausend Mark«, jetzt zählte er die Anzahl der Geldpakete. »Achtundzwanzig«, stellte er schließlich fest.

»Und dann noch das Übrige –«

Jetzt hatte Peter plötzlich eine Idee. Er untersuchte aufgeregt das Zeitungspapier, in dem das Geld eingepackt war. Endlich hatte er es. Nämlich das Datum oben am Kopf einer Zeitungsseite: Es war eine Ausgabe des »8-Uhr-Blattes« vom Montag, dem 4. März. Peter überlegte und rechnete nach.

»Tags darauf war ich im ATLANTIC. Ja, es stimmt! Genau am Montag, dem vierten, war der Banküberfall!« Unnötigerweise sagte er noch dazu: »Morgens gegen elf Uhr.«

»Und die Summe stimmt auch«, meinte Francis. »Es sieht so aus, als ob kein Pfennig fehlt.« Dabei schlug er den Kofferdeckel wieder zu und ließ die Schlösser einschnappen.

»Wir müssen sofort die Polizei anrufen!«, mahnte Peter

jetzt schon zum zweiten Mal. »Oder wir verständigen wenigstens Direktor Adler!«

Francis gab keine Antwort. Er nahm nur den Koffer und schob ihn so unter das Sofa, dass nichts mehr von ihm zu sehen war.

»Weißt du, was ein Jogi ist?«, fragte er dabei. Das klang so harmlos, als fragte er nach dem Wetter.

Peter schüttelte den Kopf.

»Daddy war lange Zeit in Indien. Dort gibt es die Jogis. Die haben ausprobiert, dass es eine bestimmte Art von Übungen gibt, die beruhigend wirken und die Konzentration fördern. Wenn Daddy aufgeregt ist und irgendeine wichtige Konferenz vor sich hat, legt er sich zum Beispiel einfach auf den Rücken, stellt die Beine an der Wand hoch und holt tief Luft. Das ist so eine Jogi-Übung. Sogar so ziemlich die wichtigste!«

»Na und?«, fragte Peter.

»Ich bin dafür, dass wir uns jetzt erst einmal beruhigen und konzentrieren«, schlug Francis vor.

»Du meinst –?«

»Am besten, wir legen uns hier nebeneinander und die Beine gegen die Sessel.« Francis setzte sich bereits. »Die Sessel sind genauso gut wie die Wand; Hauptsache, die Beine stehen senkrecht in der Luft!«

Kurz darauf lagen die beiden Jungen nebeneinander auf dem dicken Hotelteppich, hielten ihre Beine senkrecht in die Höhe wie Fahnenstangen und versuchten tief und langsam zu atmen und an rein gar nichts zu denken. So was beruhigt das zentrale Nervensystem ganz ungemein.

## Zwei Detektive »kombinieren«

»Allright«, sagte Francis nach fünf Minuten.

Die beiden Jungen nahmen ihre Beine wieder aus der Luft und standen auf.

Francis ging zum Tisch und goss zwei Tassen Kakao ein.

Peter klopfte seine Pagenuniform sauber und zog den Rock mit den goldenen Knöpfen wieder glatt.

»Prost!«, sagte Francis und nahm seine Tasse.

»Prost!«, antwortete Peter und bediente sich ebenfalls. Die beiden Jungen tranken, bis die Tassen leer waren. Der Kakao war allererste Klasse.

»Zuerst die nackten Tatsachen«, erklärte Francis dann und nahm sich von der Erdbeermarmelade. »Was ist überhaupt passiert?«

Das war eine rein rhetorische Frage und Francis beantwortete sie sich gleich selbst. Dabei spazierte er mit seinem Erdbeermarmeladenbrot zum Fenster. »Am Montag, dem 4. März, werden in einer Bank einhundertzweiundvierzigtausend Mark geraubt.«

»Und zwar von einer insgesamt neunköpfigen Bande«, bemerkte Peter. Er griff gerade nach dem Honig.

»Die Polizei schnappt sieben«, fuhr Francis fort, »aber die sieben behaupten, nicht zu wissen, wo das geraubte Geld geblieben ist, beziehungsweise die Polizei kriegt es einfach nicht aus ihnen heraus; sie erfährt auch nichts über den Chef der Bande.«

»Dieser Chef soll ein internationaler Verbrecher namens ›Schwarze Rose‹ sein«, ergriff jetzt Peter wieder das Wort und nahm einen Schluck aus seiner Kakaotasse. »Bei ihm ist noch sein Komplize, über den überhaupt nichts bekannt ist.«

Francis wippte auf den Zehen und überlegte, dabei bekam er eine Falte quer über die Stirn und sah vor sich auf den Zimmerteppich. »Allright«, sagte er jetzt wieder einmal und marschierte los, immer zwischen dem Fenster und dem Frühstückstisch hin und her. »Heute, am Freitag, dem 15. März, also rund zehn Tage später, liegt das ganze geraubte Geld hier im Hotel ATLANTIC, Zimmer 310, unterm Sofa.«

»Es ist einfach nicht zu glauben!«, bemerkte Peter geradezu feierlich.

Francis unterbrach seinen Spaziergang für einen Augenblick. Aber dann stellte er abschließend fest: »Das sind also die Tatsachen!« Dabei zog er seinen Bademantelgürtel enger zusammen und verknotete den Gürtel. Dann erklärte er: »Von jetzt ab wird die Sache erst interessant! Jetzt geht es nämlich darum, auf Grund der Tatsachen, die man kennt, richtig zu *kombinieren.* Wenn du auch nur eine oder zwei Detektivgeschichten gelesen hast, musst du wissen, dass es allein auf die richtigen Schlussfolgerungen ankommt. Ein Detektiv muss richtig kombinieren können, das ist es!«

Francis nahm ein Stück Würfelzucker vom Frühstückstisch, er warf es in die Luft und fing es im Mund wieder auf. »Ich kombiniere also«, sagte er jetzt: »Die ›Schwarze Rose‹ ist nach dem Banküberfall zuerst einmal untergetaucht. Das viele Geld brannte ihm auf den Fingern und so wollte er es los sein, zumindest bis sich die Polizei wieder etwas beruhigt hatte. Er packte es also in diesen völlig unauffälligen Koffer und gab es zur Gepäckaufbewahrung –«

»Kein Mensch glaubt natürlich, dass in so einem Koffer,

der mit einer Wäscheleine zugeschnürt ist, einhundertzweiundvierzigtausend Mark liegen«, überlegte Peter weiter. »Gar nicht so dumm!«

»Wenn wir jetzt diesen Kriminalkommissar Lukkas anrufen würden«, überlegte Francis, »was würde er tun?« Peter biss sich auf die Unterlippe und legte seinen Zeigefinger an die Nase. Die Sache fing an schwierig zu werden.

Plötzlich sah er auf: »Wir hätten den Koffer gar nicht berühren dürfen!«

»Wieso?«, fragte Francis.

»Wegen der Fingerabdrücke!«

»Wenn diese ›Schwarze Rose‹ wirklich international ist, arbeitet sie mit Handschuhen«, meinte Francis. »Ganz abgesehen davon, dass der Koffer inzwischen von den Leuten bei der Gepäckaufbewahrung wie auch jetzt von dir und mir angefasst worden ist.«

»Das stimmt«, gab Peter zu und überlegte weiter.

»Ganz einfach«, sagte er plötzlich. »Vorerst weiß der Kerl ja nicht, dass sein Koffer weg ist. Er wird also über kurz oder lang zur Gepäckaufbewahrung kommen, um sich sein Geld, also den Koffer abzuholen.«

»Sehr richtig!«, stimmte Francis zu. »Oder er schickt irgendeinen Partner oder einen Mittelsmann.«

»Wir müssen Kriminalkommissar Lukkas anrufen, damit er sofort die Gepäckaufbewahrung überwachen lässt!« Peter wurde schon wieder aufgeregt.

»Hm«, überlegte Francis und grub seine Hände tief in die Taschen des kornblumenblauen Bademantels, »eigentlich ist es jetzt ein Kinderspiel, diese ›Schwarze Rose‹ und ihren Helfer zu fassen. Aber so wie sich dieser Lukkas gestern benommen hat, verdient er es nicht, dass wir ihm die Sache so leicht machen! Nachher bläst er sich bestimmt auf wie ein Luftballon und uns lacht er wieder aus! Übrigens bezweifle ich seine Fähigkeiten!« Francis nahm sich wieder einmal ein Stück Würfelzucker. »Wer garantiert uns, dass er nicht gleich ein ganzes Überfallkommando in der Bahnhofshalle aufmarschieren lässt? Zuzutrauen ist es ihm!«

»Trotzdem müssen wir ihn anrufen!«, beharrte Peter.

»Das wäre *eine* Möglichkeit«, gab Francis zu und sah zum Fenster hinaus.

»Und die zweite?«, wollte Peter wissen.

»Die zweite?«, wiederholte Francis und machte eine lange Pause. Dann drehte er sich um, hielt den Kopf schief und sah Peter an. »I think that is a –« Mitten im Satz merkte er, dass er unwillkürlich wieder einmal Englisch sprach. Er grinste und meinte kurz: »Entschuldigung! Ich meine nur, dass wir die Sache höchstpersönlich und allein in die Hand nehmen sollten.«

Peter schluckte zuerst dreimal, völlig sinnlos, denn er hatte nichts im Mund. Dann sagte er mit einer Stimme, als ob er plötzlich Mandelentzündung hätte: »Und – und warum, wenn ich fragen darf?«

»Ganz einfach«, Francis machte wieder ein paar Schritte zwischen dem Fenster und dem Sofa, dann sagte er nur: »Wegen der fünftausend Mark Belohnung!«

»Fünftausend«, wiederholte Peter. »Davon für jeden von uns die Hälfte.« Er dachte an Mutter Pfannroth und dass sie sich damit eine piekfeine elektrische Nähmaschine kaufen könnte, zwei sogar! Man würde sich dann noch jemanden zur Hilfe nehmen.

»Das Geld hätten wir also«, stellte Francis fest und setzte sich auf das Sofa, unter dem der Koffer lag. »Aber wenn ich mich recht erinnere, war die Belohnung auch für die ›Ergreifung der Täter‹ ausgesetzt. Wenn wir jetzt also den Koffer so einfach aus der Hand geben, laufen wir Gefahr, dass man uns nur einen Teil der fünftausend Mark gibt. Da jagt man dann noch weiter hinter den Gangstern her, eine Menge Leute sehen etwas, geben Hinweise und alle verlangen sie nachher ein Stück von der ausgesetzten Belohnung.«

Francis stand auf und spazierte wieder zum Fenster zurück. »Wie gesagt, ich bin dafür, dass wir vorerst zu keinem Menschen etwas sagen. Was andere können, können wir auch. Im Übrigen habe ich eine ganze Menge Kriminalfilme gesehen und Detektivgeschichten gelesen. Ich weiß Bescheid!«

Peter zog in seinem Sessel die Knie bis unters Kinn und dachte nach.

Da kam Francis vom Fenster her, setzte sich vor Peter auf den Zimmerteppich und kreuzte seine Beine. »Was kann schon passieren? Das Geld haben wir jedenfalls und das nimmt uns auch niemand mehr weg!«

Francis kam dichter an Peter heran. »Es ist wirklich ein Kinderspiel jetzt auch noch diese ›Schwarze Rose‹ und ihren Genossen aufzustöbern! Es wäre eine Affenschande, wenn wir es nicht wenigstens probieren würden! Wer weiß, wie lange der Koffer vielleicht noch in seinem Regal bei der Gepäckaufbewahrung gestanden hätte!«

»Das stimmt!«, überlegte Peter. Und dann meinte er nach einer Weile: »Gut, nehmen wir also an, der Koffer würde erst morgen Abend von uns geholt worden sein.«

»Ich versteh kein Wort!«, gab Francis zu.

»Das bedeutet: Wenn wir bis morgen Abend keine Spur von den beiden Gangstern entdeckt haben, wird Kriminalkommissar Lukkas angerufen. Einverstanden?«

»Einverstanden!«, rief Francis und sprang auf. Er hüpfte in seinem kornblumenblauen Bademantel durchs Zimmer und rieb sich die Hände.

Anschließend nahmen die beiden Jungen den grauen Segeltuchkoffer mit der Nummer 999 an der Seite, verschnürten ihn wieder und stellten ihn in den Kleiderschrank. Dann schlossen sie zweimal ab. Der Schlüssel kam unter den dicken Zimmerteppich, und zwar etwa in die Mitte an die Stelle, über der der Tisch stand. Das kostete einige Mühe.

Dann gab Francis bekannt, dass er sich in einer neuen Rekordzeit anziehen werde.

»Aber bitte nicht ganz so farbig und ohne den Cowboy auf der Brust«, schlug Peter noch vor. Damit stand er auch schon an der Tür und sauste seinerseits in den Umkleideraum zum Erdgeschoss. Er hielt nämlich auch eine zinnoberrote Pagenuniform als Kleidung eines Detektivs für doch etwas zu auffallend.

Fünf Minuten später kamen die beiden nebeneinander durch die Halle.

»Guten Morgen, Mister Overseas«, grüßte Chefportier Krüger.

»Guten Morgen«, antwortete Francis, gab seinen Zimmerschlüssel ab und legte den Luftpostbrief an Mister Overseas auf den Tisch.

»Wird sofort besorgt«, versicherte Herr Krüger.

»Besten Dank! Es ist übrigens ungewiss, wann wir zurück sind«, sagte Francis noch und spazierte zur Drehtür.

»Auf Wiedersehen, Herr Krüger!«, verabschiedete sich Peter und spazierte mit.

Die Jungen auf der Pagenbank rissen die Augen auf, vor allem der kleine Rothaarige. Er hätte gerne etwas gesagt, war aber leider völlig sprachlos.

Jimmy saß draußen im Wagen.

»Hey, Jimmy!«

»Hey, Francis!«, grüßte der schwarze Chauffeur und tippte an seine Mütze. Dann sagte er noch: »Gute Tag, Mister Pite!«

»Morning, Jimmy!«, lachte Peter. Dann ging's los zum Parkplatz vor dem Hauptbahnhof.

»Pay attention, Jimmy!«, meinte Francis, als sie ausstiegen. »Mit unserem Gepäck stimmt etwas nicht!«

Jimmy machte große Augen und ging sofort in Boxerstellung: »What can I do?«

»Quiet, Jimmy!«, beruhigte Francis den Schwarzen. »Schön, dass du uns helfen willst. Und das kannst du bestimmt auch. Vielleicht müssen wir mit dem Wagen jemand verfolgen.«

»O. k.«, grinste Jimmy, krümmte seinen Rücken und tat so, als säße er hinter dem Steuerrad eines Rennwagens.

»Aber das kann eine ganze Weile dauern. Vorerst musst du warten, vielleicht sehr lange.«

»O. k.«, meinte Jimmy wieder und holte grinsend gleich zwei von diesen amerikanischen Kriminalromanen im Taschenformat unter seinem Sitz hervor.

»Dann ist ja alles in Ordnung, Jimmy«, stellte Francis fest und tigerte los, Peter neben ihm.

Der Sheriff saß am Bahnhofseingang, wieder über ein

Kreuzworträtsel gebeugt. Carlos polierte einem Straßenbahner den linken Schuh.

»Exotische Pflanze mit K am Anfang und sechs Buchstaben«, wollte der Sheriff als Erstes wissen.

Aber Peter wandte sich ab und holte ihn etwas zur Seite. »Pass auf, du Knalltüte!«

»Wenn hier jemand Knalltüte sagt, dann ich!«, protestierte der Sheriff. Im Übrigen spitzte er die Ohren.

»Da ist etwas mit Mister Overseas Gepäck«, meinte Peter und erzählte nicht viel mehr, als kurz zuvor auch Francis seinem Jimmy erzählt hatte.

»Gestohlen?«, fragte der Sheriff schließlich und trat aufgeregt von einem Bein aufs andere.

»Das müssen wir jetzt erst feststellen«, gab Peter zu.

»Wäre was für mich! Aber leider –«, bedauerte der Sheriff und zeigte auf seinen Drehstuhl. »Doch wenn es brenzlig wird, stehe ich natürlich zur Verfügung. Vor allem wenn ihr jemanden braucht, der gut schleichen kann. Ich schleiche wie ein Indianer!«

»Vielleicht müssen wir auf dieses Angebot zurückkommen«, meinten die beiden Detektive.

In diesem Augenblick rief der Straßenbahner, dem Carlos gerade wieder die zurückgekrempelten Hosenbeine in Ordnung brachte, ganz laut: »Ich hab's! *Kaktus!*«

Er meinte Sheriffs exotische Pflanze mit den sechs Buchstaben und dem K am Anfang.

## Die Gepäckaufbewahrung wird beschattet

Francis setzte sich eine große Sonnenbrille auf die Nase und zog über sein kurz geschorenes Haar eine graue Sportmütze. Da er sich diese Sportmütze aus Mister Overseas' Zimmer geholt hatte, ging sie ihm ziemlich tief in die Stirn. Aber das war nur gut so.

»Jetzt braucht jeder von uns nur noch eine Zeitung«, erklärte Francis, »damit wir uns notfalls dahinter verstecken können, wenn wir unsere Beobachtungen machen. Das ist nicht neu, aber immer noch das Beste!«

Die beiden Detektive kauften sich also eine »Morgenpost« und ein »8-Uhr-Blatt«. Dann nahmen sie Kurs in Richtung Gepäckaufbewahrung. »Ausgezeichnet!«, sagte Francis plötzlich und blieb stehen. Das war vor dem Schaufenster des Bahnhofsfrisörs.

»Was gibt's«, fragte Peter. Aber dann sah er es auch. Im Glas der Schaufensterscheibe war der Ausgabeschalter der Gepäckaufbewahrung so deutlich zu sehen wie in einem Spiegel.

»Das ist geradezu ideal«, meinte Francis begeistert.

»Allerdings ist alles seitenverkehrt. Das ist zu beachten!«, stellte Peter fest.

Der Schalter drüben lag wie ausgestorben.

Im Augenblick schienen nur zwei Beamte Dienst zu haben. Der eine war älter und ziemlich dick. Er war gerade beim Frühstücken und hatte eine Thermosflasche vor sich stehen. Der andere war noch ziemlich jung und las in einem Heft.

»Eigentlich müssten wir feststellen, ob das Gepäckstück 999 überhaupt noch da ist«, überlegte Francis.

»666«, korrigierte Peter.

»Jedenfalls unser Schrankkoffer«, entschied Francis.

»Es kommt ganz drauf an, ob er auf dem Kopf steht oder nicht.«

»Ich könnte sagen, dass ich vom Städtischen Wasserwerk komme und irgendetwas nachsehen muss«, schlug Peter vor. »Da mache ich mir dann bei den Regalen zu schaffen und gucke mich um.«

»Wir müssen uns vorerst ganz zurückhalten«, meinte Francis. »Wenn du dich jetzt schon zeigst, kennt man dich nachher schon. Im Übrigen ist mir die Sache mit dem Wasserwerk zu gefährlich.«

»Hm –«, überlegte Peter und schob die Unterlippe vor.

Drüben an der Gepäckaufbewahrung regte sich noch immer nichts.

»Und wenn der Sheriff rübergeht?«, fragte Peter plötzlich. »Er müsste einfach möglichst doof durch die Gegend quatschen. Das kann er blendend. Und vielleicht erfährt er dabei, was wir wissen wollen.«

»Einverstanden!«, erklärte Francis. »Es muss auf jeden Fall probiert werden!« Dann gab er noch eine genaue Beschreibung des overseasschen Koffers.

»Ich sage ihm also Bescheid«, meinte Peter schließlich und schlenderte möglichst harmlos durch die Halle.

Francis hielt nach wie vor die Gepäckaufbewahrung scharf unter Beobachtung.

Der Sheriff war sofort Feuer und Flamme. »Kleinigkeit«, behauptete er und zwinkerte vergnügt mit dem linken Auge.

»Wir treffen uns dann um die Ecke bei den Fahrkartenschaltern!«, meinte Peter abschließend.

»Geritzt!«, grinste der Sheriff und spazierte los. Zuerst sah es so aus, als interessierte ihn der Ausgabeschalter der Gepäckaufbewahrung überhaupt nicht. Aber als er an den beiden Beamten vorbeikam, blieb er doch plötzlich stehen, stemmte die Fäuste in die Hüften und sagte nur: »So schön möcht ich's auch mal haben! Die Herren frühstücken und lesen Romane!«

»Und was machst du, wenn dir gerade keiner die Schuhe unter die Nase hält?«, lachte der Dicke und schraubte seine Thermosflasche wieder zu.

»Dann fange ich Fliegen!«, grinste der Sheriff und setzte sich auf die Ausgaberampe. »Heute ist noch nicht viel los«, meinte er dann. »Bei euch wohl auch nicht?«

»Das hängt mit den Zügen zusammen«, meinte jetzt der Jüngere. »Immer wenn Züge kommen oder abfahren, gibt's hier Betrieb.«

»Ich glaube, das wäre nichts für mich. Da stehen doch mindestens so tausend Koffer in den Regalen.«

»Mindestens fünfhundert«, beteuerte der Dicke.

»Mir geht der Hut hoch!«, gab der Sheriff bekannt. »Da käme bei mir bestimmt alles durcheinander.«

»Das ist einfacher, als es aussieht«, beschwichtigte der Dicke und nahm seine Thermosflasche. »Jedes Regal hat ganz bestimmte Nummern.«

»Würde mich eigentlich wahnsinnig interessieren!« Der Sheriff machte bereits einen langen Hals und hielt den Kopf schief.

»Kannst es dir ja mal ansehn«, brummte der Dicke und

trabte mit seiner Thermosflasche los. »Zeig's ihm mal«, meinte er dabei zu dem Jüngeren.

»Sehr freundlich«, erwiderte der Sheriff und kletterte auch schon über die Rampe.

Drüben vor dem Schaufenster des Bahnhofsfrisörs hätten die beiden Detektive jetzt am liebsten einen Freudentanz aufgeführt, aber in Anbetracht der besonderen Umstände verschoben sie es auf später.

Am Ausgabeschalter der Gepäckaufbewahrung geschah jetzt eine ganze Weile nichts mehr.

Der Sheriff war mit dem jüngeren Beamten zwischen den Regalen verschwunden und der Dicke blieb ebenfalls unsichtbar, bis die drei dann gemeinsam zurückkamen.

Der Sheriff schüttelte sich gerade aus vor Lachen und die beiden anderen lachten mit. Dann kletterte Emil Schlotterbeck wieder über die Rampe. Man unterhielt sich noch zwei Minuten lang und dann kam eine junge Frau mit einem Kind an der Hand und hielt ihren Gepäckschein hin. Da tippte der Sheriff mit dem Zeigefinger irgendwo in die Luft und trottete wieder los. Zuerst am Zeitungskiosk vorbei und dann in einem eleganten Bogen zu den Fahrkartenschaltern.

Die beiden Detektive warteten schon.

»Alles in bester Butter!«, erklärte der Sheriff.

»Ist der Koffer noch da?«, fragten Francis und Peter beinahe gleichzeitig. Sie waren natürlich heillos gespannt.

»Leiser!«, mahnte der Sheriff. »Als ich mit dem jüngeren Beamten zwischen den Regalen stand, fragte ich ihn: ›Wenn jetzt zum Beispiel jemand die Nummer 660 will, was geschieht dann?‹ Ich sagte 660, weil die 666 ja in der Nähe sein muss. ›Du bist niedlich‹, meinte der junge Gepäckaufbewahrer und marschierte los. Dann blieb er stehen und zeigte auf ein Regal. ›Da sind alle Nummern von 650 bis 700 drin. Links fängt es an. Also hier ganz rechts: 660!‹ Er war ganz stolz, denn da stand natürlich ein Gepäckstück mit der Nummer 660, ein Rucksack. ›Enorm‹, sage ich und gucke weiter. Und da sah ich ihn auch schon, den Schrankkoffer, auf den ich scharf war und an dem ganz deutlich der Zettel mit den drei Sechsen klebte. Was sagt ihr nun?«

»Ein grauer Schrankkoffer mit hellbraunen Lederecken?«, fragte Francis.

»Jawohl«, versicherte der Sheriff. »Eigentlich wollte ich noch ein zweites Beispiel durchexerzieren, die Nummer 1000 wegen der 999, na ja, ihr wisst schon. Aber das war ja dann nicht mehr nötig.«

»That's o. k.!«, sagte Francis. »Wir sind dir wirklich sehr dankbar. Damit ist uns viel geholfen!«

»Keine Blumen!«, grinste der Sheriff. »Und wenn noch einmal was sein sollte, wie gesagt, ich stehe zu Diensten!« Er verbeugte sich wieder und zog ab.

»Bitte notiere«, meinte Francis und sah auf die Uhr. Peter holte ein Oktavheft und einen Bleistift aus der Tasche.

»Drittens«, diktierte Francis, »um neun Uhr vierzehn stellt Sheriff fest, dass der Schrankkoffer von Mister Overseas unter der Nummer 666 noch bei der Gepäckaufbewahrung steht.«

Unter »erstens« stand die Ankunft des Gepäckstückes 999 im Hotel ATLANTIC verzeichnet, unter »zweitens« der Beschluss, morgen spätestens um 19 Uhr Kriminalkommissar Lukkas zu verständigen.

»– bei der Gepäckaufbewahrung steht.« Peter machte

einen Punkt. Dann steckte er Bleistift und Oktavheft wieder in seine Tasche.

»Ich meine, wir beobachten weiter«, sagte Francis. Und das taten sie dann auch.

## Das Leben fliegt einem richtig weg – stellt Francis fest

Die beiden Detektive entwickelten eine erstaunliche Phantasie, sie taten alles, um ja nicht aufzufallen.

Nachdem sie lange genug vor dem Schaufenster des Bahnhofsfriseurs gestanden hatten, spazierten sie zu den großen Holztafeln mit den aufgeklebten Fahrplänen. Nach einer halben Stunde wussten sie auswendig, wann und woher die letzten Züge ankamen und ob sie Speisewagen hatten oder Schlafwagenabteile.

Dann ging's hinüber zu den Fahrkartenschaltern. Einer dieser Schalter blieb heute offenbar geschlossen. Vor ihm setzten sie sich auf das Messinggeländer. Sie nahmen ihre Zeitungen und versteckten sich hinter ihnen, aber nur bis dicht über die Nase, denn selbstverständlich ließen sie die Gepäckaufbewahrung keinen Augenblick aus den Augen.

Die Zeit verging langsam.

»Vielleicht kommen sie erst zu Pfingsten oder Weihnachten«, meinte Peter und blätterte in seiner Zeitung.

»Jedenfalls warten wir bis auf die letzte Minute«, stellte Francis fest.

»Also bis morgen Abend?«

»Genau neunzehn Uhr.«

»Prost Mahlzeit!«, meinte Peter und pfiff vor sich hin.

Inzwischen war es Mittag geworden und die beiden Detektive bekamen Magenknurren.

»Ich mutmaße«, meinte Francis, »du hast genauso einen Hunger wie ich.«

»Stimmt!«, gab Peter zu.

»Essen wir also Würstchen mit Kartoffelsalat.«

»Einverstanden!«

Die beiden Detektive steckten ihre Zeitungen weg und schlenderten los, die Hände in den Hosentaschen.

Auch vom Würstchenstand aus war die Gepäckaufbewahrung noch zu übersehen. Die beiden Jungen konnten sich also Zeit lassen und bestellten zu ihren Würstchen und dem Kartoffelsalat noch zwei Orangenlimonaden.

Keines der Gepäckstücke, die abgegeben oder geholt wurden, hatte auch nur eine entfernte Ähnlichkeit mit dem overseasschen Schrankkoffer.

Allmählich wurde es Nachmittag, vier Uhr.

Die ersten Hafenarbeiter kamen aus den Werften und die Büroangestellten fuhren aus der Stadt in ihre Wohnungen zurück.

Die beiden Detektive standen wieder einmal vor dem Schaufenster des Bahnhofsfrisörs.

»Irrtum«, stellte Peter gerade fest, »wenn man glaubt, dass Kriminalisten ein aufregendes Leben führen.«

»Abwarten«, meinte Francis und ging los zu den Fahrplänen.

Kurz nach sieben erschien der Sheriff. Er hatte gerade Schluss gemacht, kam durch die Halle gebummelt und sah sich um, als ob er hier völlig unbekannt sei.

Die Detektive saßen gerade auf ihrem Messinggeländer vor dem geschlossenen Fahrkartenschalter und lasen heute nun schon zum vierundzwanzigstenmal in ihren Zeitungen.

Der Sheriff stellte sich einen Meter abseits und drehte ihnen den Rücken zu. Er sah in die Luft und flüsterte: »'n Abend, die Herren! Wie geht's, wie steht's?«

»Danke«, flüsterte Francis zurück. »Leider hat sich noch nichts gezeigt!«

»Ich bewundere eure Ausdauer!«, gab der Sheriff zu.

»Könntest du vielleicht Frau Pfannroth Bescheid sagen?«, fragte jetzt Peter. »Vielleicht dauert es die ganze Nacht und dann telefoniert sie nach der Feuerwehr, wenn ich nicht komme.«

»Ehrensache!«, stellte der Sheriff fest und wollte schon los. Aber da zischte Francis: »Stopp!«

Der Sheriff blieb also stehen.

»Vielleicht ist es wichtiger, dass ich mich zuerst mal wieder im Hotel zeige«, gab Francis zu bedenken. »Direktor Adler alarmiert bestimmt gleich die Polizei, wenn er merkt, dass ich verschwunden bin! Die Feuerwehr genügt ihm dann nicht.«

»Du kannst ja sagen, dass du heute Nacht bei mir bleibst«, schlug Peter vor.

»Ich bin in null Komma nichts wieder da!«, meinte Francis und sprang von dem Messinggeländer. »Passt mir auf wie die Schießhunde!«

»Und wenn du schon dort bist«, überlegte Peter, »für alle Fälle kannst du ja mal in dem Kleiderschrank nachschauen –«

»Ich höre immer Kleiderschrank?«, fragte der Sheriff. »Habt ihr da jemanden eingesperrt?«

»Du hast zu viel Phantasie!«, sagte Peter nur und ließ die Gepäckaufbewahrung nicht aus den Augen.

Nach zehn Minuten kam Francis zurück.

»Alles o. k.«, berichtete er, »Chefportier Krüger weiß Bescheid.«

Sofort machte sich der Sheriff auf die Socken.

»Ist der Koffer noch da?«, fragte Peter, als der Sheriff außer Hörweite war.

»Alles in Ordnung. Der Schlüssel zum Kleiderschrank liegt wieder unter dem Teppich.«

Es war jetzt schon dunkel geworden. Drüben am Schalter der Gepäckaufbewahrung kam die Nachtschicht und löste die bisherigen Beamten ab.

Der Mann vom Zeitungskiosk nahm seine Illustrierten herein und ließ die Rollläden herunter. Da kam der Sheriff zurück, er hatte ein ziemlich großes Paket unter dem Arm.

»Schönen Gruß von deiner Mutter«, grinste der Sheriff und übergab Peter das Paket. Es waren lauter Stullen drin. Man hätte eine Hungersnot damit bekämpfen können.

»Was hat sie gesagt?«, wollte Peter wissen. »Macht sie sich Sorgen?«

»Jedenfalls hat sie es nicht zugegeben. Sie sagte nur, dass du ja alt genug seist und wissen müsstest, was du tust.«

Peter sah auf das Stullenpaket. »Und hast du ihr gesagt, dass es vielleicht die ganze Nacht dauert?«

»Das sei auch so eine Einbildung, hat sie gesagt«, berichtete der Sheriff. »Manche Eltern glauben, dass gut und böse etwas mit Tag und Nacht zu tun hat. Sie sperren ihren Kindern das Taschengeld und den Nachtisch, wenn sie am Abend nur eine halbe Stunde zu spät nach Hause kommen. Wenn sie sich aber den ganzen Tag auf der Straße herumtreiben, das stört sie nicht. Alles Unsinn! Wenn bei einem Kind etwas nicht stimmt, stimmt's nicht, ob's nun vor den Fenstern hell oder dunkel ist.«

Der Sheriff steckte jetzt seine Hände in die Hosentaschen und lehnte sich neben Peter und Francis an die Tafel mit den aufgeklebten Fahrplänen.

Die drei Jungen sagten nichts. Sie sahen nur zu der Gepäckaufbewahrung hinüber und dabei dachten sie alle drei ganz plötzlich an ihre Eltern.

Erst nach einer ganzen Weile sagte der Sheriff: »Übrigens – ich darf auch bleiben. Mein alter Herr hat zwar mit dem Kopf gewackelt, aber dann hat er so was Ähnliches gesagt wie Frau Pfannroth.« Der Sheriff machte eine kleine Pause. Seine Zungenspitze erschien für kurze Zeit im linken Mundwinkel. Dann meinte er noch: »Er kriegt jetzt so links und rechts schon ganz weiße Haare. Mein alter Herr, meine ich. Hm – eigentlich ulkig – aber es ist so. Je älter sie werden, umso netter werden sie. Die Eltern, meine ich jetzt –«

»Und eines Tages sind sie zu alt, um noch netter werden zu können«, meinte Peter und biss sich auf die Unterlippe.

»Das Leben fliegt einem richtig weg«, stellte Francis fest.

Das hatte er wohl irgendwo gelesen.

»Ja, ja«, seufzte der Sheriff. »Nächste Woche werde ich schon vierzehn!«

## Die Verfolgung geht los

Wenn man mit den Nächten nie etwas anderes angefangen hat, als sie zu verschlafen, dann nimmt die erste Nacht, die man wach bleibt, überhaupt kein Ende.

Die drei Jungen lösten sich ab.

Einer lag immer für eine Stunde bei Jimmy im Wagen. Trotzdem schlich die Zeit, als habe sie Sirup an den Schuhsohlen.

Die Halle war manchmal völlig leer. Dann kam wieder ein Zug und spuckte eine Menge Menschen aus. Aber das dauerte nie lange. Die Leute hatten es eilig, nach Hause zu kommen.

Wenn die Polizei ihren Rundgang machte, drückten sich die Detektive jedes Mal hinter die Fahrpläne.

Morgens gegen drei Uhr kamen Putzfrauen und fingen an die Halle auszufegen. Um vier erschienen bereits die ersten Arbeiter, die zur Frühschicht in den Hafen fuhren. Ab fünf wurden die Morgenzeitungen angeliefert, frische Brötchen und Milch für das Bahnhofsrestaurant. Und dann kamen auch schon die Geschäftsleute und schlossen ihre Läden wieder auf. Pünktlich um sieben bog Herr Schimmelpfeng um die Ecke.

»Na, dann ist's Zeit, dass ich auch meine Bürsten und Schuhwichsen wieder raushole«, meinte der Sheriff.

Die drei Jungen waren jetzt wieder vollzählig beieinander.

»Hoffentlich schlaf ich nicht ein, wenn ich heut Nachmittag im Ring stehe«, gähnte Peter.

»Die Meisterschaft hatte ich total vergessen«, gähnte jetzt auch der Sheriff.

»Ihr seid mir die richtigen Kriminalisten!«, stellte Francis fest. Aber dann wurde er angesteckt und gähnte mit.

So gähnten sie also alle drei gleichzeitig.

Und mitten im Gähnen blieb ihnen der Mund offen stehen!

Drüben an der Gepäckaufbewahrung war nämlich plötzlich die Hölle los.

Mit einem Schlag waren die drei Detektive wie elektrisiert. »Umzingeln!«, zischte Francis nur. Gleichzeitig wies er Peter und dem Sheriff ihre Plätze zu, und zwar in der Richtung zum Inneren der Halle. »Vorerst haltet ihr etwa fünfzehn Meter Abstand. Wenn ich mir den Rock aufknöpfe, kommt ihr ganz nahe. Und wenn ich mir mit dem linken Zeigefinger an die Nase tippe, bedeutet das Angriff! Alles klar?« Francis hatte ganz leise gesprochen, aber so schnell wie ein Maschinengewehr.

»Glasklar!«, versicherten Peter und der Sheriff.

»Dann hauen wir ab!«, meinte Francis und spazierte auf die Gepäckaufbewahrung zu.

Die beiden anderen Jungen schwenkten in eleganten Bögen zu ihren angewiesenen Positionen.

Vor dem Schalter der Gepäckausgabe stand ein dicker Dienstmann. Er hatte eine Messingnummer 32 vorn an der Mütze und schimpfte mit sich überschlagender Stimme. Zwischendurch spuckte er immer wieder aus.

»So etwas ist mir in meiner ganzen Dienstzeit noch nicht vorgekommen und ich bin jetzt genau vierundzwanzig Jahre dabei. Nächstes Jahr hab ich Jubiläum, ihr Seifensieder! Mir könnt ihr nichts vormachen! Mir nicht! Wo ist das Gepäckstück?, frage ich zum letzten Mal! Hier ist der Schein mit der

Nummer 999! Und diesen Schein habt ihr nur hergegeben, weil ihr dafür etwas bekommen habt, einen Koffer, wenn ihr's genau wissen wollt, ihr Banditen! So ein Koffer löst sich doch nicht mir nichts, dir nichts in Luft auf!«

Die beiden Gepäckaufbewahrungsbeamten waren völlig aus dem Häuschen. Trotzdem wagte jetzt einer von ihnen zu protestieren: »Die ›Banditen‹ verbitten wir uns!«

Der Dienstmann holte tief Luft und spuckte wieder einmal, dem Beamten, der gerade gesprochen hatte, genau auf die linke Schuhspitze.

»So!«, rief er, »das verbittet ihr euch! Aber das könnt ihr ja gar nicht! Solange ihr euch nämlich irgendwelche Gepäckstücke einfach unter den Nagel ritzt, seid ihr nichts anderes! Banditen, sag ich noch mal und ich nehm's erst zurück, wenn ihr mir das Gepäckstück 999 hier auf die Rampe knallt!«

»Der Koffer ist bestimmt nicht weg! Irgendwie wird sich das noch klären!«, versuchte der Beamte zu begütigen.

»Und was soll ich meiner Kundschaft sagen?«, pustete sich der Dienstmann wieder auf. »Die sitzt schon im Zug und hat keine Ahnung! In zehn – ach was, in genau sieben Minuten ist Abfahrt! Ich muss los! Aber ihr werdet noch was erleben! Die Herren sehen nicht so aus, als ob sie sich das einfach gefallen ließen!«

Der Dicke schnaubte ab und rannte, so gut er konnte – sehr gut konnte er es nicht –, zu den Bahnsteigen.

Francis überlegte blitzschnell, ob er hinterher sollte. Peter und der Sheriff sahen mit fragenden Blicken herüber, auch sie schienen zu erwarten, dass etwas geschehen sollte! Aber Francis winkte ab. Er zog sich unmerklich immer weiter zurück und gab den anderen Jungen ein Zeichen.

Dicht vor Herrn Schimmelpfengs Blumengeschäft trafen die drei zusammen.

»Alles bleibt wie verabredet!«, zischte Francis. »Bestimmt klettern die beiden Gauner jetzt wieder aus ihrem Zug und kreuzen hier auf. Also, wieder auf die Plätze!«

Peter und der Sheriff zogen sich ohne jeden Widerspruch zurück. Es war ein gewagtes Spiel. Aber alles sprach dafür, dass Francis richtig vermutet hatte.

Und so war es auch.

Kaum zwei Minuten später kam ein jüngerer Mensch mit kurz geschorenen schwarzen Haaren, in einem hellen Staubmantel von den Bahnsteigen herübergerannt. Als er etwas näher heran war, rissen Peter und der Sheriff die Augen auf. Dann sahen sie sich an.

Der junge Kerl war nämlich kein anderer als Joe Louis, der Schwergewichtler von »Rot-Weiß«!

»Mein Gepäck!«, rief Joe Louis schon, als er noch gute vier Meter von der Gepäckaufnahme entfernt war. »Aber dalli! Unser Zug geht in drei Minuten!«

Jetzt nahm einer der Beamten den Schein, er sah seinen Kollegen an, dann den jungen Mann mit den kurz geschorenen schwarzen Haaren.

»Wir bedauern es außerordentlich, aber der Dienstmann wird es Ihnen schon gesagt haben, das Gepäckstück 999 ist im Augenblick unauffindbar.«

»Das gibt's doch nicht!«, japste Joe Louis. Er zog aufgeregt an einer Zigarette und sah sich immer wieder nach allen Seiten um.

Peter und der Sheriff waren für alle Fälle in volle Deckung gegangen. Vielleicht kannte er sie doch.

Francis hatte die Hände in den Hosentaschen und hörte interessiert zu.

»Das gibt's doch nicht!«, japste Joe Louis noch einmal, etwas anderes fiel ihm offenbar nicht ein.

»Leider doch!«, versicherte einer der Beamten. »Leider gibt's so etwas!«

»Und – und wie erklären Sie sich das?«

»Ich habe mich gerade mit meinem Kollegen darüber unterhalten«, meinte einer der Gepäckaufbewahrer, »bei der eigenartigen Nummer wäre es möglich – sehen Sie selbst!«

Er stellte jetzt dicht vor dem Gesicht des jungen Mannes den Gepäckschein 999 auf den Kopf.

»Was lesen Sie jetzt?«

»Sechshundertsechsundsechzig«, sagte Joe Louis so langsam, als müsste er ein sehr schwieriges Fremdwort buchstabieren.

»Und ein Koffer mit der Nummer 666 ist noch hier!«, stellte der Beamte fest. »Es ist also möglich, dass ein Reisender mit dem Gepäckschein 666 aus Versehen Ihren Koffer erhalten hat.«

»Das hätte er doch sofort gesehen«, meinte der junge Mann mit den kurzen schwarzen Haaren.

»Oft holen die Reisenden ihr Gepäck nicht selbst ab!«

»Könnte ich dann vielleicht mal den anderen Koffer sehen?«, fragte Joe Louis, »ich meine den mit der Nummer 666.«

»Selbstverständlich«, sagte der Beamte und ging zu den Regalen. Als er wieder zurückkam, hatte er den overseasschen Schrankkoffer bei sich.

»Sie können wirklich beruhigt sein«, stellte der Beamte fest, »der Besitzer dieses Koffers ist offenbar ein Ausländer und, dem Gepäck nach zu schließen, ziemlich vermögend. Wenn er wirklich aus Versehen Ihren Koffer bekommen hat, dauert es bestimmt nicht lange und er lässt ihn wieder zurückbringen.«

»Hatten Sie in Ihrem Gepäck etwas Besonderes?«, wollte der andere Beamte jetzt wissen. »Ich meine, Wertgegenstände oder wichtige Papiere?«

»Das Letztere«, meinte Joe Louis.

»Ziemlich wichtige Papiere! Gestatten Sie?« Jetzt interessierte er sich eingehend für den overseasschen Koffer. Vor allem für die Visitenkarten, die in einer Lederhülle am Handgriff hing.

»Ich hab leider nichts zum Schreiben bei mir. Wenn Sie so freundlich wären, mir den Namen zu notieren? Vielleicht kann ich den Besitzer ausfindig machen und die Sache klären.«

»O-V-E-R-S-E-A-S.« Der Beamter malte Buchstaben für Buchstaben ab, alles, was auf der Karte stand, einschließlich der New Yorker Telefonnummer.

»Mit einer Abreise ist es jetzt natürlich Essig!«, stellte der junge Mann im Staubmantel fest, als er den Zettel mit der Abschrift in seine Tasche steckte. Trotzdem sagte er: »Schönen Dank!«

In diesem Augenblick tauchte der Dienstmann mit der 32 an seiner Mütze wieder auf. »Ihr Begleiter erwartet Sie am Eingang in einer Taxe. Sie sollen sich beeilen.«

Das war für Francis wie ein Startschuss. Er schob sich Schritt für Schritt zur Seite. Bis er Peter erreicht hatte.

»Zu Jimmy! Warte mit dem Wagen am Eingang! Motor eingeschaltet!«

»– müssen Sie eben einen Suchantrag stellen!«, ließ sich gerade einer der Beamten hören.

Der junge Mann, der Joe Louis genannt wurde, grinste so sauer-süß, als habe er in eine Essiggurke gebissen, und verabschiedete sich. Der dicke Dienstmann ging vor ihm her, beide wandten sich zum Eingang der Bahnhofshalle. Francis und der Sheriff folgten in einem Abstand von etwa zehn Metern.

## Von einer Taxe, die davonfährt

Kurz vor dem Eingang zur Bahnhofshalle blieb der junge Mann mit den kurz geschorenen schwarzen Haaren und dem hellen Staubmantel plötzlich stehen. So als ob jemand bei ihm die Bremse gezogen hätte.

Er schien zu überlegen. Dann sah er sich um und verschwand kurz darauf in einer Telefonzelle.

Der Dienstmann mit der Nummer 32 an der Mütze wartete.

Francis und der Sheriff warteten ebenfalls, allerdings in einiger Entfernung.

Durch die Glastür der Telefonzelle konnte man sehen, wie Joe Louis im Telefonbuch blätterte. Er suchte offenbar einen ganz bestimmten Anschluss. Nach einer Weile schien er die Nummer gefunden zu haben und nahm den Hörer ab.

Er führte genau vier Gespräche, dicht hintereinander, sehr kurze Gespräche übrigens. Dann legte er plötzlich den Hörer auf und kam wieder ins Freie.

»Bleib ihm auf den Socken!«, flüsterte Francis und ging

jetzt seinerseits auf die Telefonzelle zu. Er sah sich noch einmal um, dann drückte er sich blitzschnell durch die Tür.

Francis interessierte sich nur für das Telefonbuch, er pfiff durch die Zähne. Die aufgeschlagene Seite zeigte nichts als Hotelanschlüsse, von A bis Z, und unter A stand ziemlich am Anfang das ATLANTIC.

Francis war plötzlich ausgesprochen vergnügt. Er klappte das Telefonbuch zu und türmte los.

Draußen stieg Joe Louis gerade in eine wartende Taxe. Der Dienstmann Nummer 32 zog mindestens dreimal die Mütze. Er musste ein sehr gutes Trinkgeld bekommen haben.

Kaum zehn Meter hinter der Taxe parkte der overseassche Wagen. Peter hielt die Tür auf und Francis sprang hinein.

»Er hat die Hotels abtelefoniert«, grinste Francis und dann sagte er plötzlich: »33 46 60!«

Peter und der Sheriff sahen sich an.

»Das ist die Nummer der Taxe und ich empfehle, sie aufzuschreiben.«

»33 46 60«, wiederholte Peter und angelte nach seinem Notizbuch.

In diesem Augenblick fuhr die Taxe los.

»Go on, Jimmy!« Peter setzte sich ganz tief in den Vordersitz, nur seine Augen und seine Haare mussten jetzt von außen zu sehen sein. »Du musst Abstand halten, damit er nichts merkt. Aber lass ihn ja nicht ausreißen!«

Jimmy nickte.

Trotzdem wiederholte Francis das Ganze nochmals auf Englisch. Jetzt sagte Jimmy: »O. k.«

Es ging vom Bahnhofsplatz in die Mönckebergstraße, über den Rathausplatz und dann dem Hafen zu. Die Taxe fuhr wie das Überfallkommando. Aber Jimmy jagte hinter ihr her, ohne einen Meter zu verlieren.

»Prima!«, quietschte der Sheriff vor Begeisterung.

»Wenn wir jetzt die Polizei verständigen, haben wir sie!«, wagte Peter zu bemerken.

»Und *wie* machen wir das?« Francis sah zu Peter.

»Ich versteh nur die Hälfte, aber es ist einfach prima!«, gab der Sheriff wieder bekannt und schlug die Beine übereinander. »Ich finde, wir müssen ihm jetzt Bescheid sagen«, schlug Peter vor. »Er hat es verdient.«

»Einverstanden«, meinte Francis.

»Pass auf, Sheriff«, fing Peter an.

»– zuerst dein Ehrenwort, dass du keinen Ton weitersagst, zu niemandem!«, unterbrach Francis.

»Ehrenwort!«, versicherte der Sheriff, saß plötzlich kerzengerade und gab jedem der Jungen die Hand.

»Ganz einfach«, erklärte Peter, »die beiden Burschen da vorne in der Taxe sind die ›Schwarze Rose‹ und sein Genosse und das geraubte Geld liegt im Hotelzimmer von Francis im Kleiderschrank. Das wär's!«

»– und wenn sie nicht gestorben sind, dann leben sie noch heute!«, grinste der Sheriff. Dann musste er plötzlich husten. »Stimmt das wirklich, ihr Knalltüten?«

»Ehrenwort!«, sagten Francis und Peter gleichzeitig. In diesem Augenblick geschah es, und zwar an einer Kreuzung. Die Verkehrsampel rückte bereits auf Gelb. Trotzdem jagte die Taxe noch weiter. Jimmy wollte hinterher, aber da sprang ein Schupo vor den Wagen und zeigte in die Höhe. Dort stand das Licht bereits auf Rot. Die Taxe verschwand jenseits der Kreuzung und wurde immer kleiner.

»I beg your pardon!«, rief Jimmy.

Der Schupo drohte wohl mit dem Zeigefinger, aber er grinste dabei. Auch Jimmy grinste jetzt. Und dabei war ihm gar nicht danach zu Mute.

»Fröhliche Weihnachten!«, quietschte der Sheriff.

Als die Kreuzung wieder frei war, schoss der overseassche Cadillac los wie ein Düsenjäger. Aber es nützte nichts, die Taxe blieb verschwunden.

»Was jetzt?«, fragte Peter.

»Zurück zum Hotel!«, entschied Francis, »und zwar so schnell als möglich!«

»Dann die nächste Straße links«, übernahm Peter jetzt das Kommando.

»Es wäre ausgesprochen freundlich, wenn ihr mich wieder am Bahnhof absetzen würdet«, meinte der Sheriff nach einer Weile, »ab acht Uhr habe ich feste Kunden.«

»Das sowieso«, sagte Peter nur und bedeutete Jimmy, dass er jetzt nach rechts abbiegen müsse.

»Um zwölf versammeln sich übrigens alle Jungen an der Shell-Tankstelle bei Kuhlenkamp. Wir gehen ja doch geschlossen zu den Meisterschaften und da treffen wir uns schon vorher, um einiges zu besprechen.« Der Sheriff ließ seine Zungenspitze in den linken Mundwinkel wandern. »Vielleicht könnt ihr uns brauchen, jedenfalls wisst ihr, wo wir sind.«

»Das ist vielleicht ganz wichtig«, überlegte Francis.

Dann war man am Hauptbahnhof und der Sheriff stieg aus.

Im Hotel steuerte Francis zuerst auf die Telefonvermittlung zu.

»Denken Sie bitte scharf nach«, sagte er zu der jungen Frau

am Stöpselkasten, »ist heute früh irgendein Gespräch für Mister Overseas angekommen?«

Die Frau sah aus wie ein Filmstar. »Da brauch ich gar nicht scharf nachzudenken«, lächelte sie. »Für Mister Overseas direkt ist kein Gespräch angekommen, aber vor etwa einer halben Stunde erkundigte sich jemand, ob hier ein Mister Overseas wohnt.«

»Danke!«, sagte Francis wie ein Kriminalbeamter, »das genügt!«

»Bitte sehr«, lächelte die Frau wieder und dann sagte sie: »Hotel Atlantic.« Es hatte nämlich gerade an ihrem Stöpselkasten aufgeleuchtet.

Francis ließ sich die Zimmerschlüssel geben und fuhr mit Peter zum dritten Stock.

Der Fahrstuhlführer hatte eine ganze Menge Zeitungen zum Verkauf ausliegen. Aber das wäre weiter nichts Besonderes gewesen, nur zeigten heute so ziemlich alle Zeitungen auf der ersten Seite das gleiche Bild, ein Foto, das Foto eines Mannes von etwa dreißig Jahren.

Erst zwischen dem zweiten und dem dritten Stockwerk sah sich Peter dieses Foto genauer an. Und da wurde es ihm plötzlich ganz weich in den Knien.

»Eine ›Morgenpost‹!«, stammelte er und kramte zwei Groschen aus seiner Hosentasche.

Natürlich sah Francis, dass Peter in Sekundenschnelle die Gesichtsfarbe gewechselt hatte. Er wollte schon etwas sagen, aber da hielt der Fahrstuhl. Die beiden Jungen stiegen aus.

Peter ging wie im Nebel, er hatte regelrecht »Mattscheibe« und der dicke Korridorteppich schien ihm plötzlich so weich, als versinke er in ihm bis zu den Knöcheln.

»Was hast du denn?«, fragte Francis besorgt.

»Schnauze!«, zischte Peter.

Da kam nämlich Herr Meyer von 477 auf sie zu. Er hatte unter beiden Armen prall gefüllte Aktentaschen und drückte sich jetzt etwas seitlich an die Wand.

»Guten Morgen, die Herren!«, grüßte er auffallend freundlich. »Ein herrliches Wetter heute, nicht wahr?«

Die beiden Detektive sagten weiter nichts als ebenfalls »Guten Morgen« und beeilten sich, so schnell als möglich auf ihr Zimmer zu kommen.

Sie hatten kaum die Tür von 310 hinter sich zugemacht, da platzte Peter los, wie ein Gartenschlauch, der Überdruck hat: »Das ist der Kerl im Ledermantel, der sich während des ganzen Banküberfalls bei mir die Schuhe putzen ließ. Schlangenlederschuhe und mit Kreppsohle, aus der ein Stück so groß wie eine Schuhwichseschachtel herausgebrochen ist.«

Francis hatte inzwischen unter dem Fußteppich nach dem Kleiderschrankschlüssel getaucht und nachgesehen. Der Koffer war noch da. Jetzt kam er zum Tisch, strich die Zeitung glatt und sah sich das Foto genauer an. Der Herr auf dem Bild lächelte, obwohl er der Unterschrift nach dazu eigentlich keinen Grund gehabt hätte. Da stand nämlich:

»Der Chef der Bankräuber, genannt ›Schwarze Rose‹, ein Meter zweiundachtzig groß –«

Der nachfolgende Steckbrief ging bis in die letzten Einzelheiten: Zahnlücke links oben und Narbe von einer Blinddarmoperation, zum Schluss folgte noch der übliche Hinweis, dass man »sachdienliche Mitteilungen« an die Kriminalpolizei Zimmer soundso, Telefonnummer soundso zu richten habe.

Kriminalkommissar Lukkas hatte also endlich aus Paris die richtigen Fotos bekommen.

»Ich bin dafür, dass wir erst einmal ganz kalt duschen«, schlug Francis vor.

»Aber wir müssen doch etwas unternehmen!«, widersprach Peter.

»Und dann frühstücken wir!« Francis nahm den Telefonhörer ab.

»Und dann – was tun wir dann?«, wollte Peter wissen.

»Immer nur kommen lassen! Der Name Overseas wirkt jetzt wie ein Fliegenfänger«, antwortete Francis. Und gleich hinterher sagte er ins Telefon: »Zweimal Frühstück für 310. Den Kakao bitte heute besonders heiß.«

## Vorübergehend spielt ein Telefon die Hauptrolle

Sozusagen mitten in den heißen Kakao hinein klopfte es an die Tür. Die beiden Jungen sahen sich an. Dann warf Francis für alle Fälle den Kleiderschrankschlüssel in eine Blumenvase und rief: »Herein!«

»Ich bitte um Entschuldigung, wenn ich störe«, sagte es und dann wurde eine zinnoberrote Pagenuniform sichtbar.

»Das ist Conny«, stellte Peter vor. »Er boxt auch, allerdings bei Rot-Weiß.«

»Guten Morgen, Conny!« Francis hielt dem Jungen die Hand hin.

»Guten Morgen, Mister Overseas.« Conny nahm die

Hand und verbeugte sich ein wenig. »Ich wollte Sie von einem Vorfall unterrichten.

»Setz dich doch.«

»Sehr freundlich, aber ich bin im Dienst.«

»Also, was gibt's?«

»Seit etwa acht Uhr stehe ich an der Drehtür. Und seit etwa zwanzig Minuten fällt mir eine schwarze Limousine auf, die drüben auf der anderen Straßenseite parkt!« Der hellblonde Junge atmete schnell.

»Und –?«, fragte Francis gespannt.

»Vor etwa fünf Minuten bekomme ich den Auftrag, für 278 aus der Apotheke Spalttabletten zu holen. Zur Apotheke sind es höchstens zweihundert Meter und ich renne los. Plötzlich, als ich an der Limousine vorbeiwill, winkt mir jemand und grinst mich an. Als ich näher komme, denke ich, mich laust der Affe! Sitzt da in der Limousine, die ich beobachtet hatte, hinter dem Steuerrad ein Bekannter aus meinem Boxverein. Er hat kurze schwarze Locken und wird von uns allen –«

»Joe Louis genannt!«, unterbrach Peter und sah zu Francis.

»Sehr interessant!«, meinte der junge Overseas und goss eine Tasse Kakao ein. »Willst du?«

»Ich bin so frei!«, sagte der hellblonde Hotelboy und bediente sich.

»Sie kennen den Kerl also?«, fragte er dabei.

»Flüchtig«, wich Francis aus.

»Er sitzt also hinterm Steuerrad der Limousine und grinst mich an«, fuhr Conny fort, »dann quatscht er durch die Gegend: ›Wusste gar nicht, dass du in so einem piekfeinen Laden bist‹, und so weiter. Bis er die Katze aus dem Sack lässt.

›Prima, dass ausgerechnet du mir über den Weg kommst‹, sagte er. Er wisse, dass ein Mister Overseas bei uns wohne. Welches Zimmer er habe, ob er allein sei und ob er gerade im Hotel wäre? Zuerst denk ich mir nichts dabei und sage, was ich weiß: dass Mister Overseas Zimmer 310 und 312 belegt habe, dass er seit zwei Tagen in London sei und dass Sie, Mister Overseas junior, im Augenblick allein wären. Wie alt Sie wären, wollte er dann noch wissen, wie Sie aussähen, und ganz plötzlich faselte er etwas von einem Koffer, der mit einer Wäscheleine verschnürt sei. Jetzt wird mir die Sache langsam unheimlich und ich sage, dass ich meine Spalttabletten holen müsse. Da gibt er mir zehn Mark. ›Halt aber ja die Schnauze!‹, sagte er noch. ›Vor allem zu diesem Overseas kein Wort!‹ Und dann rauschte er los.« Der hellblonde Hotelboy trank den Rest aus seiner Kakaotasse und verbeugte sich wieder.

»Mehr weiß ich nicht. Aber ich hab das Gefühl, der Kerl spioniert hinter Ihnen her. Und vielleicht ist es gut, wenn Sie das wissen. Übrigens, hier hab ich die Autonummer aufgeschrieben, von der schwarzen Limousine, meine ich. – Schönen Dank für den Kakao! Aber jetzt muss ich los, Mister! Auf 404 wartet die Baronin mit ihren Katzen.«

In der nächsten halben Stunde spielte das Telefon die Hauptrolle. Es fing damit an, dass es schon klingelte, als der hellblonde Page noch nicht ganz aus dem Zimmer war.

»Ein Mister Korda möchte Sie sprechen«, sagte die Zentrale und dann konnte man hören, wie die Leitung gestöpselt wurde.

Francis winkte Peter zu sich und fragte gleichzeitig: »Hallo?«

Die beiden Jungen hatten jetzt ihre Köpfe ganz dicht nebeneinander, nur der Telefonhörer war noch zwischen ihnen.

»Hier spricht Korda«, ließ sich jetzt eine Stimme hören.

»Overseas«, antwortete Francis.

Die zwei Jungen verdrehten die Augen und schielten sich an.

»Ich komme soeben aus London und soll Sie von Ihrem Herrn Vater grüßen. Wir machen Geschäfte zusammen. Er hat mir eine Kleinigkeit für Sie mitgegeben. Wenn es Ihnen passt, bin ich in einer Viertelstunde bei Ihnen im Hotel. Welche Zimmernummer haben Sie, wenn ich bitten darf?«

»310«, antwortete Francis. Er sprach die Zahl so deutlich aus und zog sie in die Länge, um Zeit zum Nachdenken zu gewinnen.

»Ich freue mich sehr, Sie kennen zu lernen. Allerdings –«, Francis hielt seine Hand über die Muschel und flüsterte zu Peter: »Ich fress 'nen Besen, das ist der Kerl! Aber in einer Viertelstunde, das ist zu früh!«

Peter nickte. »Sag ihm, dass du noch in der Badewanne sitzt!«

»Wie meinten Sie?«, fragte jetzt die Stimme aus dem Telefonhörer.

»Wie gesagt, ich freue mich sehr, Sie kennen zu lernen, Mister Korda, allerdings erst in einer Stunde, sagen wir um elf Uhr. Ich sitze nämlich noch im Bad, nebenan wartet der Massör und der braucht leider immer eine halbe Stunde. Im Übrigen bin ich natürlich gern bereit, auch zu Ihnen zu kommen.«

Francis grinste und hielt wieder seine Hand über das untere Ende des Hörers. »Pass mal auf, was er sagt!«

Und da war auch schon wieder die Stimme zu hören. »Keineswegs, lieber Mister Overseas. Sie sollen sich keine Mühe machen. Zudem bin ich unterwegs. Sagen wir also elf Uhr. Ich werde pünktlich sein!«

»Daran zweifle ich nicht!«, flüsterte Francis. Dann nahm er seine Hand wieder von der Muschel und sagte: »Ich darf Sie also um elf Uhr erwarten. Sehr freundlich! Bis nachher, Mister Korda!«

»Bis nachher!«, echote die Stimme und dann wurde am anderen Ende der Hörer aufgelegt.

Francis legte nicht auf. Er bestellte bei der Zentrale ein dringendes Gespräch nach London, Hotel Metropol.

»Sicher ist sicher!«, sagte er dann und ließ erst jetzt seinerseits den Hörer wieder auf den Apparat zurückfallen.

Peter sah auf seine Armbanduhr. »Jetzt ist es zehn Minuten bis zehn. Wir haben also genau siebzig Minuten Zeit!«

»Das müsste genügen«, überlegte Francis. »Er setzt jetzt bestimmt alles auf eine Karte! Nachdem heute sein Bild in allen Zeitungen steht, darf er keine Zeit mehr verlieren. Das macht ihn unvorsichtig.«

»Dass sein Koffer mit dem Geld plötzlich weg ist, das hat ihn natürlich halb um den Verstand gebracht«, überlegte Peter weiter.

»Zwei Dinge wird er jetzt so schnell als möglich wissen wollen: erstens, ob dieser Overseas tatsächlich seinen Koffer hat, und zweitens, wenn er ihn hat, ob er schon weiß, was in ihm drin ist oder nicht.«

»Wenn ich mir das so vorstelle, kann mir der Bursche direkt Leid tun«, grinste Peter.

Um zehn Uhr fünfzehn kam das Gespräch mit London. Es dauerte eine Weile, bis Mister Overseas am Apparat war.

»Hallo, Daddy!«

»Hallo, Francis! Ich sitze mitten in einer Konferenz. Wo brennt's denn?«

»Nichts Besonderes. Ich wollte nur fragen, wie's dir geht und ob du einen Mister Korda kennst. Der hat hier angerufen.«

»Korda? Keine Ahnung!«

»Du hast nicht jetzt in London mit ihm gesprochen?«

»Unsinn. Ich kenne keinen Korda!«

»Na, dann bis morgen oder übermorgen, Daddy!«

»Hör, Francis, lass dich nicht mit irgendjemandem ein, den du nicht kennst!«

»Keine Sorge, Daddy!«

»Dann, so long!«

»So long, Daddy!« Francis legte den Hörer zurück und verschränkte die Arme.

»Noch fünfunddreißig Minuten!« Peter sah wieder einmal auf seine Armbanduhr. »Was machen wir jetzt?«

»Das ist die Frage!«

»Ich finde –«, Peter drückte seine Hände mit den Knien zusammen und sah auf den Zimmerteppich, »– jetzt wäre es vielleicht an der Zeit –«

Francis turnte auf seinen Schuhspitzen. »Ich weiß, was du denkst.«

»Und – was sagst du dazu?«

»Dass es wohl das Beste ist. Wir dürfen jetzt nichts mehr riskieren!« Francis stand auf. »Hast du die Nummer?«

Peter nahm die Zeitung und Francis griff wieder einmal nach dem Telefonhörer.

»Amt bitte –«

»24 –«, las Peter vor.

Francis wählte: »48 – 76 – Ja, hier Overseas –«

»Apparat 311«, flüsterte Peter.

»Bitte Apparat 311«, verlangte Francis.

Peter war mit seinem Kopf jetzt wieder ganz dicht neben ihm.

»Zimmer 247«, meldete sich eine Stimme.

»Hier spricht Francis Overseas, Hotel ATLANTIC. Ich möchte sofort mit Kriminalkommissar Lukkas verbunden werden.«

»Einen Augenblick.«

Und dann: »Lukkas«, weiter nichts.

Die beiden Detektive schluckten, ohne jeden Grund.

»Es handelt sich um den Bankraub«, quetschte Francis schließlich heraus.

»Na und?« Dieses »Na und?« brachte Francis wieder »auf die Palme«. Plötzlich hatte er überhaupt keine Hemmungen mehr.

»Ich wollte Ihnen nur sagen, dass das geraubte Geld hier bei mir im Kleiderschrank liegt und dass diese so genannte ›Schwarze Rose‹ Punkt elf hier aufkreuzt, um es sich zu holen. Vielleicht kommen Sie gleich mal mit einigen Ihrer Herren hier vorbei, um –«

»Wie war Ihr Name?«

*»Overseas.«* Francis musste natürlich wieder einmal jeden Buchstaben einzeln aufsagen.

»Hotel ATLANTIC sagten Sie?«

»Sehr richtig.«

»Zimmer?«

»310.«

»Danke. Wir sind in zehn Minuten da!«

»Aber spätestens und durch den Lieferanteneingang an der Rückseite, wenn ich bitten darf. Ich nehme an, dass der Haupteingang beobachtet wird.«

»Lieferanteneingang«, war noch zu hören und dann klickte es in der Leitung.

»Jetzt wird's ernst«, stellte Peter fest und rieb sich am Kinn. Da klingelte das Telefon schon wieder.

»Overseas«, meldete sich Francis.

»Danke. Hier spricht Lukkas. Ich wollte mich nur vergewissern, dass Sie tatsächlich dort wohnen. In zehn Minuten sind wir da.«

Klick machte es und die Leitung war wieder frei.

»Immerhin«, meinte Francis und nahm jetzt den Kleiderschrankschlüssel wieder aus der Blumenvase.

»Eigentlich müsste ich dem Direktor Bescheid sagen«, überlegte Peter.

»Und dann ist die Frage, ob der Koffer mit dem Geld hier bleibt oder nicht?«

»Wieso?«

»Nehmen wir an, der Kerl kommt früher als die Kriminalbeamten oder er kommt nicht allein und hat vielleicht eine Pistole bei sich, vielleicht sogar eine Maschinenpistole. Vergiss nicht, er soll ein internationaler Halunke sein!«

»Wohin also?«

»Nebenan, das geht nicht, weil er ja weiß, dass Zimmer 310 und 312 zusammengehören.«

Die beiden Detektive nahmen ihre Hände auf den Rücken, zogen Achterlinien auf dem dicken Teppich und überlegten.

»Wir müssen uns trennen!«, meinte Francis plötzlich.

»Wenn hier irgendetwas schief geht, muss wenigstens das Geld in Sicherheit sein.«

»Und *wie* stellst du dir das vor?«

»Zum Beispiel so, dass ich bleibe, während du mit dem Koffer lostürmst. Am besten einfach zu dir nach Hause. Das Einfachste ist immer das Beste!«

»Am Güterbahnhof, Arnoldstr. 27, vierter Stock. Das stimmt. Ich kann mir nicht vorstellen, dass da jemand einhundertzweiundvierzigtausend Mark sucht –«

»Der dickste Geldschrank ist nicht so sicher.« Francis hatte jetzt seine Fäuste tief in den Hosentaschen und wippte auf den Fußspitzen. »Und wenn hier alles geklappt hat, komme ich mit der ganzen Kriminalpolizei gleich zu dir und wir übergeben dann auch das Geld.«

»Nachdem du hier schon die ›Schwarze Rose‹ übergeben hast«, grinste Peter. »Nicht schlecht! Am besten gefällt mir daran, dass auf jeden Fall nichts mit dem Geld passieren kann.«

Peter blieb stehen und sah auf seine Uhr.

»Dann müsste ich allerdings los! Lukkas kann jeden Augenblick eintrudeln.«

»O. k.«, sagte Francis und schloss die Tür zu den Zimmern seines Vaters auf. Hier waren die Vorhänge zugezogen und es war ziemlich dunkel.

Der letzte Raum war das Schlafzimmer, von hier führte wieder eine Tür zum Korridor, sie war nur von der Innenseite mit der Türklinke zu öffnen.

»Jimmy wartet gegenüber auf dem Parkplatz«, flüsterte Francis.

»Und vergiss es nicht«, flüsterte Peter zurück, »am Güterbahnhof, Arnoldstraße 27, vierter Stock!«

Francis spähte jetzt durch das Schlüsselloch auf den Korridor hinaus.

»Alles bestens zu übersehen!«, stellte er fest. »Du wartest jetzt einfach, bis dieser Bursche kommt und in meinem Zimmer verschwindet. Nicht, dass du ihm in die Hände läufst!«

»Mach dir keine Sorgen!«, meinte Peter. »Ich weiß ja, wie er aussieht.«

»Dann Hals- und Beinbruch!«

»Ebenfalls! Und sag dem Direktor Bescheid.«

Eine Minute später war Francis wieder in seinem Zimmer und schloss hinter sich ab. Den Schlüssel steckte er in seine linke Hosentasche.

Dann nahm er den Telefonhörer vom Apparat.

»Bitte Direktor Adler«, sagte er, als sich die Zentrale meldete.

## Ein älterer Herr mit weißem Spitzbart

Direktor Adler war von dem Anruf nicht gerade begeistert, aber er fiel auch nicht gleich vom Stuhl. Schließlich war er Überraschungen gewohnt. In einem Hotelbetrieb gibt es eine ganze Menge davon. Deshalb verließ er, nachdem er den Hörer aufgelegt hatte, ganz ruhig sein Büro.

In der Halle stieß er beinahe mit einem älteren Herrn zusammen, der einen weißen Spitzbart am Kinn hatte. »Ich bitte vielmals um Verzeihung!«, entschuldigte sich der Hoteldirektor. »Aber ich bitte Sie, junger Freund«, lächelte der ältere Herr mit dem Spitzbart und sah sich um. Er schien sehr viel Zeit zu haben.

Am Lieferanteneingang kam Direktor Adler gerade noch zurecht.

Personalportier Pfefferkorn hatte einen knallroten Kopf und sagte nur: »Nein, so was! Nein, so was!«

»Vielleicht fällt Ihnen auch mal was anderes ein?«, fragte gerade einer der vier Herren, die vor ihm standen. »Zum Beispiel, wie wir möglichst unauffällig in den dritten Stock kommen?«

»Wenn die Herren gestatten, mein Name ist Adler. Ich bin der Hoteldirektor.«

»Die Herren sind von der Kriminalpolizei«, warnte Personalportier Pfefferkorn.

»Ich weiß Bescheid«, sagte Direktor Adler. »Wenn ich mich nicht täusche, sind Sie Kriminalkommissar Lukkas?«

Der eine von den vier Männern, der vorher gesprochen hatte, zog seinen Hut. »Stimmt, Lukkas heiße ich. Die anderen Herren darf ich Ihnen später vorstellen, wenn's recht ist. Im Augenblick haben wir dazu keine Zeit.«

»Ich weiß Bescheid«, sagte Direktor Adler wieder und marschierte los. »Bitte folgen Sie mir! Am besten, wir verzichten auf den Fahrstuhl und gehen über die Feuertreppe.«

»Meinetwegen«, knurrte Kriminalkommissar Lukkas. Immerhin war er ein Mann von beinahe zwei Zentnern.

»Im Übrigen wäre ich Ihnen sehr dankbar«, wagte Herr Direktor Adler zwischen dem ersten und dem zweiten Stockwerk zu bemerken, »wenn Sie jedes Aufsehen vermeiden würden.«

»Wir sind gewohnt, in unserem Beruf so diskret als möglich zu arbeiten!«, stellte Kriminalkommissar Lukkas fest.

»Zimmer 310, die zweite Tür rechts, wenn ich bitten darf«,

sagte der Hoteldirektor und streckte seine Hände aus wie ein Verkehrsschutzmann. »Im Übrigen gestatten Sie jetzt wohl, dass ich mich zurückziehe?«

»Bitte!«, erwiderte Kriminalkommissar Lukkas.

»Sollten Sie mich brauchen, ich bin in meinem Büro«, gab Direktor Adler noch bekannt. Dann verbeugte er sich kurz zu jedem der vier Herren und verschwand.

Der Kriminalkommissar ging auf die Tür von Zimmer 310 zu und klopfte an. Als sich nichts rührte, trat er einfach ein. Aber da stand er vor einer zweiten Tür.

»Ach so«, knurrte er und klopfte noch einmal.

»Herein«, rief es von drinnen und der Kriminalkommissar öffnete die Tür. Seine drei Begleiter blieben ihm dicht auf den Fersen.

So weit wär's also schon!, dachte Peter in diesem Augenblick. Er saß auf dem Koffer mit den geklauten einhundertzweiundvierzigtausend Mark dicht hinter der overseasschen Schlafzimmertür und nahm sein Auge nicht vom Schlüsselloch.

Währenddessen ging Francis auf dem dicken Teppich von Zimmer 310 hin und her. Dabei erzählte er seinen Besuchern die Geschichte, die mit einem Gepäckschein 666 anfing und beim Telefonanruf eines gewissen Mister Korda aufhörte.

Kriminalkommissar Lukkas saß in einem der tiefen Klubsessel, hatte die Beine übereinander geschlagen und hörte zu.

»Das wäre im Telegrammstil das Wichtigste und das, was Sie im Augenblick wissen müssen«, sagte Francis schließlich. Er sah auf seine Armbanduhr. »Genau sieben Minuten vor elf! Ich würde vorschlagen, dass sich die Herren nebenan ins Bad begeben oder hier in den Kleiderschrank. Sicher wird dieser Mister Korda sehr pünktlich sein. Aber genauso sicher haut er sofort wieder ab, wenn er die Tür aufmacht und hier die Kriminalpolizei versammelt sieht.«

Kriminalkommissar Lukkas sah den kleinen weißen Rauchwölkchen seiner Zigarre nach. »Sie werden zugeben«, sagte er jetzt, »dass Ihre Geschichte höchst unglaubwürdig ist, Mister Overseas?«

»Trotzdem stimmt sie!«, stellte Francis fest und sah wieder auf seine Armbanduhr.

»Sie brauchen mir nur das Geld zu zeigen und ich glaube Ihnen!«

»Es ist in Sicherheit, wie ich Ihnen sagte. Sie werden es bekommen, sobald wir diesen Menschen hier gefasst haben!«

»Ehrlich gesagt, ich glaube kein Wort. Andererseits sage ich mir, so viel Phantasie, um eine solche Geschichte einfach aus der Luft zu greifen, kann ein einzelner Mensch auch in Ihrem Alter gar nicht allein haben! Und dann bin ich jetzt schon einmal da.« Der Kriminalkommissar stand auf. »Was ist das für eine Tür?«

»Zu den Zimmern von Daddy. Sie ist abgeschlossen.«

»Hm – und hier geht's zum Bad?« Der Kriminalkommissar machte die Badezimmertür auf und sah sich um. »Na schön.«

Die drei Kriminalbeamten verfolgten jede Bewegung ihres Chefs, dabei gingen ihre Köpfe so gleichmäßig hin und her wie bei den Zuschauern auf einem Tennisplatz.

»Weber, Sie kommen mit mir ins Badezimmer«, bestimmte Kriminalkommissar Lukkas, »Inspektor Becker und Blumensaat auf den Korridor.«

»Aber«, widersprach Francis, »wenn die beiden Inspektoren, ich meine, wenn sie gleich wie zwei Polizisten vor der Tür stehen – «

Mitten im Satz brach Francis ab.

Die beiden Inspektoren hatten nämlich inzwischen ihre Mäntel ausgezogen und es zeigte sich jetzt, dass sie darunter regelrechte Frackanzüge anhatten.

»Ganz so dumm sind wir ja auch nicht«, bemerkte Kriminalkommissar Lukkas. Dann meinte er zu den beiden Inspektoren: »Vorsicht, wenn ihr rausgeht. Vielleicht ist der Kerl schon in der Nähe. Am besten, ihr nehmt gleich etwas von dem Zeug hier mit.« Der Kriminalkommissar zeigte auf den Frühstückstisch und fragte noch: »Sie gestatten doch, Mr. Overseas?«

Francis nickte.

Die zwei Inspektoren bedienten sich. Einer nahm den Servierwagen, der andere schnappte sich die Kakaokanne und den Korb mit den Brötchen. Dazu legte er sich noch eine Serviette über den Arm.

Dann gingen die beiden zur Tür und schoben sich im Rückwärtsgang aus dem Zimmer. Dabei sagten sie: »Jawohl, mein Herr! Besten Dank, mein Herr! Das Mittagessen um dreizehn Uhr. Sehr wohl –«, bis sie die Tür hinter sich geschlossen hatten.

»Seitdem Sie mit diesem ulkigen Cowboy auf der Brust bei mir waren, halten Sie wohl nicht mehr allzu viel von der Kriminalpolizei, wie?«, fragte Kriminalkommissar Lukkas und kniff das linke Auge zu.

»Ich möchte Sie nicht beleidigen«, sagte Francis höflich.

»Und jetzt – sind Sie jetzt einigermaßen zufrieden?«

»Nicht schlecht«, gab Francis zu. »Nur die Krawatten

stimmen nicht. Die Etagenkellner haben hier im ATLANTIC weiße Schlipse – «

Peter rutschte aufgeregt auf seinem Koffer mit den einhundertzweiundvierzigtausend Mark hin und her.

Wie waren die zwei Etagenkellner, die jetzt mit dem Rücken voraus auf den Korridor traten, ins Zimmer 310 gekommen?

Irgendetwas stimmte da nicht!

Peter drückte sein rechtes Auge noch dichter ans Schlüsselloch und dachte nach.

Außer Kriminalkommissar Lukkas und seinen drei Begleitern hatte sich bisher niemand blicken lassen. Und Zimmer 310 hatte nur eine einzige Tür und die war ganz einwandfrei zu übersehen. Das heißt, wenn Peter so schräg durchs Schlüsselloch peilte. Aber das tat er die ganze Zeit.

Oder sollten diese beiden Burschen –?

Peter biss sich auf die Unterlippe und fuhr sich mit der Hand durchs Haar. Donnerwetter! Das wäre die einzige Möglichkeit!

Die zwei Etagenkellner waren zehn Meter weitergegangen, dann blieben sie plötzlich stehen. Sie machten sich an ihrem Servierwagen und mit dem Kakaogeschirr zu schaffen, aber gleichzeitig sahen sie sich um, der eine nach links, der andere nach rechts. Dann steckten sie die Köpfe zusammen und tuschelten.

Also doch!

Jetzt war Peter seiner Sache ganz sicher. Plötzlich fiel ihm auch auf, dass diese zwei Kellner genauso breit und groß waren, wie die Männer, die Kriminalkommissar Lukkas begleitet hatten.

Nicht schlecht, Herr Specht!

In diesem Augenblick wurde es vor Peters Schlüsseloch kohlrabenschwarz. So als ob jemand auf der anderen Seite seinen Zylinder über die Türklinke gehängt hätte. Aber das dauerte nur eine oder höchstens zwei Sekunden, dann wurde es wieder heller und heller, bis Peter jetzt ganz deutlich ein schwarzes Stück Stoff erkennen konnte. Dieses Stück Stoff bewegte sich vom Schlüsseloch weg und mit jedem Schritt, den es sich weiter entfernte, war deutlicher zu erkennen, dass es zur Rückenfront eines schwarzen Anzuges gehörte. Dieser schwarze Anzug beziehungsweise der Mann, der ihn trug, ging jetzt schnurgerade auf die Tür von 310 zu.

Peter blieb ganz einfach die Luft weg.

Die Etagenkellner schoben ihren Servierwagen weiter, als ob nichts geschehen wäre.

Der Mann im schwarzen Anzug hatte inzwischen das Zimmer von Francis erreicht. Er öffnete die innere Tür, ohne anzuklopfen, und trat einfach ein.

Kaum war er verschwunden, da ließen die zwei Etagenkellner ihren Servierwagen und das Kakaogeschirr im Stich, kamen im Eiltempo zurück und postierten sich vor Zimmer 310 wie die Wache vor der Toreinfahrt des Bundespräsidenten. Jetzt hatten sie es ja nicht mehr nötig, Versteck zu spielen.

Peter wartete noch einen Augenblick, dann stand er auf. Er nahm den Koffer, öffnete die Tür und trat auf den Korridor. Nach den beiden Kriminalbeamten sah er sich überhaupt nicht um. Er bog sofort nach rechts und spazierte zum Fahrstuhl.

Dort hatte er ausgesprochenes Glück. Als er nämlich gerade auf den Messingknopf drücken wollte, leuchtete die

Skala im Erdgeschoss auf. Das Signallicht kletterte vom ersten in den zweiten und dann zum dritten Stockwerk. Es zischte kurz und dann öffnete sich die Tür.

»Links, das sechste Zimmer«, sagte der Fahrstuhlführer zu einem älteren Herrn, der einen weißen Spitzbart am Kinn hatte.

»Schönen Dank!«, sagte der Herr und wollte losspazieren. Da fiel sein Blick auf den Jungen, der eben einstieg, vor allem auf den Koffer, den dieser Junge bei sich hatte.

Der Herr mit dem weißen Spitzbart drehte sich um, als habe ihn jemand mit einer Stecknadel gepikt. Er wollte etwas sagen – aber die Tür hatte sich bereits geschlossen, es zischte wieder und der Fahrstuhl fiel zum Erdgeschoss zurück.

»Na, Herr Gast?«, grinste der Fahrstuhlführer und sah Peter an. »Du hast ein Leben zurzeit, wie der junge Rockefeller, wie? Aber mich freut's!«

Vor der Tür huschte gerade das zweite Stockwerk vorbei.

»Wenn mein Junge nächstes Jahr aus der Schule kommt, soll er auch hier als Page anfangen. Das ist nie verkehrt.«

Im Erdgeschoss riss der Fahrstuhlführer die Tür auf, als sei Peter wirklich der junge Rockefeller.

»Mit dem Trinkgeld müssen Sie noch warten«, bedauerte Peter, »im Augenblick habe ich nur Hundertmarkscheine bei mir.«

»Du bist richtig!«, lachte der Fahrstuhlführer. Er konnte ja nicht wissen, dass das gar kein Witz war.

Genauso wenig konnte Peter wissen, dass in diesem Augenblick ein älterer Herr mit einem weißen Spitzbart vom dritten Stock herunter über die Treppe rannte, als sei er eben erst konfirmiert worden, zumindest so lange, als er sich unbeobachtet wusste. Als der die Halle erreichte, konnte er gerade noch sehen, wie der Junge mit dem Koffer in der Drehtür verschwand.

Der Spitzbart ging so schnell wie möglich hinter ihm her. Leider führte ihn dabei sein Weg quer durch die Halle. Er musste sich jetzt also zu einer Gangart zwingen, die seinem weißen Spitzbart angepasst war, das heißt, wenn er nicht auffallen wollte, und das wollte er keineswegs.

Als er endlich vor dem Hoteleingang auf der Straße stand, bog der overseassche Cadillac gerade vom gegenüberliegenden Parkplatz zur Straße. Am Steuer saß ein schwarzer Chauffeur und neben ihm dieser Junge. Er hatte seinen Koffer vor sich auf den Knien und umarmte ihn geradezu. Dass er dadurch kaum geradeaus sehen konnte, störte den Jungen offenbar nicht.

Dicht neben dem Hoteleingang parkte eine Limousine mit laufendem Motor. Ihre Vordertür klappte jetzt auf, als der Spitzbart auf sie zukam. Er sprang in den Wagen, riss die Tür zu und dann ging es auch schon los.

»Hinterher!«

Der junge Mann, der mit seinen kurz geschorenen schwarzen Haaren am Steuer saß, wusste offenbar sofort Bescheid. Jedenfalls ließ er den overseasschen Wagen für die nächsten zehn Minuten nicht mehr aus den Augen.

# Herr Meyer von 477

Etwa um diese Zeit explodierte auf Zimmer 310 ein Kriminalkommissar. Dabei hatte sich anfänglich alles so schön programmgemäß entwickelt.

Kriminalkommissar Lukkas war auf dem Rand der Badewanne gesessen und neben ihm sein Inspektor, der Weber hieß. Die Mäntel und Hüte der beiden anderen Beamten lagen über dem Waschbecken. Nebenan wartete der junge Overseas, in einem Klubsessel und die Beine übereinander geschlagen.

Vier Minuten lang geschah nichts.

Dann klopfte es.

Francis sprang im ersten Augenblick wie elektrisiert hoch. Aber er setzte sich gleich wieder und rief: »Herein!«

Im Badezimmer griff Inspektor Weber unwillkürlich nach seiner linken inneren Rocktasche, dort trug er seine Dienstpistole. Aber Kriminalkommissar Lukkas winkte ab und zischte: »Nonsens!«

Inzwischen war nebenan eine Tür gegangen und jetzt sagte eine Stimme: »Pardon, wenn ich störe.«

Danach blieb es bemerkenswert still.

Aha! Typischer Fall von Kurzschluss!, dachte Kriminalkommissar Lukkas. Zuerst spuckt der junge Mann große Töne, und wenn es ernst wird, bleibt ihm die Luft weg! Er stand vorsichtig auf und arbeitete sich auf den Zehenspitzen bis dicht an die Tür.

»Bitte, wollen Sie nicht Platz nehmen? Ich – ich glaube, wir kennen uns –«, ließ sich der junge Overseas endlich wieder hören.

»Danke sehr. Entschuldigen Sie, wenn ich so unangemeldet bei Ihnen eindringe. Mein Name ist Meyer. Meyer mit y nach dem e. Im Gegensatz zu den üblichen Meiers mit einem i.«

Das war für Kriminalkommissar Lukkas zu viel. Er holte tief Luft und dann machte er ganz einfach die Badezimmertür auf. »Kriminalpolizei«, sagte er. »Darf ich um Ihre Ausweise bitten?«

»Oh, das bedaure ich«, meinte Herr Meyer.

»Kann ich mir denken«, knurrte der Kriminalkommissar.

»Sie verstehen mich falsch«, lächelte Herr Meyer und fingerte an der weißen Nelke herum, die er links im Knopfloch seines Rockaufschlags stecken hatte. »Ich bedaure, dass Sie mir offenbar zuvorgekommen sind.«

Kriminalkommissar Lukkas zog die Augenbrauen hoch. »Wie soll ich das verstehen?«

Herr Meyer holte seine Papiere aus der Tasche. »Sie werden es verstehen, wenn Sie sich überzeugen, dass ich Privatdetektiv und hier vom Hotel angestellt bin.«

In diesem Augenblick geschah es. Kriminalkommissar Lukkas explodierte, wie gesagt.

»Es sieht so aus, als ob hier das ganze Haus Detektiv spielt!«

»Ich muss doch energisch bitten!«, protestierte Herr Meyer.

»*Bitten* Sie nicht, antworten Sie!«

»Da müssen Sie allerdings zuerst fragen!«

»Haben Sie heute Vormittag gegen zehn Uhr hier mit diesem jungen Mann telefoniert?« Kriminalkommissar Lukkas zeigte mit seiner Zigarre auf Francis. Die Zigarre war übrigens ausgegangen.

»Nein«, antwortete Privatdetektiv Meyer.

»Kennen Sie einen Mann namens Korda, Mister Korda oder dergleichen?«

»Leider ebenfalls: nein.«

»Welcher Teufel treibt Sie dann ausgerechnet Punkt elf Uhr in dieses Zimmer?«

»Das ist eine längere Geschichte.«

»So, dann will ich Ihnen auch eine Geschichte erzählen!« Kriminalkommissar Lukkas hatte jetzt einen Kopf so rot wie eine Tomate. »Punkt elf Uhr sollte hier ein Mann aufkreuzen, an dem ich ganz außerordentlich interessiert bin. Dank Ihres kriminalistischen Fingerspitzengefühls kommen Sie diesem Mann aber eine oder vielleicht nur eine halbe Minute zuvor! Meine Beamten auf dem Korridor beziehen ihren Posten und der Mann ist gewarnt!«

Kriminalkommissar Lukkas riss in diesem Augenblick zuerst eine und dann die zweite Zimmertür auf. In ihrem Rahmen standen die zwei Inspektoren nebeneinander, wie zwei Möbelpacker, allerdings wie Möbelpacker im Kellnerfrack.

»Das bedaure ich«, bemerkte der Hoteldetektiv.

Aber Kriminalkommissar Lukkas überhörte diese Bemerkung. Er beschäftigte sich jetzt mit den beiden »Etagenkellnern«. »Was ist los?«

Die zwei Herren waren ganz offensichtlich nicht im Bilde.

»Ich denke –«, stammelte der eine.

»Sie sollen nicht *denken,* sondern reden! Haben Sie etwas Besonderes bemerkt?«

»Wir haben uns bereitgehalten!«, sagten die beiden gleichzeitig.

»Schön«, Kriminalkommissar Lukkas schnappte nach Luft, »aber ich meine, ob hier jemand vorbeigekommen ist. Vielleicht auch nur in die Nähe und hat dann wieder kehrtgemacht?«

Die beiden Beamten überlegten.

Dann sagte der eine wieder: »Allerdings, da war ein Herr mit einem weißen Spitzbart. Ein älterer Herr. Er kam aus dem Fahrstuhl –«

»Und?«, fragte Kriminalkommissar Lukkas.

»Er ging dann gleich wieder über die Treppe zurück.«

»Und zwar ziemlich schnell, wie?«

»Stimmt«, bestätigte der Beamte.

»Da haben wir den Salat!«, lachte Kriminalkommissar Lukkas. Aber dieses Lachen klang wie aus einer Gießkanne.

»Und dann war da noch ein Junge mit einem Koffer«, erinnerte sich jetzt der andere Inspektor, »beinahe gleichzeitig mit dem Spitzbart.«

»Das Geld!«, rief Francis und sprang auf. »Wir müssen sofort zum Güterbahnhof!«

»Ich denke, das Geld ist in Sicherheit?«, fragte Kriminalkommissar Lukkas. »Das heißt, wenn überhaupt ein wahres Wort an deiner ganzen Geschichte dran ist!«

»Ich würde ihm glauben, Kommissar!«, ließ sich jetzt wieder Herr Meyer hören. »Ich habe Beweise dafür, dass diese Jungen –«

»Es ist ja zum Wahnsinnigwerden!«, tobte Francis. »Der Junge mit dem Koffer war Peter Pfannroth. Und in dem Koffer ist das ganze Geld. Wenn dieser Spitzbart tatsächlich –«

»Den Rest erzählst du mir im Wagen!«, befahl Kriminalkommissar Lukkas. Er hatte plötzlich begriffen und rannte los.

»Was diesen Koffer betrifft«, rief Hoteldetektiv Meyer hinterher, »so kann –«

Kriminalkommissar Lukkas blieb ruckartig stehen und drehte sich um: »Inspektor Weber, Sie haften mir dafür, dass dieser Herr Meyer mit einem y nach dem e auf meinem Dienstzimmer ist, wenn ich zurückkomme!«

»Ist das eine Verhaftung?«, wollte Herr Meyer wissen.

»Nehmen Sie's, wie Sie wollen!«, rief Kriminalkommissar Lukkas noch und dann sauste er über die Treppen hinunter. Im ersten Stock hatte er seine beiden Beamten und Francis eingeholt, im Erdgeschoss überholte er sie.

Personalportier Pfefferkorn glaubte, das Hotel brennt, als die vier an seinem Glaskasten vorbeirannten. Er rannte hinterher. Aber er sah nur noch, wie der Polizeiwagen, der bisher vor dem Lieferanteneingang geparkt hatte, einen Sprung machte und dann mitten in den Verkehr hineinschoss.

Dieser Verkehr stand ruckartig still, sobald der Polizeiwagen auftauchte. Er hatte nämlich blaue Warnlichter und eine Sirene wie die Feuerwehr.

Straßenbahnen, Autos und Radfahrer stoppten, als ob jemand plötzlich »Stillgestanden!« kommandiert hätte.

## Mutter Pfannroth stammelt: »Du kriegst die Motten!«

Am Güterbahnhof kurvte zur gleichen Zeit der overseassche Cadillac in die Arnoldstraße hinein.

»Also, Jimmy, alles o. k.?«

»O. k., Mister Peter!« Der Schwarze nickte mit dem Kopf.

»Ich jetzt warten und sagen, wo du sein, wenn Francis mit Police kommen!«

»Prima!«, lobte Peter. »Du bist ein very kluger Boy!«

»Thank you«, meinte Jimmy und grinste, dann nahm er seinen Fuß vom Gashebel und fuhr dicht an den Bürgersteig. Peter hatte nämlich auf den Hauseingang von Nummer 27 gezeigt. Direkt davor brachte Jimmy jetzt den Wagen zum Stehen. »Also, bis nachher!«, rief Peter noch und zog ab, mit dem Koffer natürlich. Auch Jimmy stieg aus. Er schob die Mütze aus der Stirn und blinzelte in die Sonne.

»Die Burschen haben keinen blassen Schimmer!«, stellte in diesem Augenblick ein älterer Herr mit einem weißen Spitzbart fest. Er saß in einer schwarzen Limousine und diese Limousine parkte etwa dreißig Meter hinter dem overseasschen Wagen.

»Das macht die Sache leicht!«, meinte der Spitzbart noch und kletterte ins Freie.

»Soll ich nicht lieber mitkommen?«, fragte der junge Kerl, der mit seinen schwarzen, kurz geschorenen Haaren am Steuer saß.

»Es ist wichtiger, dass wir sofort abhauen können. Stell ja den Motor nicht ab, und wenn ich mit dem Koffer aus dem Haus komme, fährst du mir sofort entgegen. Und dann ab mit allen Sachen!« Der Spitzbart zog an seiner Krawatte, wischte sich Staub vom linken Rockärmel und spazierte los, in Richtung zum Hauseingang Nummer 27.

Inzwischen schloss Peter im vierten Stock die Wohnungstür auf.

»Endlich!«, sagte Mutter Pfannroth. »Das ist er!« Sie hatte auf dieses Geräusch des Türaufschließens die ganze Nacht gewartet und jetzt schon wieder den ganzen Vormittag. Im Übrigen hatte sie Besuch. Und zwar gleich von verschiedener Seite: Frau Sauerbier vom Geschäft um die Ecke probierte ihr neues Sommerkleid an. Fleischermeister Winkelmann war vom Weg aus dem Schlachtviehhof auf einen Sprung heraufgekommen und in der Küche machte sich der Gasmann gerade am Zähler zu schaffen.

»Ein Momentchen, Frau Sauerbier!«, sagte Mutter Pfannroth, nahm die Stecknadeln aus dem Mund und ging zur Tür. Dort traf sie ihren Jungen.

»Du lebst also noch!«, japste sie nur und dann bekam Peter links und rechts einen Kuss auf die Nase. Anschließend packte sie eine ganze Hand voll seiner Haare.

»Au!«, sagte Peter.

»Rumtreiber!«, sagte Frau Pfannroth, sonst sagte sie nichts mehr. Sie ließ Peters Haare wieder los und machte sich wie vorher an Frau Sauerbier zu schaffen.

»Die Falte hier an der Seite gefällt mir nicht!«, meinte sie nach einer Weile und dann griff sie nach ihrem Nadelkissen.

»Guten Tag allerseits!«, grüßte Peter.

»Deine Mutter hat bestimmt die ganze Nacht kein Auge zugemacht!«, meinte Frau Sauerbier.

»Aber er sieht auch nicht so aus, als ob er viel geschlafen hätte«, stellte Herr Winkelmann fest. »Und dabei geht's heute um die Meisterschaft!«

»Papperlapapp!«, rief Mutter Pfannroth. »Nachher gibt's ein richtiges Mittagessen und dann ist alles vergessen. Was ist das übrigens für ein Koffer?«

»Es gibt eine Menge zu erzählen«, wich Peter aus. Dann legte er seinen mit der Wäscheleine verschnürten Koffer platt auf den Boden und schob ihn unter das pfannrothsche Familiensofa, so, dass nichts mehr von ihm zu sehen war. »Du wirst dich wundern!«

»Seitdem du ganze Nächte wegbleibst, wundert mich nichts mehr!«, antwortete Mutter Pfannroth.

»Abwarten!«, meinte Peter geheimnisvoll und ging ans Fenster, »vielleicht dauert's nur noch zehn Minuten.« Aber so lange dauerte es gar nicht mehr. Peter sah gerade noch, wie Jimmy drunten am overseasschen Wagen von einer ganzen Menge Kinder umlagert wurde, da ging die Tür.

»Sie entschuldigen!«, sagte ein älterer Herr mit einem Spitzbart am Kinn. »Kriminalpolizei!«

»Du kriegst die Motten!«, stammelte Mutter Pfannroth und ließ sich auf einen Stuhl fallen.

Das war der Augenblick für Meister Winkelmann. Er hatte bisher nichts getan als zugehört und seine Zigarre geraucht. Jetzt stand er auf, legte Mutter Pfannroth seine Hand auf die Schulter und sagte: »Kein Grund zur Aufregung!« Dann baute er sich vor dem Herrn von der Kriminalpolizei auf: »Mein Name ist Winkelmann. Bitte, nehmen Sie Platz!« Dabei zeigte er mit der ausgestreckten Hand auf das pfannrothsche Familiensofa.

Der Herr mit dem weißen Spitzbart zögerte eine Sekunde, aber als in diesem Augenblick auch noch der Gasmann aus der Küche kam, setzte er sich doch. Das war ja hier ein regelrechter Menschenauflauf. Damit hatte er nicht gerechnet.

»Macht zwölf Mark zwanzig«, sagte der Gasmann.

Mutter Pfannroth stand auf und angelte zwölf Mark fünfzig aus der Blumenvase. »Für den Rest kaufen Sie sich eine Zigarre«, meinte sie, aber ihre Gedanken waren ganz woanders. Sie sah jetzt zu ihrem Jungen hinüber und fragte: »Sag ehrlich, ist irgendetwas?«

»Sie können ganz beruhigt sein!«, versicherte der Spitzbart sofort. »Die Sache ist durchaus ehrenhaft, höchst ehrenhaft sogar! Sie werden allen Grund haben, auf Ihren Jungen stolz zu sein!«

»Aber warum denn dann die Polizei? Auch noch die *Kriminal*-Polizei?«, wollte Frau Pfannroth wissen.

»Schönen Dank!«, sagte in diesem Augenblick der Gasmann und verließ die Wohnung.

Wenigstens einer weniger, dachte der Spitzbart. Der Junge zählt nicht. Die zwei Frauen zählen auch nicht. Aber dieser Herr Winkelmann scheint nicht von schlechten Eltern zu sein!

Er sagte also: »Meine Ausweise stehen Ihnen selbstverständlich gerne zur Verfügung –« Der Spitzbart griff lächelnd in seine Rocktasche, aber er deutete diese Bewegung nur an. Gleichzeitig fuhr er übertrieben höflich fort: »Wirklich, ich kann Sie zu diesem Jungen nur beglückwünschen!«

Dann überlegte er sich, wie er jetzt wohl am schnellsten zu dem Koffer kommen könnte. Er wusste ja nicht, wie alles zusammenhing. Aber das war sicher, dass es auf jede Minute ankam.

»Was können wir also für Sie tun?«, fragte Herr Winkelmann.

»Es handelt sich um – einen Koffer, um einen ganz bestimmten Koffer«, sagte der Spitzbart.

»Also der Koffer!«, rief Mutter Pfannroth. »Der hat mir von der ersten Sekunde an nicht gefallen!«

»Ist er gestohlen?«, fragte Frau Sauerbier neugierig.

»Er *war* es«, gab der Herr von der Kriminalpolizei zu und fingerte an seinem silberweißen Spitzbart herum. Dabei fasste er jetzt Peter ins Auge.

»Es wäre sehr freundlich, wenn Sie deutlicher würden«, schlug Fleischermeister Winkelmann vor.

»Im Augenblick kann ich das leider noch nicht«, bedauerte der Spitzbart. »Aber schon bald –«

»Wieso, ist im ATLANTIC irgendwas schief gelaufen?«, fragte jetzt Peter.

»Im Gegenteil«, antwortete der Herr mit dem Spitzbart auf gut Glück.

»Aber dann wollte doch Francis, ich meine Mister Overseas junior, gleich hierher kommen – mit Kriminalkommissar Lukkas und –«

»Schon recht, das stimmt –«

Der Spitzbart hatte jetzt blitzartig begriffen, wie die ganze Sache eingefädelt war. Vor allem hatte er begriffen, dass Kriminalkommissar Lukkas jeden Augenblick hier sein konnte. Er hatte also wirklich keine Zeit mehr zu verlieren. Wenn er nur wüsste, wo dieser verdammte Koffer versteckt war. Von Anfang an hatte er schon die ganze Zimmereinrichtung mit seinen Augen abgesucht. »Hat sich irgendetwas geändert?«, fragte Peter gerade.

»Allerdings«, sagte der Spitzbart jetzt ganz einfach. Dabei wurde sein Ton um eine Etage energischer. »Die Herren erwarten uns im Präsidium. Und zwar sofort. Ich soll dich mit dem Koffer zusammen abholen. Deswegen bin ich hier.«

»Das hört sich an wie Chinesisch«, klagte Mutter Pfannroth. »Ich verstehe kein Wort!«

»Wo ist der Koffer?«, wollte der Spitzbart wissen. »Sie sitzen drauf«, grinste Peter unwillkürlich. »Er liegt unter dem Sofa!«

»Sehr originell!«, gab der Spitzbart zu und stand auf. »Gehen wir also!« Am liebsten hätte er sich selber gebückt. Aber das ging wohl nicht.

»Irgendetwas ist faul an der Sache«, brummte Mutter Pfannroth und schüttelte den Kopf, »irgendetwas ist faul an der Sache!«

»Du musst wirklich keine Angst haben«, meinte Peter. Er kniete sich gerade auf den Fußboden und fischte unter dem Sofa nach dem Koffergriff. Und da – fiel er beinahe in Ohnmacht! Zum Glück merkte niemand etwas, nicht einmal der Herr von der Kriminalpolizei.

Nur Mutter Pfannroth sagte: »Er ist käseweiß um die Nase!« Das war aber schon eine Minute später, als Peter bereits wieder auf den Beinen stand und den Koffer neben sich hatte.

»Wissen Sie bestimmt, dass Francis – ich meine, Mister Overseas junior – nicht mehr hierher kommt?«, fragte Peter und zog dabei das harmloseste Gesicht, über das er verfügte.

»Soweit ich orientiert bin!« Der Spitzbart wusste nicht recht, was er sagen sollte.

»Jedenfalls möchte ich ihm dann hinterlassen, wo wir sind«, bemerkte Peter und holte auch schon sein Notizbuch und einen Bleistift aus der Tasche. »Polizeipräsidium –«, sagte er vor sich hin, »ein bestimmtes Zimmer oder Stockwerk?«

»Zimmer 312«, sagte der Spitzbart aufs Geratewohl. »Das genügt! Aber jetzt müssen wir los!«

»312«, wiederholte Peter noch. Dann legte er das Notizbuch auf den Tisch.

»Also wenn der junge Overseas kommt, da steht drin, wo er uns findet!«

»Also auf jetzt!«, mahnte der Spitzbart und wollte sich jetzt doch nach dem Koffer bücken. Aber Peter kam ihm zuvor. »Ich bitte Sie!«, sagte er höflich. »Bemühen Sie sich nicht!«

»Auf Wiedersehen, meine Herrschaften!«, grüßte der Herr mit dem weißen Spitzbart rundum und zog seinen Hut. »Und machen Sie sich bitte keine unnötigen Gedanken!«

»Tschüss!«, meinte Peter und spazierte mit seinem Koffer hinterher.

»Vergiss die Meisterschaft nicht!«, rief Herr Winkelmann noch und dann waren die beiden weg.

»Irgendetwas ist faul an der Sache!«, jammerte Mutter Pfannroth, als sie wieder mit Frau Sauerbier und Herrn Winkelmann allein war. »Irgendetwas ist faul an der Sache! Ich weiß nur nicht, was!«

»Wer wird denn gleich schwarz sehen«, beruhigte sie Herr Winkelmann, zog an seiner Zigarre und stellte sich ans Fenster.

»Ah, dieser Kriminalrat oder was er ist, wird in dieser schwarzen Limousine gekommen sein. Solche Wagen kann nur die Polizei haben.«

Währenddessen ging der Spitzbart hinter Peter die Treppe hinunter. Soll ich ihm jetzt gleich meine Faust in die Magengegend schlagen oder feure ich ihn nachher ganz einfach aus dem Wagen?, überlegte er gerade. Bleibt die Frage, was besser ist! Er entschied sich für Letzteres. Vor allem im Hinblick darauf, dass es jetzt zuerst einmal wichtig war, wegzukommen.

»Ich freu mich wie ein Schneekönig, dass der Kerl geschnappt ist«, meinte Peter. »War es schwierig?«

»Er hat ein paar Mal um sich geschossen, aber das sind wir ja gewohnt.«

»Und die Belohnung – krieg ich die jetzt gleich auf dem Präsidium?«

»Ja, mein Junge«, lächelte der ältere Herr und dann sagte er: »Beeilen wir uns also!«

Als sie auf die Straße traten, war rund um den overseasschen Wagen ein kleines Volksfest im Gange. Jimmy hatte eine ganze Tüte Bonbons gekauft und fütterte damit die Kinder der gesamten Nachbarschaft. »Hallo, Jimmy!«, rief Peter und ging auf den overseasschen Wagen zu, als sei das die selbstverständlichste Sache der Welt. Jimmy warf den Rest seiner Bonbons in die Luft, lachte und machte die Wagentür auf.

In diesem Augenblick packte der Spitzbart Peter an der Schulter. Gleichzeitig schoss die schwarze Limousine vor. »Entschuldigung«, meinte Peter und tat völlig ahnungslos. »Sie haben Ihren eigenen Wagen?« Dabei machte er bereitwillig kehrt.

»Allerdings«, knurrte der Spitzbart und machte ebenfalls kehrt. In diesem Augenblick geschah es: Peter drehte sich plötzlich und blitzschnell wie ein Kreisel. Der Chauffeur in der schwarzen Limousine sah es zuerst. Er drückte auf die Hupe, um seinen Komplizen zu warnen. Aber um den Bruchteil einer Sekunde zu spät. Der mit der Wäscheleine verschnürte Koffer, mit der Nummer 999 an der Seite, sauste dem Spitzbart bereits mit vollem Schwung und wie ein Schleuderball in die Kniekehlen. Das Durcheinander war vollkommen!

Der ältere Herr mit dem weißen Spitzbart am Kinn lag seiner ganzen Länge nach auf dem Bürgersteig. Der junge Mann, der »Joe Louis« genannt wurde, sprang wie von einer

Tarantel gestochen aus seiner Limousine, die Kinder schrien auf, rannten in einen Hausflur und oben am pfannrothschen Fenster streckte Herr Winkelmann vor Schreck seine Arme in die Luft.

Gleichzeitig war Peter mit zwei Sprüngen am overseasschen Cadillac, warf zuerst den Koffer hinein und dann sich selbst. »Los, Jimmy!«, brüllte er und der Schwarze klemmte sich hinter sein Steuerrad. Als er Gas gab, erschien zuerst das Gesicht von Joe Louis und dann auch noch das des Spitzbarts am Fenster. Zum Glück waren die Fenster geschlossen und im Übrigen hielt Peter von innen die Türklinken zu. Dann machte der Cadillac einen Sprung wie eine Katze, der man auf den Schwanz getreten hat. Die beiden Banditen wurden zur Seite geschleudert und Jimmy raste davon, vorläufig einfach die Arnoldstraße hinunter.

Im Rückspiegel sah Peter noch, wie der Spitzbärtige und Joe Louis in ihre schwarze Limousine stürzten. Aber dann wurde diese Limousine immer kleiner.

Bis vorn am Güterbahnhof plötzlich der Lastzug einer Brauerei quer über der Straße stand. Jimmy ließ den Motor aufheulen und drückte pausenlos auf die Hupe. Aber deswegen brauchte der Lastzug trotzdem seine Zeit.

Er stieß zurück, fuhr wieder vor, stieß nochmals zurück und dann erst kam er so weit zur Seite, dass die Fahrbahn wieder frei wurde.

Jimmy gab augenblicklich Gas und jagte davon, im letzten Augenblick sozusagen. Die schwarze Limousine hatte inzwischen wieder aufgeholt. Sie war so nah, dass sie beinahe den ganzen Rückspiegel ausfüllte.

»Tempo, Jimmy!«, rief Peter.

Die beiden Wagen jagten jetzt mit einem Abstand von etwa dreißig Metern dem Zentrum der Stadt zu.

Bestimmt war für Jimmy noch eine ganze Menge unklar, aber im Großen und Ganzen hatte er begriffen, worum es ging. Peter hatte ihn zum Mindesten darüber aufklären können, dass der Koffer auf dem Rücksitz des overseasschen Cadillac voll »money« war und dass die zwei Burschen in der schwarzen Limousine auf dieses »money« so scharf waren wie zwei Rasiermesser.

Und viel mehr wusste Peter ja selber auch nicht. Nur das eine war sicher: Die Geschichte im ATLANTIC musste schief gegangen sein! Der overseassche Wagen schoss unter eine Hochbahnbrücke und bog dann zur Isestraße ein. Die schwarze Limousine dicht hinterher. Jetzt geht es erst mal darum, allen Verkehrsampeln auszuweichen, dachte Peter. Wenn die Halunken neben uns halten können, garantiere ich für nichts mehr! Es sei denn, irgendwo steht gleich ein Überfallkommando bereit. Ein einzelner Verkehrsschupo hilft überhaupt nichts! Bis der begriffen hat, was los ist, kann es schon zu spät sein. Die Burschen sind jetzt zu allem fähig, und wer weiß, vielleicht haben sie wirklich Pistolen bei sich. Es wäre ihnen zuzutrauen. Und wenn sie uns im Augenblick noch nicht in die Autoreifen knallen, dann nur, weil sie vorerst noch keinen Menschenauflauf veranstalten wollen.

Bei den Hochhäusern hatte Jimmy beinahe einen Radfahrer auf dem rechten vorderen Kotflügel und kurz vor dem Dammtorbahnhof bog er so dicht vor einer Straßenbahn ein, dass zwischen ihm und dieser Straßenbahn höchstens noch für eine Streichholzstärke Platz blieb.

Einen Augenblick lang sah es so aus, als sei die Limousine

abgehängt, aber dann war sie plötzlich wieder da. Ein Omnibus der Linie 22 hatte lediglich für zwei, drei Sekunden die Sicht versperrt.

Peter ließ den overseasschen Wagen jetzt nach links abbiegen. Er wollte versuchen, zum Polizeipräsidium am Sternplatz zu kommen. Vielleicht stand dort ein Tor offen und man brauchte nur in den Hof hineinzufahren. Wenn man Glück hatte, exerzierte auf diesem Hof gerade eine Kompanie der Bereitschaftspolizei. – Leider blieben diese Hoffnungen unerfüllt. Dreimal kurvte der overseassche Wagen rund um den riesigen Block des Polizeipräsidiums. Aber es änderte sich nichts, sämtliche Tore waren und blieben verschlossen, von einer exerzierenden Kompanie ganz zu schweigen. Weit und breit keine Uniform, nicht einmal ein einzelner Posten!

Dass man, wie im Karussell, rund um das Polizeipräsidium herumfuhr, störte die schwarze Limousine nicht, sie fuhr nach wie vor hinterdrein.

Sollte er einfach am Haupteingang halten lassen und dann so schnell wie möglich ins Haus rennen?

Aber es brauchte ja nur die Tür zu klemmen oder drinnen war nicht sofort jemand da oder nur eine Sekretärin oder ein alter Portier, der die Gicht hatte und nicht von seinem Stuhl hochkam –.

Peter war völlig ratlos.

Wenn wenigstens irgendwo gerade ein Fußballspiel vorbei gewesen wäre und er könnte einfach mitten in die Menschenmenge hineinfahren, die dann aus so einem Stadion kommt.

»Haltet den Dieb!«, würde er nur einfach rufen und alles wäre in Ordnung.

»Wo?«, fragte Jimmy in diesem Augenblick. Er kreiste jetzt schon zum fünften Mal im 80-km-Tempo um das Polizeipräsidium. Vermutlich wurde es ihm so langsam schwindelig.

»Rechts!«, sagte Peter und betätigte den Blinker. Er hätte genauso gut »links« sagen können.

In diesem Augenblick fiel Peters Blick auf ein Plakat, das so gelb war wie eine Zitrone. Überall in der Stadt hingen diese Plakate und überall stand mit roter Schrift auf dem zitronengelben Grund: »Jetzt SHELL-Sommeröle!«

Peter hatte dieses Plakat bestimmt schon ein paar hundert Mal gesehen und sich nie etwas dabei gedacht.

Aber darum ging es auch gar nicht. Das zitronengelbe Plakat bedeutete für Peter etwas ganz anderes, es sprang von seiner Hauswand weg und wie der Funke einer Wunderkerze mitten in den overseasschen Wagen hinein. Peter saß plötzlich ganz aufrecht. Dabei nahm er automatisch seinen Zeigefinger an die Nase. Er dachte nach. Aber nur zwei oder drei Sekunden. Dann sah er auf seine Armbanduhr.

»Wo?«, fragte Jimmy wieder einmal. Sie hatten gerade zwei Lastwagen überholt und schossen auf eine Kreuzung zu.

»Links!«, sagte Peter wie aus der Pistole geschossen. Plötzlich wusste er, wohin er wollte.

## Francis überlegt – und sieht plötzlich auf seine Armbanduhr

»– und dann?«, fragte Kriminalkommissar Lukkas. Er stapfte im pfannrothschen Wohnzimmer hin und her, hatte die Hände auf dem Rücken und zog grimmig an seiner Zigarre.

Die beiden Inspektoren standen nebeneinander an der Tür.

»– und dann fuhren sie ab!«, antworteten Mutter Pfannroth und Frau Sauerbier gleichzeitig.

»Also der Spitzbart, Peter und der Koffer?«, fragte jetzt Francis. Er wollte es ganz genau wissen.

»Wobei Peter den Koffer trug«, stellte Herr Winkelmann fest. »Es wird sich gleich zeigen, dass es enorm wichtig ist! Und vorher schrieb er dann noch hier in das Notizbuch, wo er zu finden sei.«

Mutter Pfannroth kramte nach ihrem Taschentuch. Sie hatte nämlich ganz nasse Augen. »Angeblich ging's doch zum Polizeipräsidium und der Kerl mit dem weißen Spitzbart diktierte sogar die Zimmernummer und das Stockwerk.«

»Dass ich nicht lache!«, meinte Kriminalkommissar Lukkas und paffte eine Rauchwolke in die Luft. Dann sagte er nur: »Weiter!«

»Von dem, was im Treppenhaus passierte, haben wir natürlich keine Ahnung«, fuhr Fleischermeister Winkelmann fort, »aber als sie dann beide aus dem Haus kamen, stand ich hier am Fenster. So –« Herr Winkelmann spazierte quer durchs Zimmer und zeigte genau, wie und wo er am Fenster gestanden hatte. »Also die beiden kommen aus dem Haus – was dann?« Kriminalkommissar Lukkas wurde schon ungeduldig.

»Peter mit dem Koffer vorneweg«, berichtete Herr Winkelmann weiter, »er marschiert direkt auf den amerikanischen Wagen zu. Der Schwarze verteilt gerade Bonbons und hat einen halben Kindergarten um sich herum. Als er Peter sieht, lässt er die Kinder Kinder sein und reißt die Wagentür auf. Aber im gleichen Augenblick nimmt der Spitzbart Peter an der Schulter und dirigiert ihn zu seiner schwarzen Limousine. Und Peter geht auch ohne weiteres mit. Von hier oben sah es wenigstens so aus.«

»– und dann?«, fragte Kriminalkommissar Lukkas wieder einmal.

»Dann ging alles ziemlich schnell. Kurz hinter dem cremefarbenen Auto dreht sich Peter plötzlich im Kreis, holt Schwung, und bevor der Spitzbart merkt, was eigentlich los ist, hat er den Koffer zwischen den Beinen und fällt auf die Nase. Peter rennt zu dem amerikanischen Wagen zurück, wirft den Koffer hinein und dann brausen Peter und der Schwarze ab. Gleich darauf jagt der Spitzbart mit seiner schwarzen Limousine hinterher.« Herr Winkelmann spielte mit seiner goldenen Uhrkette und sagte jetzt abschließend nur noch: »Mehr wissen wir nicht!«

Kriminalkommissar Lukkas zog an seiner Zigarre, dann drehte er sich um und fragte Francis nach der Nummer des overseasschen Wagens. »NY 2-27358«, antwortete Francis.

»Inspektor Blumensaat!«, rief Kriminalkommissar Lukkas. »Notieren Sie!«

»NY 2-27358«, wiederholte Francis und der Inspektor schrieb auf. »Marke Cadillac, cremefarben.«

»Sofort Fahndung an alle Funkstreifen«, ordnete Kriminalkommissar Lukkas an. »Sicherstellung des gesuchten Fahrzeugs. Ebenfalls der schwarzen Limousine, die dieses Fahrzeug wahrscheinlich verfolgt.« Kriminalkommissar Lukkas zog an seiner Zigarre und sah Herrn Winkelmann an. »Sie haben nicht zufällig auf die Nummer der Limousine geachtet?«

»Leider nein«, musste Herr Winkelmann zugeben.

»Also los!«

»Jawohl, Herr Kommissar!«, sagte der Inspektor und wollte durch die Tür. Aber da rief Francis plötzlich: »Halt!«, und griff nach dem Notizbuch, das Peter zurückgelassen hatte.

»Ein Page vom Hotel ATLANTIC hat die Nummer festgestellt und Peter hat sie aufgeschrieben! Hier – da ist sie: 771258 –«

Inspektor Blumensaat machte sich eine entsprechende Notiz und Francis wollte das Notizbuch schon wieder aus der Hand legen. Plötzlich pfiff er durch die Zähne. »Was Neues?«, fragte Kriminalkommissar Lukkas.

»Allerdings«, antwortete Francis. »Peter hat ja etwas ganz anderes aufgeschrieben. Nichts von Polizeipräsidium und Zimmernummer! Da, sehen Sie selbst!«

Der Kriminalkommissar nahm das Notizbuch. Er las und war für eine ganze Weile sprachlos. Da stand nämlich: »Der Spitzbart ist gar nicht von der Kriminalpolizei. Er ist die ›Schwarze Rose‹, ganz bestimmt!!!« Das »ganz bestimmt!« hatte tatsächlich drei Ausrufungszeichen und war zweimal unterstrichen.

»Höchst merkwürdig!«, überlegte Kriminalkommissar Lukkas. »Woher wusste er das auf einmal?«

»Das überlege ich mir schon die ganze Zeit«, bemerkte Francis. »Zuerst muss er doch davon überzeugt gewesen sein, dass dieser Kerl von der Kriminalpolizei ist. Sonst hätte er nicht so ohne weiteres den Koffer rausgerückt. Und fünf Minuten später rennt er dem Kerl davon!«

»Höchst merkwürdig!«, wiederholte Kriminalkommissar Lukkas.

»Um Himmels willen, was steht denn in dem Notizbuch?«, fragte Mutter Pfannroth. Sie schnäuzte sich in ihr Taschentuch und dann sah sie Francis mit ihren nassen Augen groß an: »Ich hab entsetzliche Angst!«

Francis sah zum Fenster hinaus, biss sich auf die Unterlippe und wusste nicht, was er sagen sollte.

»Ich gebe die Fahndung durch!«, meinte jetzt der Inspektor, der Blumensaat hieß, und rannte los, um von seinem Polizeiwagen aus zu funken.

»Wenn das noch alles gut geht«, meinte Francis plötzlich, »dann will ich von der ausgesetzten Belohnung nicht einen Pfennig. Dann soll alles für Sie und für Peter sein.« Francis drehte sich um und sagte noch: »Vor Zeugen ist das, als wenn ich's schriftlich gäbe!«

»Du bist ein guter Junge«, lächelte Mutter Pfannroth jetzt. »Aber wenn Peter hier wieder im Zimmer steht, geb ich noch was zu.«

»Entschuldigung«, sagte Francis.

»Schon gut«, erwiderte Mutter Pfannroth.

Und dann sagte Kriminalkommissar Lukkas: »Ich gebe Bescheid, sobald ich etwas weiß!«

»Kann ich etwas helfen? Soll ich mitkommen?«, fragte Herr Winkelmann.

»Sie bleiben wohl besser bei Ihrer Frau, Herr Pfannroth. Die braucht Sie jetzt.«

»Mein Name ist Winkelmann –«

»Ich dachte, Sie wären –«, entschuldigte sich Kriminalkommissar Lukkas.

»Sehr freundlich, aber es stimmt nicht«, verbeugte sich Herr Winkelmann. »Leider!«, fügte er dann noch hinzu. Aber das hörte niemand. Er glaubte zumindest, dass es niemand hörte.

Der Inspektor, der noch an der Tür stand, machte jetzt Platz und ließ den Kriminalkommissar zum Korridor.

»Sie sehen mich mit Peter wieder – oder überhaupt nicht mehr!«, verabschiedete sich Francis von Mutter Pfannroth. Das stammte eigentlich aus einem Theaterstück. Aber daran dachte Francis jetzt nicht. Im Augenblick war das wirklich seine ehrliche Überzeugung. Er folgte dem Kriminalkommissar. Dabei ging er etwas aufrechter als sonst.

Der Inspektor schloss die Tür.

»Dass er sich mit Peter versteht, kann ich mir gut vorstellen«, meinte Mutter Pfannroth.

Draußen schlug jetzt die Wohnungstür.

»Das war heute eine heillos interessante Anprobe!«, stellte Frau Sauerbier fest und stand auf. »Wie im Film!«, gluckste sie noch und verabschiedete sich.

»Aber ich hab's gleich gesagt«, murmelte Mutter Pfannroth vor sich hin, »dass irgendwas faul ist an der Sache!«

»Sie fahren ab!«, meinte in diesem Augenblick Herr Winkelmann. Er stand wieder am Fenster. »Wenn's Ihnen recht ist, bleibe ich noch, Frau Pfannroth?«

»Das *müssen* Sie sogar«, antwortete Mutter Pfannroth und schnäuzte sich wieder einmal in ihr Taschentuch.

Das Polizeiauto bog inzwischen aus der Arnoldstraße zur Innenstadt.

Inspektor Blumensaat saß am Funkgerät und Kriminalkommissar Lukkas drehte sich nach ihm um.

»Geben Sie noch durch: ›Warnung an alle! Insassen schwarzer Limousine 771258 sind möglicherweise bewaffnet.‹«

Der Kriminalkommissar setzte sich wieder geradeaus, sah durch die Windschutzscheibe und dann neben sich zu Francis.

»Na, Mister Overseas junior?«

Francis gab keine Antwort.

»Wenn man in eurem Alter etwas anfängt, glaubt man natürlich immer, dass es gut geht. Dass es auch mal schief gehen könnte, an so etwas denkt ihr wohl gar nicht, wie?«

Kriminalkommissar Lukkas paffte dem jungen Amerikaner jetzt eine Zigarrenrauchwolke mitten ins Gesicht: »Ich spreche mit Ihnen, junger Mann!«

Francis sah auf: »Ja, bitte?«

»Sie ›kombinieren‹ wohl schon wieder, wie?«, fragte Kriminalkommissar Lukkas und kniff sein linkes Auge zu.

»Kombinieren oder nicht, ich stelle mir vor, ich wäre an Peters Stelle, und überlege mir, was ich dann tun würde. Das ist eine verdammte Kiste! Er rast durch die Stadt und der andere ist hinter ihm her. Wo soll er hin? Wo kann er halten? Sobald Jimmy auf die Bremse drückt, ist die schwarze Limousine neben ihm und die Burschen reißen die Türen auf –«

»Genauso ist es«, gab Kriminalkommissar Lukkas zu. »Was würdest du also tun?«

»Wie gesagt, das überleg ich mir die ganze Zeit.«

»Immerhin sind jetzt sechzig Funkstreifen hinter ihnen her«, stellte Kriminalkommissar Lukkas fest.

»Die Stadt ist aber ziemlich groß.«

»Sechzig Wagen sind auch ziemlich viel«, gab Kriminalkommissar Lukkas zu bedenken. »Aber schön, *wo* kann dieser Peter hinfahren? Überlegen wir mal.«

»Nicht mehr nötig!«, rief Francis in diesem Augenblick und sah auf seine Armbanduhr.

## Herr Theobald und die »Schwarze Rose«

»Hiermit eröffne ich die heutige Generalversammlung!«, rief der Sheriff. Er stand auf einem umgekippten Benzinfass und die Schuhputzerjungen saßen rund um ihn herum. »Zuerst erteile ich Herrn Theobald das Wort!«

»Sehr freundlich!« sagte ein kleiner, rundlicher Herr. »Mein Name ist Theobald, von der Firma ›BLITZ-BLANK und Co‹, und ich möchte Sie heute mit den Spitzenprodukten unseres Hauses bekannt machen!« Herr Theobald machte eine längere Pause und beguckte seine Fingernägel.

Es war jetzt genau zehn Minuten nach zwölf und drüben an der Tankstelle ließ sich eine Taxe mit Benzin volllaufen.

»Sehr geschätztes Auditorium!«, fuhr Herr Theobald fort, »Schuhwichse ist, wenn ich es so sagen darf, das Nonplusultra in Ihrem Geschäft. Stimmt das Nonplusultra nicht, stimmt das ganze Geschäft nicht! Die beste Schuhwichse ist für Sie also gerade noch gut genug. Und die beste Schuhwichse ist BLITZ-BLANK! Das ist so wahr, wie ein Viereck vier Ecken hat!«

Der rundliche Herr Theobald bückte sich und kramte in seiner Aktentasche. Als er wieder hochkam, hatte er eine Dose Schuhwichse in der Hand.

»Das ist sie!«, rief Herr Theobald. »Und Sie werden sich wundern! Vielleicht ist einer der Herren so freundlich und stellt sich zur Verfügung?«

»Ist gemacht!«, meinte der kleine Horst Buschke und kam in die Mitte. Dort setzte er sich und streckte seine Beine aus. »Bitte, bedienen Sie sich!«

Herr Theobald war von Horst Buschkes Schuhen nicht gerade begeistert. Er hielt den Kopf schief, schob die Unterlippe vor und überlegte. »Das ist allerdings –«, aber dann pumpte er sich plötzlich den Brustkorb voll Luft und krempelte seine Manschetten um: »Gerade an diesem schwierigen Objekt werde ich Ihnen beweisen –«

Leider kam es dann nicht mehr so weit.

Im gleichen Augenblick bog ein amerikanischer Wagen im Höllentempo von der Straße ab zur SHELL-Tankstelle ein, pausenlos hupend.

»Der hat wohl ’n Knall!« rief der kleine Horst Buschke und sprang auf. »Er hat tatsächlich ’n Knall!«, brüllte jetzt auch ein rothaariger Junge, der Fritz Euler hieß, und sprang ebenfalls auf.

Der amerikanische Wagen jagte, ohne sein Tempo abzustoppen, durch die Tankstelle. Dann drehte er ganz plötzlich nach rechts.

Und da sprangen jetzt auch alle übrigen Jungen auf und rannten auseinander. Das amerikanische Monstrum kam genau auf sie zu und fuhr zwischen sie hinein! Und da waren hinter der Windschutzscheibe jetzt auch Peter und der Chauffeur zu erkennen, aber nur ganz kurz. Dann gab es eine Staubwolke, als der Cadillac zwischen den Jungen ruckartig stehen blieb. Dabei radierten seine Reifen über den Boden und quietschten seine Bremsen wie bei einer Schnellzuglokomotive.

»Unerhört!«, entrüstete sich Schuhwichsevertreter Theobald. »Das ist unerhört!«

Gleichzeitig rief eine Stimme: »Alle herkommen, sofort hinter den Wagen!«

Als Erster stand der Sheriff neben Peter. »Was ist los?«

»Wir haben den Koffer hier drin und –«

In diesem Augenblick quietschten die Bremsen eines zweiten Wagens. Und da sich die Staubwolke inzwischen gelegt hatte, war dieser zweite Wagen deutlich zu erkennen. Es handelte sich um eine rabenschwarze Limousine, die jetzt etwa zehn Meter entfernt hielt. Ihre Türen wurden aufgerissen und zwei Männer stürzten ins Freie. Ein älterer mit einem weißen Spitzbart und ein jüngerer mit einer Lederjacke und kurz geschorenen, schwarzen Haaren.

»Das sind sie!«, brüllte Peter.

»Nicht durchlassen!«, rief der Sheriff. Er hatte begriffen und ließ seine Schuhputzerjungen ganz dicht zusammenrücken. Schließlich standen sie im Halbkreis um den amerikanischen Wagen. Wie eine Mauer. Vorn in der Mitte der Sheriff. Neben ihm Peter und Jimmy.

Der Spitzbart und sein Komplize kamen nur langsam näher.

Die Jungen standen aufrecht und rührten sich nicht.

»Einer müsste zum nächsten Telefon und das Überfallkommando alarmieren!«, stellte Peter fest. Dabei ließ er die beiden Burschen aus der schwarzen Limousine nicht aus den Augen.

»Das mache ich!«, erbot sich der kleine Horst Buschke. Er stürmte sofort los, und zwar im Rücken der Jungen über das Gelände.

Im Rücken der Jungen befand sich auch Herr Theobald. Er kroch unter dem Wagen herum. Seine Aktentasche mit den Schuhwichsdosen der Firma BLITZ-BLANK war überfahren worden. »Es ist unerhört!«, jammerte er immer noch.

Der Spitzbart und sein Genosse waren jetzt bis auf drei Meter herangekommen.

Peter hatte seine linke Hand in der Hosentasche. In dieser Hand hatte er den Wagenschlüssel. Der overseassche Wagen, in dem der Koffer lag, war abgeschlossen.

Der ältere Herr mit dem weißen Spitzbart am Kinn blieb jetzt stehen, sein Komplize ebenfalls. Beide sahen die Jungen an, das dauerte etwa drei Sekunden.

Dann marschierte der Spitzbart auf Peter zu.

»Mach keinen Quatsch!«, sagte er und wollte zwischen Peter und dem Sheriff hindurch. Aber die beiden Jungen standen wie Laternenpfähle, ihre Schultern dicht nebeneinander.

»Sie wünschen?«, fragte der Sheriff.

»Werdet bloß nicht drollig!«, knurrte der Spitzbart und ging jetzt wieder einen Schritt zurück.

»Soll ich –?«, fragte der Kerl mit den kurz geschorenen schwarzen Haaren und brachte seine Fäuste in Boxerstellung.

»Nicht nötig«, meinte der Herr mit dem weißen Spitzbart und sah jetzt abwechselnd Peter und dem Sheriff in die Augen. »Ich hab wenig Zeit, eigentlich gar keine. Macht also keinen Unsinn und rückt den Koffer raus. Sonst werd ich ungemütlich. Ich zähle bis drei. Eins – zwei –«

»– drei – vier – fünf«, zählte der Sheriff weiter.

»Dann tut's mir Leid«, sagte der Spitzbart und hatte plötzlich eine Pistole in der Hand. »Macht Platz! Aber dalli!«

Jetzt wichen die Jungen auseinander. Es blieb ihnen nichts anderes übrig.

»Fünf Meter zurück!« Die Mauer hatte plötzlich ein Loch.

»Du bleibst hier!«

Der Lauf der Pistole war auf Peter gerichtet. »Wo ist der Koffer?« Peter presste die Lippen aufeinander und gab keinen Ton von sich.

Aber da rief der Kerl mit den kurz geschorenen schwarzen Haaren: »Im Wagen! Man sieht ihn durch die Scheibe, er liegt auf den hinteren Sitzen!«

»Aufmachen!«, kommandierte der Spitzbart. »Mach auf«, schlug der Sheriff vor, »es hat doch keinen Zweck!«

»Sehr vernünftig, junger Freund!«, meinte der Spitzbart. »Auf, los jetzt!«

Da heulte plötzlich die Sirene eines Polizeiwagens auf. Das wirkte auf den Herrn mit dem Spitzbart und auf seinen Genossen wie eine kalte Dusche. Beide standen wie erstarrt und sahen sich an.

In diesem Augenblick sagte eine Stimme: »Das ist ja unerhört!« Gleichzeitig flog dem Spitzbart die Pistole aus der Hand.

Weder die Jungen noch die beiden Strolche hatten auf den rundlichen Herrn Theobald geachtet, der unter dem Wagen nach seiner Aktentasche und den Schuhwichseschachteln der Firma BLITZ-BLANK gesucht hatte. Bei diesem Suchen musste er bemerkt haben, wie der Spitzbart die Jungen mit seiner Pistole bedrohte.

Ehrlich empört, mit völlig eingeschmutzter Hose hatte er in dem Augenblick, als die Polizeisirene zu hören gewesen war, dem erstarrten Spitzbart mit den Worten »Das ist ja unerhört!« die Pistole aus der Hand geschlagen.

Dies spielte sich alles in Sekunden ab. Die Lage erkennend, fiel der Sheriff über den Spitzbart her und mit ihm die zehn anderen Jungen.

»Abhauen!«, rief der Schwarzhaarige und wollte losrennen. Blitzschnell handelnd trat ihn Peter ans Schienbein und dann erging es ihm genauso wie seinem spitzbärtigen Genossen: Ein ganzes Knäuel von Jungen hängte sich an ihn und warf ihn zu Boden.

Als Kriminalkommissar Lukkas aus seinem Polizeiauto stieg, sah er sich das allgemeine Durcheinander eine Weile an: Da drüben stand die schwarze Limousine mit der Nummer 771258 und dort der overseassche Cadillac. Der Fall war klar.

Kriminalkommissar Lukkas schickte seine zwei Inspektoren vor, in jedes Durcheinander von Beinen und Armen einen. »Verhaften!«, befahl er.

»Verhaften!«, wiederholten die zwei Inspektoren und stürzten sich in den Kampf.

Kurz danach stand alles mit zerzausten Haaren, roten Köpfen und verschmutzten Kleidern wieder auf den Beinen.

»Guten Tag!«, grüßte Kriminalkommissar Lukkas und sah sich um. Die Jungen wussten nicht, was sie sagen sollten. Nur der Sheriff und Peter antworteten: »Guten Tag, Herr Kriminalkommissar!« Hinterher sagte Peter noch: »Gott sei Dank!«

»Du bist also Peter Pfannroth?«, fragte der Kommissar.

»Jawohl«, gab Peter zu.

»Und du?«

»Emil Schlotterbeck, Herr Kommissar.«

»Genannt der Sheriff«, lächelte Kriminalkommissar Lukkas und kniff sein linkes Auge zu. »Du siehst, ich weiß Bescheid.« Dann ging er ein paar Schritte weiter. Dort standen seine zwei Inspektoren und jeder von ihnen hatte einen der beiden Strolche vor sich, die Hände in Handschellen. »Kriminalkommissar Lukkas, wenn ich mich vorstellen darf.«

»Ich protestiere, Herr Kommissar!«, legte der Spitzbart gleich los. »Ich weiß nicht, wen Sie suchen. Aber ich bin es jedenfalls nicht!«

»Das wird sich herausstellen. Wie heißen Sie?«

»Spiegelberg – Paul Spiegelberg –«

»Haben Sie Papiere?«

»Leider nicht. Aber ich –«

»Ihr Bart geht ab!«, stellte Kriminalkommissar Lukkas plötzlich fest. »Sie gestatten, Herr Spiegelberg?«

»Au!«, rief der Spitzbart. Aber da war er schon kein Spitzbart mehr. Der Kriminalkommissar hatte ihm nämlich den Bart mit einem kurzen Ruck wie ein Heftpflaster vom Kinn gerissen.

»Bleiben Sie dabei, dass Sie Spiegelberg heißen?«, fragte der Kommissar. Er war immer noch sehr höflich.

»Das mit dem Bart war nur ein Scherz.«

»Fasching ist seit drei Monaten vorbei«, meinte Kriminalkommissar Lukkas. Gleichzeitig fing er an dem Herrn, der sich Spiegelberg nannte, den linken Rockärmel und dann das Hemd hochzukrempeln.

»Dazu haben Sie kein Recht!«, protestierte Herr Spiegelberg und wehrte sich, so gut es ging. Der Inspektor musste ihn festhalten.

»Aha, das hat das Vögelchen nicht gerne!«, meinte der Kriminalkommissar. Und dann schnalzte er plötzlich mit der Zunge, als ob er ein ganz besonders gutes Glas Wein getrunken hätte. »Eine schwarze Rose, sieh mal einer an!«

Sämtliche Jungen hingen mit ihren Augen jetzt wie hypnotisiert am Unterarm des Herrn, der sich Spiegelberg nannte. Auf diesem Unterarm war nämlich eine Rose eintätowiert, in schwarzer Farbe und so deutlich wie in einem Lesebuch.

»Die ›Schwarze Rose‹«, stammelte in diesem Augenblick Schuhwichsevertreter Theobald. »Womöglich war die Pistole echt! Dabei hab ich geglaubt –« Es sah so aus, als wolle der kleine, rundliche Herr noch nachträglich in Ohnmacht fallen.

»Richtig, die Pistole!«, rief Peter jetzt und rannte los. Aber dann rief ihn der Kriminalkommissar zurück und einer der beiden Inspektoren musste unter den overseasschen Wagen kriechen. Als er sich wieder aufrichtete, hatte er die Pistole auf seinem Taschentuch liegen.

»Wegen der Fingerabdrücke!«, flüsterte der Sheriff.

»Ist sie wirklich echt?«, wollte der Schuhwichsevertreter wissen.

»Allerdings«, stellte Kriminalkommissar Lukkas fest.

»Und geladen?«

»Auch das.«

»Dann gestatten Sie!«, sagte Herr Theobald und spazierte los. Und dann schlug er plötzlich zu. Bevor es irgendjemand verhindern konnte, hatte der internationale Verbrecher, genannt »Schwarze Rose«, eine Ohrfeige weg. Er machte ein ziemlich dummes Gesicht und der Schuhwichsevertreter sagte: »Entschuldigen Sie, Herr Kommissar, aber das musste sein!«

»Ein aufgelegter Fall von Misshandlung!«, meinte die »Schwarze Rose«.

»Ich kann es nicht mehr ändern«, bedauerte der Kriminalkommissar und dann sagte er: »Gehen wir!«

Die beiden Inspektoren marschierten mit den zwei Gefangenen zum Polizeiauto.

Im gleichen Augenblick kam ein Funkstreifenwagen angebraust. Vorne neben dem Schupo saß der kleine Horst Buschke.

»Da sind wir!«, rief er und sprang ab. »Wo sind die Kanaillen?« Jetzt sprangen auch die Schupos ins Freie.

»Bereits erledigt!«, stellte Kriminalkommissar Lukkas fest.

»Jawohl, Herr Kriminalkommissar.« Die Schupos brausten mit ihrem Funkstreifenwagen wieder ab.

Im Übrigen wurden immer mehr Leute aufmerksam, blieben stehen und sahen zu ihnen herüber.

»Euch zwei brauche ich jetzt auf dem Präsidium«, sagte Kriminalkommissar Lukkas zu Francis und Peter. »Wir müssen ein Protokoll aufnehmen. Und du kommst am besten auch gleich mit.« Damit war der Sheriff gemeint.

»In einer Stunde müssen wir aber im Stadtpark sein!«, stellte Peter fest und sah auf seine Armbanduhr.

»Wieso? Wollt ihr Kastanien sammeln? So weit ist's noch nicht!«, meinte Kriminalkommissar Lukkas.

»Es ist wegen der Jugendmeisterschaft im Boxen«, erklärte der Sheriff. »Peter und ich sind in der Mannschaft und um drei müssen wir da sein.«

»Dann nichts wie los!«, rief der Kriminalkommissar und wollte zu seinem Polizeiauto.

Im gleichen Augenblick tutete eine helle Hupe und dann stand plötzlich der Admiral mit seinem Motorroller vor dem Kommissar und den drei Jungen.

»Hallo, was ist los?«

»Benimm dich«, zischte der Sheriff. »Das ist Kriminalkommissar Lukkas.«

»Fanny Kuhlenkamp heiße ich«, flötete der Admiral.

»Freut mich«, behauptete der Kriminalkommissar.

»Ist ja toll aufregend! Überall redet man schon davon, dass Polizei da wäre und dass man Gangster geschnappt hätte.«

»Sie müssen uns leider entschuldigen«, lächelte Kriminalkommissar Lukkas, »aber wir haben es eilig.«

»Gibt's nichts mehr zu helfen?«, fragte der Admiral enttäuscht. »Dann könnte ich nachher in der Schule sagen, dass ich dabei war.«

»Du könntest zu mir nach Hause fahren«, bat Peter.

»Ja«, sagte Kriminalkommissar Lukkas, »grüßen Sie Frau Pfannroth und Herrn Winkelmann von mir und sagen Sie, alles sei in Ordnung. Und die Jungen würden jetzt mit mir ins Polizeipräsidium fahren.«

»Ins Polizeipräsidium«, wiederholte der Admiral. »Ich werd's ausrichten.«

»Wir seien pünktlich im Stadtpark, sagst du Herrn Winkelmann«, meinte der Sheriff noch.

»Einen schönen Gruß auch von mir«, fügte Peter hinzu. »Und bring meine Boxsachen mit!«

»Wenn ich bloß nichts vergesse!«, flötete der Admiral noch. Dann setzte sie sich wieder auf ihre Vespa, hupte vergnügt und ratterte los.

Francis, Peter und der Sheriff ließen sich's natürlich nicht nehmen, im Polizeiauto zum Präsidium zu fahren. Jimmy musste also den overseasschen Cadillac hinterdreinkutschieren. Ans Steuer der schwarzen Limousine setzte sich einer der Kriminalinspektoren.

»Also bis um drei im Stadtpark!«, rief der Sheriff seinen Jungen noch zu. Dann sollte es losgehen. Aber da sagte Peter plötzlich: »Halt! Der Koffer mit dem Geld!« Er turnte noch einmal ins Freie und rannte zu Jimmy hinüber.

»Donnerlittchen«, knurrte Kriminalkommissar Lukkas, »hätte ich glatt verschwitzt!«

## Kriminalkommissar Lukkas sagt: »Alle Achtung!«

Hoteldetektiv Meyer von Zimmer 477 fing Fliegen. Ganz oben an der Kante des Aktenschrankes saß gerade eine. Herr Meyer kletterte also auf einen Stuhl. Kriminalassistent Kühnast und Inspektor Weber sahen ihm interessiert zu.

Da ging die Tür auf und Kriminalkommissar Lukkas kam ins Zimmer. Mit ihm die drei Jungen, die Inspektoren und die zwei verhafteten Bankräuber.

»Was machen Sie da?«

»Ich vertreibe mir die Zeit, Herr Kommissar. Ich fange Fliegen für Ihre Laubfrösche.«

»Lassen Sie das meine Sorge sein«, knurrte Kriminalkommissar Lukkas. Doch das Knurren klang nicht böse.

»Stellen Sie den Koffer auf den Tisch, Inspektor Blumensaat!«

»Jawohl, Herr Kriminalkommissar!«

Inspektor Blumensaat tat, was ihm befohlen worden war, und Hoteldetektiv Meyer kletterte von seinem Stuhl herunter. Dann holte er eine Morgenzeitung aus der Tasche. Er beguckte sich das Bild auf der ersten Seite und verglich es mit dem Original, das jetzt mit Handschellen an den Handgelenken im Zimmer sand. Dann faltete er die Zeitung wieder zusammen und sagte: »Meine Hochachtung! Ich gratuliere!«

Kriminalkommissar Lukkas blätterte in einer Akte: »– geboren am 17. Februar 1915 – Unterschlagungen in Berlin – wegen vierundzwanzig Einbrüchen verurteilt am 3. November 1946. Dann Paris – Brüssel – Rom. Januar dieses Jahres

Frankfurt und jetzt hier.« Kriminalkommissar Lukkas sah auf. »Nun, Herr Spiegelberg oder wie Sie sonst noch heißen, geben Sie den Bankraub zu – ja oder nein?«

»Ich schwöre Ihnen –«

»Ja oder nein, habe ich gesagt«, beharrte Kriminalkommissar Lukkas und durchblätterte jetzt eine ganze Reihe von Fotos auf seinem Schreibtisch wie Spielkarten. »Wir könnten ein ganzes Familienalbum damit voll kleben. Fingerabdrücke eingeschlossen. Was ist also? Ja oder nein?«

»Ich gebe zu, Herr Kommissar –«, meinte Herr Spiegelberg, alias »Schwarze Rose«.

»Sie geben es also zu?«, fragte Kriminalkommissar Lukkas und zog die Augenbraue hoch.

»Das mit dem Gepäckschein war ein blöder Zufall«, erklärte die »Schwarze Rose«, »aber sonst war das Ganze gut gemacht. Finden Sie nicht auch?«

»Zumindest originell!«, gab Kriminalkommissar Lukkas zu. Und dann diktierte er seinem Kriminalassistenten Kühnast etwas in die Maschine. Der Spitzbart, der jetzt gar keinen Spitzbart mehr hatte, bequemte sich, das Ganze zu unterschreiben, und schließlich sagte Kriminalkommissar Lukkas: »Das hätten wir also! Und jetzt kommt der Koffer an die Reihe!«

Es dauerte eine ganze Weile, bis die Inspektoren Blumensaat und Weber die Wäscheleine aufgeknüpft hatten. Sie klappten den Kofferdeckel hoch und sagten: »Bitte, Herr Kommissar!«

»Ich geb auch zu«, meinte in diesem Augenblick der Kerl in der Lederjacke und mit den kurz geschorenen schwarzen Haaren. »Ich meinte, dass ich auch dabei war. Und bitte, notieren Sie, dass ich mein Geständnis freiwillig abgebe.«

»Kühnast, zählen Sie nach, wie viel in dem Koffer drin ist«, ordnete Kriminalkommissar Lukkas an. Dann sah er sich den jungen Mann, der Joe Louis genannt wurde, von oben bis unten an, als sähe er ihn zum ersten Mal. »Von freiwillig kann jetzt wohl nicht mehr die Rede sein, mein Engel.«

»Eine tolle Rübe!«, flüsterte der Sheriff und schielte zu Francis und dann zu Peter.

»Zwei Adressbücher und ein Telefonbuch. Und dann noch dieser Zettel«, stellte jetzt Kriminalassistent Kühnast fest. »Soll ich das ins Protokoll mit aufnehmen?«

»Was ist das nun wieder für ein Unsinn?«, wollte Kriminalkommissar Lukkas wissen.

»Der Inhalt des Koffers, Herr Kommissar.«

»Wollen Sie damit sagen –?«, knurrte Kriminalkommissar Lukkas und kam blitzartig hinter seinem Schreibtisch hervor. Mit einem Satz, den ihm auch seine besten Freunde nicht zugetraut hätten, war er bei dem Koffer, an dessen Seite immer noch die Nummer »999« klebte. Beinahe gleichzeitig waren auch Francis, Peter und der Sheriff neben ihm.

Aber leider stimmte das, was Kriminalassistent Kühnast gesagt hatte.

In dem Koffer lagen tatsächlich nur die zwei letzten Bände des amtlichen Adressbuches, zwischendrin noch ein Telefonbuch, weiter nichts.

Das Geld war weg!

»Ich krieg die Motten!«, stöhnte Peter.

»Wie ist denn das möglich?«, fragte der Sheriff und hatte eine ganz weiße Nasenspitze.

»Ich ›kombiniere‹«, meinte Francis und zog bereits wieder einmal seine Stirn in dicke Denkerfalten.

»Quatscht jetzt keinen Unsinn!«, meinte Kriminalkommissar Lukkas. »Sie sagten noch etwas von einem Zettel, Kühnast!«

»Hier, Herr Kommissar«, sagte Kriminalassistent Kühnast.

»Steht was drauf?«, fragte Francis gespannt.

»Ich heiße Gottfried mit Vornamen«, bemerkte in diesem Augenblick der Hoteldetektiv.

»Darf ich Sie um eine Erklärung bitten«, sagte Kriminalkommissar Lukkas. Dabei gab er den Zettel an die drei Jungen weiter. Auf diesem Zettel stand: »Inhalt entnommen, Gottfried Meyer, Zimmer 477.«

»Ich verstehe kein Wort!«, gab Peter zu.

»Dabei ist es so einfach!«, lächelte Hoteldetektiv Meyer. Er war jetzt plötzlich der Mittelpunkt und alle sahen ihn an. »Ich bin im ATLANTIC Hoteldetektiv.«

»Wissen wir allmählich«, knurrte Kriminalkommissar Lukkas.

»Schön«, fuhr Herr Meyer von 477 höflich fort. »Sie können sich also vorstellen, dass ich mich für alles interessiere, was im Hotel vorgeht. Nun, die beiden jungen Herren fielen mir auf. Ich meine Herrn Overseas junior und den Pagen Peter Pfannroth.«

»Wieso?«, fragten Francis und Peter gleichzeitig.

»Es kam so einiges zusammen«, wich Herr Meyer von 477 aus, »und dann hat man so etwas in der Nase. Dazu wäre noch zu sagen, dass mich die Hoteldirektion ausdrücklich darum gebeten hatte, während der Abwesenheit von Mister Overseas seinen Jungen besonders im Auge zu behalten. Herr Direktor Adler war sehr besorgt um den jungen Herrn.«

»Mich interessiert jetzt nur, wo das Geld ist«, sagte Francis.

»Einen Moment müssen Sie sich noch gedulden«, meinte der Hoteldetektiv. »Zuerst wurde ich hier durch diesen Koffer aufmerksam. Ich sah, wie ihn der Page Peter Pfannroth ins overseassche Zimmer trug. Ein derartiger Koffer, mit einer Wäscheleine verschnürt, konnte keinesfalls zum Gepäck von Mister Overseas gehören. Das war gestern früh und von diesem Augenblick an nahm ich mir vor, die beiden jungen Herren sehr eingehend zu beobachten. Leider wurde nichts daraus. Ich muss zugeben, dass ich sie aus den Augen verlor. Sie fuhren mit dem Wagen weg und kamen nicht zurück, bis auf den jungen Mister Overseas. Aber als er um die Mittagszeit für einen kurzen Augenblick wieder im Hotel auftauchte, wurde ich vom Portier zu spät informiert. Ich erfuhr lediglich, dass die beiden jungen Herren auch während der ganzen Nacht nicht zurückkommen würden. Angeblich sollte Mister Overseas junior bei dem Pagen Peter Pfannroth zu Hause übernachten. Ich hatte meine Bedenken und handelte.«

»Vermutlich hatten Sie es vor allem auf diesen Koffer abgesehen«, stellte Francis fest.

»Sehr richtig, Mister Overseas«, gab der Hoteldetektiv zu, »ich war also so frei, Ihr Zimmer zu betreten. Da ich immer noch hoffte, Sie würden während der Nacht zurückkommen, tat ich es allerdings erst in den frühen Morgenstunden des heutigen Tages. Ich konnte den Koffer jedoch zuerst nicht entdecken. Aber da war dann noch der verschlossene Kleiderschrank. Dass der Schlüssel abgezogen war, machte die Sache verdächtig. Ich öffnete also –«

»Haben Sie den Schlüssel gefunden?«, wollte Peter wissen.

»Das war nicht nötig«, lächelte Herr Meyer von 477, »ich bin im Öffnen von verschlossenen Türen ziemlich erfahren.«

»– dann haben Sie den Koffer entdeckt, aufgemacht und das Geld einfach herausgenommen«, entrüstete sich Peter, so als ob ihm Herr Meyer von 477 seine Armbanduhr gestohlen hätte.

»Entschuldigen Sie, aber ein Kleiderschrank erschien mir als Aufbewahrungsort für so viel Geld etwas gefährlich«, bemerkte der Hoteldetektiv. »Im Übrigen besorgte ich den Geldtransport per Aktentasche. Ich musste mehrmals gehen. Beim letzten Mal trafen Sie mich, als Sie heute früh aus dem Aufzug stiegen. Vielleicht erinnern Sie sich?«

»Sie kamen uns auf dem Korridor entgegen.«

»Und zum Glück hatte ich gerade alles wieder in Ordnung gebracht. Der Rest ist schnell aufgeklärt«, fuhr Herr Meyer von 477 fort. »Ich nahm mir vor, den jungen Herren heute im Laufe des Vormittags auf den Zahn zu fühlen. Die Sache musste mit dem Bankraub zusammenhängen, das war mir klar. Die Summe des geraubten Geldes deckte sich genau mit dem, was ich im Koffer vorgefunden hatte. Ich ging also gegen elf Uhr zum Zimmer 310 und klopfte. Was sich dann ereignete, ist ihnen ja bekannt.« Herr Meyer lehnte sich in seinen Stuhl zurück, ließ seine Daumen Ringelreihen spielen und sah an die Decke.

»Ich bin eine Seele von Mensch«, behauptete Kriminalkommissar Lukkas, er war gerade dabei, sich wieder einmal eine dicke Zigarre anzuzünden, »und ich habe, wenn es sein muss, eine Geduld wie fünfzig indische Elefanten. Aber wenn Sie nicht endlich mit der Sprache herausrücken und sagen, wo das Geld *jetzt ist, jetzt in diesem Augenblick* – dann garantiere ich für nichts mehr!«

Da klopfte es und so ziemlich im gleichen Augenblick kam

ein Herr zur Tür herein, wedelte mit den Armen in der Luft herum und rief: »Wir haben sie wieder!« Es stellte sich heraus, dass er die einhundertzweiundviertigtausend Mark meinte und dass es sich bei dem Herrn um Direktor Degenhart von der »Internationalen Handels- und Creditbank« handelte.

»Stellen Sie sich vor, wir bekommen einen Anruf und eine Stimme sagt am Telefon, wir möchten doch so freundlich sein und an der Kasse des Hotels ATLANTIC das geraubte Geld abholen. Und dann war die Stimme wieder weg! Wir glaubten natürlich kein Wort. Aber wir läuteten im ATLANTIC an und fragten nach. Und was denken Sie, was man uns sagte?«

»Es stimmt, das Geld liegt im Hoteltresor und wir erwarten Sie!«, sagte Kriminalkommissar Lukkas und zog an seiner Zigarre.

»In der Tat!«, rief Direktor Degenhart. »So war es! Und das Geld war noch so, als ob es überhaupt nicht angerührt worden wäre! Lediglich dreihundert Mark fehlten«, beschloss Direktor Degenhart seinen Bericht. Dann sah er sich plötzlich um und in all die fremden Gesichter. »Entschuldigen Sie, meine Herren, wenn ich mich nicht vorgestellt habe. Mein Name ist Degenhart.« Er ging von einem zum anderen und gab jedem die Hand: »Degenhart« – »Degenhart« – »Degenhart«.

»Ich schlage vor, Sie nehmen erst mal Platz«, sagte Kriminalkommissar Lukkas. »Wenn Sie jetzt zuhören, ist die Sache gar nicht mehr geheimnisvoll und Sie wissen dann auch, wer Ihre Belohnung zu bekommen hat. Kühnast, Sie schreiben mit!«

Nun mussten der Sheriff, Peter und Francis die ganze Geschichte vom Anfang an und bis in alle Einzelheiten erzählen.

Als Peter an die Stelle kam, an der Spitzbart als Kriminalkommissar bei den Pfannroths auftauchte, lehnte sich Kriminalkommissar Lukkas auf seinen Schreibtisch. »Ich weiß ja schon so ziemlich Bescheid, aber jetzt bin ich doch gespannt, woran du gemerkt hast, dass dieser Spitzbart ein Halunke ist und mit der Kriminalpolizei nichts zu tun hat. Hättest du das nämlich nicht gemerkt, wäre der Kerl über alle Berge und das Geld ebenfalls.«

»Irrtum!«, berichtigte Hoteldetektiv Meyer, »nicht das Geld, die Adressbücher!«

»So gesehen, war das von Ihnen eigentlich gar nicht dumm«, überlegte Francis.

»Schönen Dank für die Anerkennung!«, lachte Herr Meyer von 477 und die Herren Degenhart und Lukkas lachten mit.

»Also wie hast du's gemerkt?«, fragte der Kriminalkommissar.

»Ich sagte doch, dass der Koffer unter dem Sofa lag, auf dem der Spitzbart die ganze Zeit saß. Gut! Als ich den Koffer hervorholen wollte und mich bückte und wie ich nach dem Koffergriff unter das Sofa fasste, sah ich die Schuhe des vermeintlichen Kommissars; sie standen dicht vor meiner Nase.«

»Na und?«, fragte Bankdirektor Degenhart.

»Da sagte ich mir, die Schuhe kennst du doch! Sie müssen wissen, wenn man zwei Jahre lang Schuhe geputzt hat, guckt man den Leuten beinahe mehr auf die Füße als ins Gesicht. Also kurz und gut, die Schuhe, die der Spitzbart anhatte, waren aus Schlangenleder und an der Gummisohle fehlte ein Stück.«

»Das ist wie im Kino!«, platzte der Sheriff dazwischen.

»Das sind die Schuhe, die du geputzt hast, als der Bankraub

geschah, fuhr es mir auf einmal in den Kopf! Damals hatte der Kerl allerdings keinen Spitzbart. Als ich wieder aufstand, peilte ich den Burschen also haarscharf an. Und da sah ich, dass der Spitzbart gar nicht echt war. Wenn man genau hinsah, konnte man es erkennen.«

»Alle Achtung!«, meinte Kriminalkommissar Lukkas und paffte eine Rauchwolke in die Luft.

»Ich schließe mich an!«, lächelte Herr Meyer von 477, »alle Achtung!«

»Ebenfalls«, sagte Bankdirektor Degenhart schließlich, »alle Achtung!«

Und dann sagte Kriminalkommissar Lukkas: »Weiter!« Als die drei Jungen mit ihrer Geschichte fertig waren, sah Peter auf seine Armbanduhr. »Menschenskinder, es ist fünf Minuten nach drei!«

»Entschuldigung, aber dann müssen wir abhauen!«, gab der Sheriff bekannt und wollte schon zur Tür.

»Ich brauche noch Ihre Anschrift, Herr Pfannroth«, meinte Bankdirektor Degenhart. »Und es bleibt dabei, Mister Overseas, dass Sie auf Ihren Anteil bei der Belohnung zu Gunsten Ihres Freundes Pfannroth verzichten?«

»Dabei bleibt es«, sagte Francis.

»Die Adresse habe ich«, stellte Kriminalkommissar Lukkas fest. »Aber was anderes muss ich euch noch schnell fragen«, er stand auf und spazierte auf die drei Jungen zu, »dass das Ganze, trotz allem, ein bodenloser Leichtsinn von euch war, ist euch doch wohl klar?«

Die drei Jungen sagten nichts, aber sie nickten ernst.

»Und beim nächsten Mal?«, wollte Kriminalkommissar Lukkas wissen.

»Die Polizei, dein Freund, dein Helfer!«, rief der Sheriff und grinste über sein ganzes Gesicht. »Im Übrigen müssen wir jetzt wirklich los!«

»Lasst euch nur nicht k. o. schlagen!«, rief Kriminalkommissar Lukkas noch. Aber das hörten die drei schon nicht mehr.

Sie rannten bereits über den Korridor und an einer Unmenge von Türen vorbei zum Haupteingang.

Als sie dann auf der Straße waren und zu Jimmy in den Wagen sprangen, notierte sich Bankdirektor Degenhart auf Zimmer 247 gerade Peters Adresse und Kriminalkommissar Lukkas rief: »Informieren Sie die Presse, Kühnast!«

## Mister Overseas fällt vom Himmel – und zwar mitten in die Meisterschaft

Mitten im Stadtpark gab es einen großen runden Platz mit einem Gartenrestaurant und einem Pavillon. Sonntags spielten hier die Musikkapellen der Polizei oder der Feuerwehr, je nachdem, wer an der Reihe war.

Für heute hatte man den Musikpavillon zu einem Boxring umgebaut und rund um ihn herum waren eine Menge Stühle und Bänke aufgestellt worden. Diese Stühle und Bänke waren jetzt gerammelt voll. Und wer keinen Sitzplatz gefunden hatte, stand auf den Kieswegen oder drüben im Gartenrestaurant auf den Treppen. Frauen mit Limonadeflaschen in der Hand spazierten durch die Gegend und vier oder fünf Männer verkauften Eis am Stiel und heiße Würstchen. Über dem Ganzen blühten die Kastanienbäume.

Da es um die Meisterschaft ging, hatten einige Zeitungen ihre Sportredakteure geschickt. Die saßen am Ring und machten sich Notizen. Zwei Fotografen schossen immer wieder mal mit ihren Blitzlichtkameras um sich. Dem Lärm nach zu urteilen, herrschte eine ausgezeichnete Stimmung.

Solange geboxt wurde, schrie und brüllte das Publikum wie auf einem Fußballplatz. In der Pause zwischen den Runden erholte es sich. Währenddessen ertönte dann aus dem Lautsprecher Schallplattenmusik.

Fleischermeister Winkelmann stand vor dem Eingang, holte immer wieder seine goldene Taschenuhr aus der Weste und trat von einem Bein aufs andere.

In ziemlich gleichen Abständen tauchte immer wieder ein Mann mit einer Brille bei ihm auf und drohte: »Wenn Ihre Mannschaft spätestens in fünf Minuten nicht vollständig ist, wird sie disqualifiziert!« Der Mann war vom Boxerverband für Amateure, und wenn die fünf Minuten um waren, kam er jedes Mal zurück und sagte immer wieder genau das Gleiche.

Dicht am Ring saß Mutter Pfannroth zwischen den Schuhputzerjungen auf einer der Astoriabänke.

»Es gibt eine Katastrophe!«, piepste der Admiral gerade und rutschte auf seinem Platz hin und her.

»Mal was anderes«, meinte Mutter Pfannroth. Sie hatte den Kopf im Nacken, als ob sie dicht vor einer Kinoleinwand säße oder als ob sie sich rasieren lassen wollte. Aber in Wirklichkeit guckte sie über sich in die Kastanienbäume. Ihre Blüten sahen aus wie kleine Christbäume aus Schlagsahne.

Am Eingang kreuzte der Mann vom Boxerverband zum sechsten Mal bei Herrn Winkelmann auf, da hupte es und das overseassche Flugzeugmutterschiff kam um die Kurve.

»Gott sei's getrommelt!«, rief Meister Winkelmann und steckte seine goldene Taschenuhr wieder weg. »Fix, Kinder! Wir sind schon beim Leichtgewicht!«

»Und was für eine Entschuldigung haben die Herren?«, wollte der Mann vom Boxerverband wissen.

»Wir mussten noch schnell die Bankräuber hoppnehmen!«, rief der Sheriff.

»Aber sonst geht's euch gut?«, fragte der Mann mit der Brille.

»Danke, ausgezeichnet!«, rief Peter noch hinter sich.

Die drei Jungen waren mit Herrn Winkelmann nämlich schon auf dem Weg zum Umkleideraum. Und zwar im Laufschritt.

Eine knappe Viertelstunde später setzte sich der Fleischermeister neben Frau Pfannroth an den Ring.

Die Leichtgewichtler gingen eben in ihre dritte Runde. »Sind sie da?«, flötete der Admiral neugierig.

»Sonst säße ich nicht hier!«, meinte Herr Winkelmann und rückte zur Seite, damit zwischen ihm und Mutter Pfannroth ein Platz frei würde. In diesem Augenblick kam nämlich auch Francis vom Umkleideraum zurück. »Schönen Dank!«, sagte der und setzte sich.

»Wenigstens seid ihr erst mal wieder da!«, stellte Mutter Pfannroth fest und sah Francis an.

»Ich denke«, schlug Fleischermeister Winkelmann vor, »Mister Overseas erzählt uns erst einmal schnell die ganze Geschichte von A bis Z.«

»Worum ich ebenfalls gebeten haben möchte!«, sagte Mutter Pfannroth und spitzte ihre Ohren, denn Francis begann zu berichten.

Nach der nächsten Schallplattenmusik kletterte der Sheriff in den Ring und eine Viertelstunde später war dann auch Peter an der Reihe.

Beide hatten wenig Glück. Sie bekamen die Nasen voll und verloren nach Punkten.

Aber dafür waren ja alle anderen Astorianer siegreich geblieben, und als das »Kindergesicht« auch den letzten Kampf wieder für die Astorianer entscheiden konnte, war die Meisterschaft gesichert.

Fleischermeister Winkelmann musste mit seiner ganzen Mannschaft in den Ring und bekam einen goldenen Siegerkranz über die Schultern gelegt.

»Astoria!«, rief es von allen Seiten.

»Hepp! Hepp! Hepp!«

Die zwei Reporter blitzten mit ihren Kameras, der Mann vom Boxerverband schüttelte jedem Kämpfer die Hand und dabei gab es pro Mann eine Urkunde und einen Gutschein auf ein Paar Turnschuhe.

Die Leute riefen noch einmal: »Hepp! Hepp! Hepp!«, und klatschten Beifall. Dann fing alles an auseinander zu laufen.

»Hallo!«, sagte in diesem Augenblick eine Stimme dicht hinter Francis und gleichzeitig legte sich eine Hand auf seine Schulter.

Francis fuhr wie elektrisiert herum.

»Da staunst du, was?«

»Daddy!«, rief Francis und starrte seinen Vater an, als sei der gerade vom Himmel gefallen. Aber so ähnlich verhielt es sich ja auch.

»Wann bist du gekommen?«

»Vor einer Stunde gelandet!«, lachte Mister Overseas.

»Aber wie hast du rausgekriegt, wo ich stecke?«

Mister Overseas zeigte mit seiner Zigarre zur Seite, wo in einer Entfernung von zwei oder drei Metern Herr Meyer von 477 stand.

»Hat er –«, fragte Francis vorsichtig, »ich meine, hat er irgendetwas gesagt?«

»Alles!«, gab Mister Overseas zu. »Und ich bin beinahe vom Stuhl gefallen vor Schreck!«

»Aber Daddy, so schlimm war's doch nicht!«

»Na, ich danke!«, meinte Mister Overseas. »Mir hat's genügt!«

»Mir auch!«, stimmte Mutter Pfannroth bei und drehte sich um. »Entschuldigung, aber so dicht wie man hier aufeinander steht, hab ich jedes Wort mitgehört.«

»Das ist Frau Pfannroth«, stellte Francis jetzt vor, »und das ist Herr Winkelmann.«

»Angenehm«, versicherte Mister Overseas und machte sich ans Händeschütteln. Das dauerte eine ganze Weile, denn nach Mutter Pfannroth und Herrn Winkelmann kam auch noch der Admiral an die Reihe und schließlich einer nach dem anderen von den Schuhputzerjungen.

»Das seid ihr also?«, fragte Mister Overseas, zog an seiner Zigarre und sah sich beim Händeschütteln jeden Jungen genau an.

»Allerdings, das sind wir!«, grinste der kleine Horst Buschke zu Mister Overseas hinauf, als er ihm die Hand gab. Schließlich gingen alle zusammen zum Umkleideraum hinüber.

Mister Overseas ging mit seinem Sohn Arm in Arm, doch plötzlich nahm er seine Zigarre aus dem Mund und blieb stehen. Gleichzeitig blieben auch alle anderen stehen.

Da kam nämlich ein Mann in einem schwarzen Anzug quer über den Rasen gerannt. Und dabei waren überall Schilder aufgestellt, dass das Betreten des Rasens verboten sei.

Der Mann ruderte mit den Armen durch die Luft und kam schnell näher. Als er ganz heran war, stellte es sich heraus, dass er eine randlose Brille trug.

»Entschuldigung«, japste er, »ich suche diese Boxveranstaltung!«

»Die ist gerade vorbei!«, stellte Fleischermeister Winkelmann fest.

»Ich glaube, wir kennen uns«, sagte jetzt Francis und schob sich nach vorne.

»Allerdings, Mister Overseas«, strahlte der Mann im schwarzen Anzug. »Gott sei Dank, dass ich Sie gefunden habe! Mein Name ist übrigens Kühnast, Kriminalassistent beim Polizeipräsidium.« Er verneigte sich nach allen Seiten. »Sie müssen sofort mitkommen und die Herren Pfannroth und Schlotterbeck ebenfalls.«

»Wieso, wo brennt's denn?«, wollte Francis wissen.

»Seitdem ich die Presse angerufen habe, ist der Teufel los«, berichtete Kriminalassistent Kühnast. »Alle Zeitungen sind rein verrückt nach euch. Die Reporter rennen uns die Bude ein, und um sie loszuwerden, wollten wir sie eigentlich einfach hierherschicken. Aber dann stellten wir telefonisch fest, dass die Boxkämpfe schon vorbei waren.« Kriminalassistent Kühnast fuhr sich mit seinem Taschentuch über die Stirn. »Und jetzt ist es so, dass Kriminalkommissar Lukkas den Zeitungsleuten versprochen hat, er würde euch, ich meine Sie, auftreiben, und zwar bis fünf Uhr. Da sind sie dann alle wieder da. Sogar die Wochenschau will kommen und ich fliege unter Garantie, wenn ich ohne Sie und die Herren Pfannroth und Schlotterbeck zurückkomme.«

»So – und an mir ist die Presse nicht interessiert?«, fragte der kleine Horst Buschke. »Immerhin hab ich das Überfallkommando geholt.«

»– das dann zu spät gekommen ist«, grinste der Junge mit den roten Haaren, der Euler hieß.

Währenddessen war so ziemlich die ganze Meistermannschaft vom Umkleideraum herübergekommen. Unter ihnen war auch Peter.

»Hallo, da ist ja unser junger Freund!«, sagte Mister Overseas.

»Guten Tag, Mister Overseas«, grüßte Peter und bekam wieder einmal einen knallroten Kopf.

»Daddy weiß alles«, erklärte Francis und dann erzählte er gleich, weshalb Kriminalassistent Kühnast gekommen war.

»Natürlich geht ihr hin«, meinte Fleischermeister Winkelmann.

»Einen Moment!«, rief der Sheriff und dann zogen sich die drei zu einer kurzen Beratung zurück.

Anschließend fuhr sich Francis durchs Haar und sagte: »Es tut mir Leid, Herr Kühnast.«

»Sie wollen doch nicht sagen –?«, fragte der Kriminalassistent ängstlich und fingerte an seiner Brille herum.

»An der Geschichte waren nämlich alle Jungen beteiligt«, fuhr Peter fort. »Und wir drei kommen nur, wenn auch alle anderen eingeladen werden.«

»Genauso ist es!«, sagte der Sheriff noch zum Schluss. »Vielleicht sind Sie so freundlich, das Herrn Lukkas auszurichten!«

»Hepp! Hepp! Hepp!«, brüllten die Schuhputzerjungen und drängten sich begeistert um Francis, Peter und den Sheriff.

»Bravo!«, klatschte Mutter Pfannroth in die Hände und Herr Winkelmann klatschte mit.

»Ich werde Kriminalkommissar Lukkas unterrichten«, sagte Herr Kühnast, zog seinen Hut und wollte gehen. Aber da rief Mister Overseas: »Noch einen Augenblick, wenn ich bitten darf!«

»Mein Herr?«, sagte Kriminalassistent Kühnast und blieb stehen.

»Um fünf Uhr sind die Zeitungsleute bei euch?«

»Sehr richtig.«

»Gut«, überlegte Mister Overseas und zog an seiner Zigarre. »Dann sagen Sie den Herren, dass sie die Jungen und alles, was zu ihnen gehört, im Hotel ATLANTIC antreffen können.« Mister Overseas sah sich lächelnd um. »Das heißt, wenn ihr meine Gäste sein wollt?«

»Hepp! Hepp! Hepp!«, brüllten die Jungen und Mutter Pfannroth und Herr Winkelmann brüllten mit.

## Eine Pressekonferenz im »Roten Salon«

Die Zeitungsleute waren wirklich reinweg verrückt.

Schon eine gute Viertelstunde vor fünf Uhr standen sie sich im Dienstzimmer von Kriminalkommissar Lukkas gegenseitig auf den Füßen wie in einem überfüllten Eisenbahnabteil, auch noch draußen auf dem Korridor.

Die Lokalredakteure der Tageszeitungen hatten gleich ihre Pressefotografen mitgebracht und die Wochenschauen ihre

Filmkameras. Drunten im Hof der Kriminalpolizei parkte der Übertragungswagen des Rundfunks und im letzten Augenblick kamen auch noch die Berichterstatter der Illustrierten.

»Es tut mir also außerordentlich Leid, dass Sie sich vergeblich hierher bemüht haben«, stellte Kriminalkommissar Lukkas gerade fest, »aber ich kann es nicht ändern.«

»Wie bitte?«, rief eine ältere Dame vom Korridor her. Sie kam von der »Stimme der Hausfrau« und hörte schlecht.

»– nicht ändern!«, wiederholte Kriminalkommissar Lukkas laut.

»Also, auf ins ATLANTIC!«, schlug der Lokalredakteur vom »8-Uhr-Blatt« vor.

»Let's go!«, pflichtete ihm ein Herr bei, der einen Wolkenkratzer auf seiner Krawatte hatte. Er vertrat ein amerikanisches Magazin.

»Für die Herrschaften, die kein Fahrzeug haben, übernimmt die Kriminalpolizei den Transport!«, gab Kriminalkommissar Lukkas noch bekannt und dann setzte man sich in Bewegung.

Fünf Minuten später rollte eine regelrechte Autokarawane aus dem Hof der Kriminalpolizei, voraus der Wagen des Überfallkommandos mit blauen Warnlichtern und Sirene. Alle übrigen Polizeiautos waren nämlich zu klein gewesen. »Das ist nicht ganz vorschriftsmäßig«, lachte Kriminalkommissar Lukkas, »aber ich hoffe, Sie verraten mich nicht, meine Herrschaften!«

Als Wagenmeister Krause die Sirene hörte, sperrte er sofort die Straße ab und hielt einen englischen Wagen zurück, der gerade losfahren wollte. »Pardon, Mister, aber da kommt die Feuerwehr oder so und da muss alles halten!«

»O. k.«, meinte der Engländer und sah sich gelangweilt um.

»Ist gar nicht die Feuerwehr!«, rief Wagenmeister Krause, »das ist das Überfallkommando und es sieht so aus, als –«

Das Polizeiauto kam jetzt direkt auf den Wagenmeister zu und zog vor dem Hoteleingang die Bremsen.

»Brennt's irgendwo oder was ist los?«, rief Herr Krause.

»Kein Grund zur Aufregung«, antwortete Kriminalkommissar Lukkas und war den Zeitungsleuten beim Aussteigen behilflich. Dann marschierte er mit ihnen zur Drehtür.

Die Wagen der Wochenschauen und der Übertragungswagen vom Rundfunk kamen gleich hinterher. Sie blieben einfach stehen.

»Entschuldigung, das geht aber nicht!«, protestierte Wagenmeister Krause.

Aber die Film- und Rundfunkleute waren ganz offenbar schwerhörig. Sie rührten sich nicht vom Fleck und fingen jetzt auch noch an eine Unmenge Kabel abzurollen und auszulegen, quer über den Bürgersteig, über die Treppe und direkt durch die gläserne Drehtür, deren Flügel aufgeklappt worden waren.

Direktor Adler erwartete die Zeitungsleute in der Halle. »Bitte links zum ›Roten Salon‹«, sagte er immer höflich, wenn wieder jemand durch die Drehtür kam und sich fragend umschaute. Zwischendurch sagte er allerdings zum Chefportier Krüger: »Als ob die Königin von England heute bei uns Kaffee trinken würde!«

Im »Roten Salon« hatte man die weiß gedeckten Tische zu einem Hufeisen zusammengestellt. An diesen Tischen saßen die Schuhputzerjungen, tranken Kakao und futterten Erdbeerkuchen oder Sahnetorte.

An der Querseite des Hufeisens präsidierte Mister Overseas. Rechts neben sich hatte er Mutter Pfannroth und links den Fleischermeister Winkelmann.

Und weil ja alle, die zu den Jungen gehörten oder irgendetwas mit der Bankgeschichte zu tun hatten, dabei sein sollten, saß Vater Kuhlenkamp Mister Overseas gegenüber. Der Admiral saß zwischen Peter und Francis.

Der Sheriff hatte noch Herrn Theobald von der Firma BLITZ-BLANK aufgetrieben und Peter hatte mit dem overseasschen Wagen noch Frau Sauerbier aus ihrem Laden geholt.

Immerhin war der Schuhwichsevertreter ja der »Schwarzen Rose« in den Arm gefallen, als sie mit ihrer Pistole gedroht hatte, und Frau Sauerbier war in der pfannrothschen Wohnung dabei gewesen, als es dort um die Wurst gegangen war, beziehungsweise um den Koffer mit den einhundertzweiundvierzigtausend Mark.

Und schließlich hatte Francis auch noch den hellblonden Conny Kampendonk von der Pagenbank geholt, weil er vor der schwarzen Limousine gewarnt und ihre Nummer aufgeschrieben hatte.

»Prost, Gemeinde!«, grinste gerade der kleine Horst Buschke und trank seine Kakaotasse leer. Als er sie zurückstellte, war schon ein Kellner hinter ihm und goss sie wieder voll.

»Das ist ja unheimlich«, flüsterte Horst Buschke und schielte hinter sich.

Da standen die Kellner wie Soldaten nebeneinander in einer Reihe, angetan mit weißen Schlipsen und Kakaokannen oder Kuchentellern in der Hand.

Als die ersten Zeitungsleute kamen, ging ihnen Mister Overseas entgegen, begrüßte sie und bat sie, Platz zu nehmen. »Vorerst sind Sie einmal unsere Gäste«, lachte er.

»Sehr freundlich!«, bedankten sich die Zeitungsleute und packten ihre Notizbücher, ihre Fotoapparate oder ihre Mikrofone wieder in die Taschen. Dann setzten sie sich, wo sie gerade Platz fanden.

»Bitte zu uns!«, rief der Sheriff und sprang auf, als Kriminalkommissar Lukkas nach einem Platz an der Festtafel suchte.

»Mit Vergnügen«, schmunzelte der Kriminalkommissar und setzte sich zu den zwei Detektiven und dem Sheriff.

Als es niemand bemerkte, winkte Francis einem Kellner und flüsterte ihm etwas zu. Der Kellner verschwand und kam dann mit einer besonders dicken, schwarzen Zigarre zurück.

»Bitte, Herr Kommissar«, grinste Francis, »bedienen Sie sich!«

»Sehr aufmerksam, Mister Overseas!«, bedankte sich Kriminalkommissar Lukkas und ließ sich Feuer geben. Inzwischen kam der Rundfunk mit seinen Kabeln und die Wochenschau mit ihren Filmkameras und ihren Scheinwerfern.

Und jetzt wurden die Jungen auf ihren Stühlen allmählich unruhig. Die Presseleute übrigens auch. Schließlich waren sie ja nicht gekommen, um Kaffee zu trinken und Erdbeertorte zu essen. Zu Hause warteten ihre Redaktionen.

»Wenn ich mir den Vorschlag gestatten darf«, wagte gerade die Dame von der »Morgenpost« zu sagen, da ging die Tür auf und zwei Herren traten ein: Direktor Degenhart von der »Handels- und Creditbank« und Herr Meyer von Zimmer 477.

»Es hat leider etwas länger gedauert«, entschuldigte sich der Hoteldetektiv bei Mister Overseas.

»Jedenfalls sind wir jetzt vollzählig!«, stellte Mister Overseas fest. »Es kann also losgehen.«

»Entschuldigung!«, rief Peter. »Direktor Adler und Chefportier Krüger fehlen noch!« Er rannte los und kam gleich darauf mit den beiden Herren zurück.

»Sehr freundlich«, bemerkte Direktor Adler und setzte sich. Herr Krüger blieb neben ihm stehen. Schließlich war er im Dienst.

Mister Overseas klopfte jetzt mit einem Kaffeelöffel an seinen Kuchenteller und stand auf. »Sehr geehrte Herrschaften –« Weiter kam er nicht.

Im gleichen Augenblick riefen nämlich andere Stimmen: »Einschalten!« Der Ruf wurde draußen in der Halle bis zu den Wagen der Wochenschauen vor dem Haupteingang weitergegeben. Dann flammten plötzlich im »Roten Salon« die aufgestellten Scheinwerfer auf. Gleichzeitig setzte der Rundfunk sein Mikrofon unter Strom.

Mister Overseas klopfte jetzt ein zweites Mal an seinen Kuchenteller und wiederholte noch einmal: »Meine sehr geehrten Herrschaften!« Er machte eine Pause und sah sich um. Aber jetzt störte ihn niemand mehr. Da fuhr er fort: »Ich begrüße Sie im Namen der Jungen, deretwegen Sie hier sind. Bitte, sie stehen Ihnen jetzt zur Verfügung.«

Mister Overseas breitete lächelnd seine Arme aus. Dann setzte er sich. Zuerst musste jetzt Kriminalkommissar Lukkas die ganze Geschichte erzählen. Anschließend kamen Peter, Francis und der Sheriff an die Reihe.

Während die drei sprachen, machten sich die Zeitungsleute

Notizen, blitzten die Bildreporter mit ihren Fotoapparaten und surrten die Kameras der Wochenschauen. Der Mann vom Rundfunk schlich wie ein Indianer über den Teppich und hielt jedem, der gerade den Mund aufmachte, sein Mikrofon unter die Nase. Zum Schluss sagte Peter: »So war es«, und Francis nickte nur.

»Das ist die tollste Geschichte, die mir je in die Finger gekommen ist!«, rief die Dame von der »Morgenpost« und hatte vor Aufregung einen ganz roten Kopf.

*Bankräuber stolpert über seine Schuhe*, notierte sich der Herr vom »8-Uhr-Blatt« schon als Schlagzeile und die ältere Dame von der Hausfrauenzeitung japste aufgeregt: »Das ist genau das, was die Leute lesen wollen!« Sie sprang auf und rannte zu den zwei Detektiven hinüber, um sie noch mehr auszufragen. Aber sie kam zu spät. Inzwischen hatten sich nämlich schon sämtliche Fotografen auf die Jungen gestürzt.

Was diesen Burschen einfiel, war zum Auf-die-Bäume-Klettern!

Es fing damit an, dass ein langer Kerl mit einer schwarzen Hornbrille die Idee hatte, Peter sollte seine Pagenuniform anziehen.

Peter sah zu Direktor Adler hinüber und dann rannte er los. Direktor Adler hatte nämlich genickt. Vielleicht weil er an die Reklame für sein Hotel dachte.

Als Peter zurück war, musste er sich neben Francis auf den Boden legen und an der Kante eines Klubsessels vorbei zur Tür spähen.

»Stellt euch vor, die Türklinke ist die ›Schwarze Rose‹ und sie zielt gerade mit der Pistole auf euch – Achtung!«

Es machte verschiedene Male hintereinander klick und

gleichzeitig flammten mehr als ein Dutzend Blitzlichter auf. »Ausgezeichnet!«, stellten die Fotografen fest und transportierten die Filme in ihren Apparaten weiter.

»Jetzt sämtliche Schuhputzerjungen und die zwei mit diesem Sheriff in die Mitte!«, schlug ein Bursche in einem bunten Cowboyhemd vor.

Alle Jungen mussten jetzt von ihren Tischen aufstehen und sich wie eine Schulklasse zusammenstellen.

Dann ging das Theater von neuem los.

»Achtung!«, rief wieder der Lange mit der Hornbrille und dann blitzte es wieder, als sei ein Dutzend Streichholzschachteln explodiert.

»Und jetzt vielleicht die Sache mit meinem Scheck?«, schlug Direktor Degenhart vor. »Ich meine, wie ich die Belohnung überreiche.«

Die Pressefotografen waren hell begeistert. Sie strahlten, als ob sie im Toto gewonnen hätten.

»Enorm!«, rief der Bursche im bunten Cowboyhemd und kramte sein Taschentuch aus der Hose. Er schwitzte nämlich schon.

Direktor Degenhart und Peter mussten sich nebeneinander stellen und dahinter wurden dann noch Mutter Pfannroth, Francis, der Sheriff und die übrigen Jungen aufgebaut.

»Bitte!«, kommandierten die Presseleute.

Direktor Degenhart holte seinen Scheck aus der Tasche und übergab ihn Peter.

Es blitzte wieder einmal von allen Seiten.

Mutter Pfannroth war noch ganz fassungslos. Peter hatte ihr den Scheck gegeben und sie packte ihn gerade in ihre Handtasche. »Fünftausend Mark! Das ist wie im Märchen«, sagte sie und schüttelte den Kopf. »Ich kann's noch gar nicht glauben.«

»Aber es ist so!«, lächelte Bankdirektor Degenhart. »Und ich gratuliere!«

In diesem Augenblick tauchten auch Mister Overseas, Kriminalkommissar Lukkas und Fleischermeister Winkelmann auf.

»Ebenfalls meinen Glückwunsch«, sagte einer der Herren nach dem anderen.

Das wirkte ansteckend wie ein Frühjahrsschnupfen und eine ganze Weile wurden den beiden Pfannroths jetzt nur noch die Hände geschüttelt.

»Wie ist das, wenn man mit einem Schlag reich wird?«, wollte der kleine Horst Buschke wissen, als er an der Reihe war. Gleich hinterher fragte er dann noch: »Kaufst du dir jetzt 'n Auto?«

»Ich weiß noch nicht recht«, überlegte Peter und zog ein todernstes Gesicht, »vielleicht 'n Düsenflugzeug.«

»Fein!«, rief Mutter Pfannroth. »Sonntagnachmittags gondeln wir dann mal schnell nach Afrika rüber und schnappen frische Luft!«

Mister Overseas wollte sich ausschütten vor Lachen und Fleischermeister Winkelmann sagte zweimal hintereinander: »Zuzutrauen wäre es ihr! Zuzutrauen wäre es ihr!«

Bankdirektor Degenhart lachte ebenfalls mit. Aber dann fragte er ziemlich neugierig: »Im Ernst, was werden Sie mit dem Geld anfangen?«

Die beiden Pfannroths sahen sich an und wussten nicht recht, was sie sagen sollten.

»Zuerst«, meinte Peter schließlich, »bekommen alle Jungen wieder zurück, was sie mir zu meiner Pagenuniform beigesteuert haben –«

»Und noch was dazu!«, fuhr Mutter Pfannroth fort. »Von wegen der Zinsen!«

»– und weil sie doch auch mitgeholfen haben, die ›Schwarze Rose‹ hoppzunehmen«, überlegte Peter weiter. »Dann muss der Sheriff noch was abkriegen und Conny Kampendonk –«

»Und dann?«, fragte Direktor Degenhart neugierig weiter.

»– dann bekommt Mutter eine elektrische Nähmaschine und ein Paar Schuhe«, antwortete Peter. »Die Schuhe braucht sie nämlich schon 'ne halbe Ewigkeit. Aber es hat nie gereicht.«

»Papperlapapp!«, lachte Mutter Pfannroth. »Du kaufst dir ein neues Fahrrad. Und der Rest kommt auf die Bank, damit du später auf die Hotelschule gehen kannst.«

»Sehr interessant«, sagte in diesem Augenblick der Lokalredakteur vom »8-Uhr-Blatt«. Er hatte schon eine ganze Weile zugehört und schrieb ständig in sein Notizbuch.

»Rührend!«, stellte die Dame von der »Morgenpost« fest. »Eine elektrische Nähmaschine für die Mutter.«

»So was schreiben Sie aber ja nicht in die Zeitung!«, bat Peter.

»Natürlich nicht«, versprach die Dame. Dabei zwinkerte sie allerdings mit dem rechten Auge zu ihren Kollegen.

Als die Zeitungsleute endlich genug gefragt und fotografiert hatten und sich einer nach dem anderen verabschiedete, war es draußen bereits dunkel. Die Neonreklame vor dem Hotel brannte schon und auch die Hochbahnzüge, die drüben über die Lombardbrücke donnerten, hatten Licht.

»Wir sind wieder unter uns!«, stellte Mutter Pfannroth fest

und sah sich vergnügt um. »Was geschieht jetzt?« Aber die Jungen auf den Stühlen und in den Klubsesseln hatten plötzlich ganz schmale Augen und ließen die Köpfe hängen.

»Vermute, dass die Knaben müde sind!«, rief der Admiral und machte einen Handstand, um zu zeigen, wie quicklebendig sie noch war.

»Tja«, meinte Mister Overseas, »das Berühmtwerden ist eine anstrengende Sache!«

»Ein Affentheater!«, stellte der Sheriff fest und musste gähnen. Aber als er gegähnt hatte, sagte er gleich: »Von wegen müde, das sieht nur so aus.«

»Trotzdem geht es jetzt in die Klappe!«, gab Mutter Pfannroth bekannt und stand auf.

Es dauerte noch eine ganze Weile, bis man sich verabschiedet hatte. Mister Overseas begleitete seine Gäste vor die Drehtür. Fleischermeister Winkelmann hatte seinen Lastwagen gegenüber auf dem Parkplatz und bestand darauf, jeden Jungen bis vor dessen Haustür zu kutschieren. »Das muss heute so sein!«

»Hepp! Hepp! Hepp!«, riefen die Jungen, waren auf einmal wieder hellwach und wollten schon zum Parkplatz hinüber.

In diesem Augenblick hupte es und eine Taxe bremste direkt vor dem Hoteleingang, dass es nur so quietschte. »Ein Glück, dass Sie noch da sind!«, rief der Lokalredakteur vom »8-Uhr-Blatt«. Er war ganz aufgeregt und verlor beim Aussteigen seinen Hut. »Macht nichts!«, sagte er und dann gab er bekannt: »Der Chefredakteur meiner Zeitung hat mich gebeten, Ihnen Folgendes mitzuteilen: Das ›8-Uhr-Blatt‹ stellt für sämtliche Jungen einen Sonderomnibus an die Nordsee zur

Verfügung und bezahlt ihnen dort den vierzehntägigen Aufenthalt in einem Badeort! Was sagen Sie nun?«

Die Jungen sagten nichts. Aber sie riefen wieder einmal wie aus der Pistole geschossen: »Hepp! Hepp! Hepp!« Und die Erwachsenen riefen mit, sogar Mister Overseas.

## »Darf ich die jungen Herren bitten!«

Die nächste Woche wurde gräulich.

Dabei war der Sonntag noch ganz erträglich.

Aber das hing damit zusammen, dass sonntags in der ganzen Stadt nur eine einzige Zeitung erschien.

Mit dieser Zeitung fiel Frau Sauerbier den zwei Pfannroths mitten in den Morgenkaffee, sozusagen. Fünf Minuten später kam auch der Sheriff, dann Francis und wieder fünf Minuten später Fleischermeister Winkelmann. Und alle hatten sie die heutige Morgenzeitung in der Hand.

»FÜNFZEHNJÄHRIGE DETEKTIVE FASSEN ›SCHWARZE ROSE‹!!!«, stand quer über der ersten Seite in großen roten Buchstaben.

Der Sheriff saß auf dem pfannrothschen Familiensofa und las Zeile für Zeile vor. Alle hörten gespannt zu.

Als zum Schluss dann doch noch alles gut ging, holten sie tief Luft und sagten: »Gott sei Dank!«

Und dann lachten sie plötzlich schallend los, alle miteinander und wie auf Kommando.

»Dabei ist es unsere eigene Geschichte!«, rief Peter.

»Und wir wussten genau, wie sie ausgeht!«, lachte Fleischermeister Winkelmann.

»Zu dämlich!«, meinte der Sheriff schließlich und dann wurden die Fotos beguckt.

»Du hättest dich besser kämmen sollen«, meinte Mutter Pfannroth zu Peter. »Im Übrigen weiß ich, dass ich nicht gerade schlank bin. Aber so dick, wie es hier auf den Bildern aussieht, bin ich auch wieder nicht!«

»Das kommt vom schlechten Druck«, beeilte sich Fleischermeister Winkelmann zu bemerken.

Die Jungen fanden den Druck ausgezeichnet, aber sie sagten nichts. Frau Sauerbier allerdings hüstelte etwas anzüglich.

»Komisch, wenn man sich so abgedruckt sieht.« Der Sheriff hielt die Zeitung weit von sich, als ob er weitsichtig wäre.

»– und wenn man sich vorstellt, dass jetzt ein paar tausend Menschen diesen Artikel lesen und sich die Fotos begucken«, überlegte Peter.

»Vielleicht auch mein früherer Klassenlehrer«, überlegte der Sheriff weiter.

»– und meine ganze Kundschaft«, meinte Mutter Pfannroth. »Und meine auch!«, sagte Frau Sauerbier.

»Tja, die Presse ist eine Großmacht!«, stellte Fleischermeister Winkelmann fest und spielte mit seiner goldenen Uhrkette.

Dann kamen der Nachmittag, die Nacht und schließlich dieser Montagmorgen!

Die Schuhputzerjungen kamen aus ihren Wohnungen, tigerten los, ohne sich was Schlimmes zu denken, und pfiffen sich eins. Bis sie an der ersten Plakatsäule oder am ersten Zeitungskiosk vorbeikamen. Da blieb ihnen dann zuerst einmal die Luft weg und anschließend zogen sie die Köpfe ein.

Sämtliche Zeitungen hatten die Bankräubergeschichte auf

ihren ersten Seiten, und zwar mit riesigen Schlagzeilen und ganzen Fotoserien.

Wildfremde Menschen riefen bereits: »Guten Morgen, Sheriff!«, oder: »Wie geht's, Herr Schlotterbeck?«, wenn sie bei ihm vorbeispazierten.

Gegen zehn Uhr kamen drei Schulmädchen, machten einen Knicks und sagten: »Bitte ein Autogramm, Herr Detektiv!«

»Ihr habt wohl 'n Knall!«, sagte der Sheriff. »Verduftet oder ihr könnt was erleben!«

Den übrigen Schuhputzerjungen ging es nicht viel besser. Überall, wo sie saßen, blieben die Leute stehen und stellten die unmöglichsten Fragen. Aber niemand dachte daran, sich die Schuhe putzen zu lassen.

Wenn Peter und Francis im ATLANTIC in der Halle auftauchten, schlugen ihnen die Gäste lachend auf die Schultern und die Damen steckten ihnen Schokolade in die Taschen.

»Es ist nicht zum Aushalten!«, stöhnten die beiden Jungen dann und flüchteten auf dem schnellsten Wege wieder in die overseasschen Hotelzimmer.

Am Donnerstag lief überall die neue Wochenschau an. Fleischermeister Winkelmann ging sonst nur alle Jubeljahre ins Kino. Aber heute knallte er seine Kalbsschnitzelhände zusammen und sagte: »Das muss ich gesehen haben!« Dann kaufte er eine ganze Reihe Parkettplätze im Lichtspieltheater an der Hafenchaussee, telefonierte mit Mister Overseas und sagte auch Mutter Pfannroth Bescheid. Am Abend nach dem Boxtraining lud er alle Schuhputzerjungen wieder einmal auf seinen Lastwagen und eine Viertelstunde später saßen sie alle nebeneinander vor einer Kinoleinwand und warteten darauf, dass es endlich dunkel würde.

Die junge Frau, die ihnen die Plätze anwies, hatte sie sofort erkannt und flüsterte jetzt schon mit dem übrigen Kinopersonal. Da ging das Licht aus.

»Aha, es geht los!«, meinte Mutter Pfannroth aufgeregt und lehnte sich in ihren Stuhl zurück.

Zuerst brachte die neue Wochenschau irgendeinen Außenminister, der aus einem Flugzeug stieg, dann eine Überschwemmung in Kanada, eine Atombombenexplosion und schließlich ein Fußballspiel. »Na ja«, meinte der Sheriff ziemlich gelangweilt und kaute an seiner Kinokarte. Bis plötzlich die »Schwarze Rose« über die Leinwand spazierte. Sie wurde gerade aus dem Gebäude der Kriminalpolizei zu einem Gefangenenauto geführt.

»– auf dem Weg zum Untersuchungsrichter«, erklärte die Stimme des Wochenschausprechers.

Im gleichen Augenblick drehte die »Schwarze Rose« ihren Kopf zur Seite. Als ob sie plötzlich die Filmleute entdeckt hätte.

»Und das sind die jungen Detektive«, erklärte die Lautsprecherstimme jetzt.

Gleichzeitig erschien auf der Leinwand der »Rote Salon« vom Hotel ATLANTIC. Man sah deutlich, wie alle Jungen mit den Erwachsenen an den Tischen saßen, Kuchen futterten und Kakao tranken. Dann kamen hintereinander die Köpfe von Francis, Peter und dem Sheriff. Sie füllten die ganze Leinwand aus und erzählten, wie alles gekommen war. Anschließend sah man, wie Direktor Degenhart den Scheck über die fünftausend Mark Belohnung aus seiner Tasche holte und zum Schluss kam wieder ein Bild, das alle Jungen und Erwachsenen zusammen zeigte. Dieses Bild stand ziemlich lange und man konnte sich wie in einem Familienalbum jedes einzelne Gesicht in Ruhe angucken: Mutter Pfannroth, Mister Overseas, Herrn Winkelmann, Peter, Francis und den Sheriff, Kriminalkommissar Lukkas, den Admiral und so weiter.

Als das Licht wieder anging, stand plötzlich ein Mann auf der Bühne und sagte: »Sehr geehrte Herrschaften, ich habe erfahren, dass die jungen Detektive, die Sie gerade gesehen haben, persönlich anwesend sind.«

Das Publikum wurde unruhig und guckte sich um. Gleichzeitig rutschten in einer ganz bestimmten Parkettreihe fünfundzwanzig Jungen so tief wie möglich in die Stühle.

Der Mann vor der Leinwand lächelte und bat um Ruhe. Dann sagte er: »Darf ich die jungen Herren bitten, sich hier auf der Bühne zu zeigen?«

»Quatschkopf!«, knurrte der Sheriff und der kleine Horst Buschke meinte: »Wir sind doch keine Affen!«

Aber jetzt wussten alle Kinobesucher, wo die Detektive saßen. Man applaudierte und schließlich half alles Sträuben nichts mehr. Die Jungen mussten im Gänsemarsch durchs ganze Kino und dann hintereinander auf die Bühne klettern.

»Es freut mich, Sie hier begrüßen zu dürfen«, sagte der lächelnde Mann und gab jedem Jungen die Hand. Währenddessen klatschte das ganze Kino in die Hände und rief: »Bravo!«

»Schönen Dank!«, sagte der Kinotheaterbesitzer nach einer Weile und dann durften die Jungen wieder auf ihre Plätze zurück.

»Jetzt platzt mir der Papierkragen!«, rief der Sheriff und sah sich finster um. »So geht das nicht weiter. Ich bin für eine Generalversammlung, und zwar sofort!«

»Und der Hauptfilm, der jetzt drankommt?«, fragte der kleine Horst Buschke.

»Interessiert im Augenblick nicht!«, meinte der Sheriff und zog los.

Die Generalversammlung tagte gleich um die Ecke in einer Toreinfahrt.

»Ich eröffne die Sitzung«, sagte der Sheriff und legte gleich los.

»Wenn das so weitergeht, sind unsere Nerven übermorgen im Eimer! Vom Geschäftsgang gar nicht zu reden. Alles steht um uns rum, aber keiner denkt daran, sich die Schuhe putzen zu lassen. Irgendetwas muss passieren, meine Herren! So geht das nicht weiter, wie gesagt.«

»Ich hab's! Wir setzen ganz große Sonnenbrillen auf und lassen uns Bärte wachsen, dann erkennt uns keiner mehr!«, schlug der kleine Horst Buschke vor.

»Sonnenbrille und Bart!«, knurrte der Sheriff. »Wenn du willst, dass dir erst recht die ganze Stadt hinterherrennt, dann bitte.« Und dann rief er plötzlich: »Moment mal! Das ›8-Uhr-Blatt‹ hat uns doch eine Reise an die Nordsee versprochen!« Er biss sich auf die Unterlippe und dachte nach. »Entschuldigt, ich muss mal schnell telefonieren!«

So kam es, dass ab Samstagnachmittag an fünfundzwanzig Ecken der Stadt weiße Zettel klebten. Auf ihnen stand:

*An unsere werte Kundschaft! Wir bedauern es, Ihre geschätzten Schuhe erst wieder in zwei Wochen putzen zu können. Wir fahren nämlich mit dem ›8-Uhr-Blatt‹ in Ferien!*